DISCARDED FROM
PIMA COUNTY PUBLIC LIBRARY

DISCARD FROM
PIMA COUNTY PUBLIC LIBRARY

Biblioteca

Mary Balogh

Mary Balogh

UNA AVENTURA SECRETA

Traducción de
Ana Isabel Domínguez Palomo
y María del Mar Rodríguez Barrena

CISNE

Título original: *A Secret Affair*

Primera edición en Debolsillo: septiembre, 2012

© 2010, Mary Balogh
   Publicado por acuerdo con Maria Carvainis Agency, Inc.
   y Julio F. Yáñez, Agencia Literaria. Publicado original-
   mente en Estados Unidos por Delacorte Press, New York
© 2011, Random House Mondadori, S. A.
   Travessera de Gràcia, 47-49. 08021 Barcelona
© 2011, Ana Isabel Domínguez Palomo y María del Mar
   Rodríguez Barrena, por la traducción

Quedan prohibidos, dentro de los límites establecidos en la ley y bajo
los apercibimientos legalmente previstos, la reproducción total o parcial
de esta obra por cualquier medio o procedimiento, ya sea electrónico o
mecánico, el tratamiento informático, el alquiler o cualquier otra forma
de cesión de la obra sin la autorización previa y por escrito de los titula-
res del copyright. Diríjase a CEDRO (Centro Español de Derechos
Reprográficos, http://www.cedro.org) si necesita fotocopiar o escanear
algún fragmento de esta obra.

Printed in Spain – Impreso en España

ISBN: 978-84-9989-563-5 (vol. 67/12)
Depósito legal: B-20142-2012

Compuesto en M. I. maqueta, S. C. P.

Impreso en Novoprint, S. A.
Sant Andreu de la Barca (Barcelona)

M 995635

*H*annah Reid, duquesa de Dunbarton, era libre al fin. Libre de la carga de un matrimonio que había durado diez años y libre del interminable tedio que había supuesto el año de luto posterior a la muerte del duque, su marido.

Era una libertad que llevaba esperando mucho tiempo. Una libertad que merecía una celebración.

Se casó con el duque cinco días después de conocerlo. Su Excelencia, impaciente por celebrar la boda, compró una licencia especial en vez de esperar a que corrieran las amonestaciones. Hannah tenía diecinueve años y el duque, setenta y tantos. Nadie lo sabía exactamente, aunque algunos aseguraban que se acercaba peligrosamente a los ochenta. En aquella época, la duquesa poseía una belleza encantadora, una figura delgada y esbelta, unos ojos azules que rivalizaban con el cielo estival, un rostro alegre siempre presto a esbozar una sonrisa, y una melena larga y ondulada tan rubia que casi parecía blanca. Un rubio platino lustroso. El duque, por el contrario, tenía un porte y un rostro que mostraban los estragos del paso del tiempo y de la mala vida que posiblemente había llevado. Además, sufría de gota. Y de una dolencia cardíaca que hacía que su corazón no latiera con un ritmo estable.

Hannah se casó con él por su dinero, por supuesto, ya que esperaba convertirse en una viuda muy rica en cuestión de un par de años como mucho. Ya había conseguido ser una viuda rica, increíblemente rica, de hecho, aunque había tenido que esperar más de lo que pensaba en un principio para obtener la libertad y disfrutar de dicha riqueza.

El anciano duque había adorado hasta el suelo que ella pisaba, tal como rezaba el manido dicho. Le había regalado tanta ropa costosa que si alguna vez se le ocurriera ponérsela de golpe, acabaría asfixiada bajo su peso. A fin de acomodar todas las sedas, los satenes y las pieles, además del resto de las prendas y accesorios, muchos de los cuales solo se había puesto una vez o dos antes de descartarlos por otros nuevos, se habían visto obligados a convertir en un segundo vestidor el dormitorio de invitados adyacente a su vestidor de Dunbarton House, la residencia ducal emplazada en Hanover Square, en Londres. El duque había mandado construir no una ni dos ni tres, sino hasta cuatro cajas de seguridad en las paredes del dormitorio ducal para custodiar las joyas que había ido regalándole a su amada a lo largo de los años, si bien ella gozaba de la libertad de abrirlas y cerrarlas a su antojo para elegir las piezas que deseaba ponerse en cada ocasión.

Había sido un marido devoto e indulgente.

La duquesa siempre vestía de manera impecable. Y siempre iba cubierta de joyas, ostentosas y grandes. Normalmente cuajadas de diamantes. Llevaba diamantes en el pelo, en las orejas, en el escote, en las muñecas y en más de un dedo de cada mano.

El duque mostraba su trofeo allá por donde iba, sonriendo orgulloso y mirándola con adoración. En sus años mozos debió de ser más alto que ella, pero la edad lo había encorvado, necesitaba bastón para caminar y pasaba la mayor parte del tiempo sentado. Su duquesa se mantenía cerca de él siempre que estaban juntos, aun cuando se tratara de una fiesta y abundasen las parejas de baile. Hannah lo atendía con una característica media sonrisa en sus preciosos labios. Proyectando la imagen de la esposa devota en esas ocasiones. Nadie podía decir lo contrario.

Cuando al duque le era imposible salir, una situación cada vez más frecuente según pasaban los años, otros caballeros acompañaban a su duquesa a los actos en los que la alta sociedad se entretenía siempre que recalaba en la capital. Había tres caballeros en particular que le servían de acompañantes: lord Hardingraye, sir Bradley Bentley y el vizconde de Zimmer. Los tres eran guapos, elegantes y simpáticos. Era evidente que los tres disfrutaban con la compañía de la duquesa y viceversa. Y nadie dudó nunca de lo que incluía dicho «disfrute». La única duda que albergaba la alta sociedad (y se le preguntó con frecuencia, aunque jamás se obtuvo una confirmación tajante) era si el duque estaba al tanto o no de lo mucho que disfrutaba su esposa.

Incluso había quien se preguntaba si el duque había dado su beneplácito a la situación. Sin embargo, por delicioso que resultara el escándalo en caso de ser cierto, casi todos sentían simpatía por el duque, sobre todo porque dada su edad despertaba la lástima de sus pares, y preferían creer lo anterior antes que verlo como a un pobre anciano cornudo. Esas mismas personas gustaban de referirse a la duquesa como la «buscadora de oro cargada de diamantes», a menudo con la coletilla: «que va de cama en cama». Dichas personas solían ser mujeres.

Y de repente la deslumbrante vida social de la duquesa, sus escandalosos amoríos y el espantoso encarcelamiento que suponía su matrimonio con un hombre anciano y enfermo llegaron a su fin una mañana temprano con la inesperada muerte del duque, que sufrió un ataque al corazón. Sin embargo, no fue tan temprano como ella esperaba cuando accedió a casarse con él, claro. Por fin tenía la fortuna que ansiaba, aunque había pagado con creces por ella. Había pagado con su juventud. Cuando el duque murió, Hannah había cumplido los veintinueve años. Y tenía treinta cuando abandonó el luto, después de pasar las Navidades en Copeland, su residencia campestre emplazada en Kent. Un regalo que el duque le había hecho a fin de que no se viera obligada a marcharse cuando su sobrino tomara posesión del título y de las propiedades vinculadas al ducado. Su nombre completo era Copeland Manor, una mansión en toda regla, rodeada por una extensa propiedad, y no una residencia más modesta como dicho «Manor» daba a entender.

Y de esa forma, a los treinta años, pasada la flor de la juventud, la duquesa de Dunbarton obtuvo por fin la libertad. Y una fortuna inmensa. Estaba deseando celebrar dicha libertad. Tan pronto como pasó la Semana Santa se trasladó a Londres, dispuesta a disfrutar de la temporada social. Se instaló en Dunbarton House, ya que el nuevo duque era un hombre agradable de mediana edad que prefería vivir en el campo contando sus ovejas a estar en la capital y ocupar su lugar en la Cámara de los Lores, donde tendría que escuchar los interminables discursos de sus pares sobre esos asuntos que tal vez fueran cruciales para el país o incluso para el mundo, pero que a él no le interesaban lo más mínimo. Los políticos eran unos pelmazos de tomo y lomo, solía decirle a cualquiera que sacara el tema de conversación. Y puesto que era un caballero soltero, no tenía a nadie que le señalara que sus obligaciones en la Cámara Alta no eran la única razón para trasladarse a Londres en primavera. De modo que la duquesa podía instalarse en Dunbarton House y celebrar todos los bailes que quisiera con su beneplácito. Así se lo hizo saber. Siempre y cuando, especificó, no le enviara las facturas.

El último comentario era fruto de su tacañería. La duquesa, por supuesto, no necesitaba enviarle las facturas a nadie. Tenía una inmensa fortuna a su nombre. Ella misma podría pagarlas.

Ciertamente había dejado atrás la flor de la juventud, los treinta era una edad espantosa para una mujer, pero seguía siendo guapísima. Nadie podría discutir ese hecho, aunque a más de una le habría gustado. En realidad, a esas alturas de la vida era más guapa si cabía que a los diecinueve. Había ganado peso durante esos años y dichos kilos se habían asentado en los lugares precisos. Todavía era delgada, pero poseía unas curvas generosas. Su rostro, menos alegre y confiado que antaño, contaba con una estructura ósea y un cutis perfectos. Sonreía con frecuencia, si bien era una expresión algo arrogante, algo seductora y muy misteriosa, como si sonriera por algún motivo personal que no tuviera nada que ver con el mundo que la rodeaba. Su mirada tenía una expresión casi sensual que sugería alcobas, sueños y secretos. Y su pelo, gracias a las manos de los mejores expertos, siempre lucía a la última moda, con unos recogidos desenfadados y algo alborotados que más bien parecían estar a punto de deshacerse en cualquier momento. El hecho de que jamás sucediera suscitaba aún más curiosidad.

El pelo era su mejor rasgo físico, decían muchos. Salvo quizá por sus ojos. O por su figura. O por sus dientes, que eran muy blancos y bonitos.

Así era como la alta sociedad veía a la duquesa de Dunbarton, su matrimonio con el anciano duque y su regreso a Londres convertida en una viuda rica que por fin era libre.

Pero nadie sabía nada, por supuesto. Nadie había compartido su matrimonio ni sabía si había funcionado o no. Nadie salvo el duque y ella, claro estaba. El duque se había recluido cada vez más en su casa, sobre todo durante sus últimos años de vida, y la duquesa contaba con una horda de conocidos, pero se ignoraba que tuviera amistades de verdad. Se había contentado con esconderse tras la fachada de lujo y misterio que proyectaba.

La alta sociedad, que jamás se había cansado de especular sobre ella durante los diez años de su matrimonio, volvió a hacerlo después del intervalo de un año. En realidad, se convirtió en el tema de conversación preferido en los salones y durante las cenas. La alta sociedad se preguntaba qué iba a hacer la duquesa con su vida una vez libre. Nadie había olvidado que cuando pescó al duque de Dunbarton y lo convenció de que por fin se casara, no era nadie. Nadie la conocía.

¿Qué haría a continuación?

Alguien más se preguntaba qué iba a hacer la duquesa con su futuro, pero ese alguien lo hizo en voz alta y se lo preguntó directamente a la única persona que podía satisfacer su curiosidad.

Barbara Leavensworth había sido amiga de la duquesa desde que eran niñas, porque ambas vivían en la misma localidad de Lincolnshire. Barbara era la hija del vicario y Hannah era la hija de un terrateniente medianamente acaudalado y de buena familia. Barbara todavía vivía en el mismo pueblo con sus padres, aunque hacía un año que habían dejado la vicaría después de que su padre se jubilara. Ella acababa de comprometerse con el nuevo vicario. Se casarían en agosto.

Las dos amigas de la infancia habían seguido manteniendo esa estrecha amistad, pese a la distancia. La duquesa nunca había vuelto a su hogar natal después de la boda, y aunque Barbara había recibido numerosas invitaciones para pasar largas temporadas con ella, no solía aceptarlas a menudo. Y las pocas veces que había aceptado, sus visitas habían sido mucho más cortas de lo que a Hannah le habría gustado. Barbara se sentía intimidada por el duque. De modo que habían continuado con su amistad por correspondencia. Se enviaban unas cartas larguísimas, al menos una vez a la semana, y fueron constantes durante once años.

En ese momento Barbara había aceptado una invitación para pasar una temporada en Londres con la duquesa. Hannah la había convencido asegurándole que adquirirían su ajuar en el único lugar de Inglaterra donde merecía la pena comprar. Cosa que a Barbara le parecía perfecta, tal como reconoció mientras leía la carta meneando la cabeza, siempre y cuando se tuviera tantísimo dinero como tenía su amiga, que no era precisamente su caso. Sin embargo, Hannah estaba sola y necesitaba su compañía, y a ella le apetecía pasar unas semanas visitando iglesias y museos a placer antes de establecerse en su nuevo hogar. El reverendo Newcombe, su prometido, la había animado a que aceptara, a que se lo pasara bien y a que le brindara su apoyo a su pobre amiga viuda. Y después, cuando por fin decidió ir, insistió en que aceptara una asombrosa cantidad de dinero con el que comprarse unos cuantos vestidos bonitos y tal vez un par de bonetes. Y sus padres, que eran de la opinión de que pasar un mes con Hannah (a quien siempre le habían profesado un enorme cariño) sería maravilloso para su hija antes de que comenzara una vida seria como la esposa del vicario, también le ofrecieron una generosa suma de dinero.

Barbara se sintió escandalosamente rica cuando llegó a Dunbarton House, después de un viaje durante el cual había tenido la impresión de que se le descoyuntaban todos los huesos del cuerpo.

Hannah la estaba esperando en el recibidor, donde se abrazaron entre chillidos y alegres exclamaciones durante unos minutos, hablando a la vez pero sin escucharse, y riéndose por la alegría de volver a estar juntas. La alta sociedad no habría reconocido a la duquesa de haberla visto, un error justificable dado el caso. Tenía las mejillas arreboladas, los ojos abiertos de par en par y brillantes, una sonrisa de oreja a oreja, y una voz aguda por la emoción y la alegría. El aura de misterio había desaparecido por completo.

Hasta que reparó en la silenciosa presencia del ama de llaves, que aguardaba a cierta distancia, y dejó a Barbara en sus competentes manos. Se entretuvo paseando nerviosa de un lado para otro del salón mientras su amiga era conducida a su dormitorio para que se aseara, se cambiase de vestido, se peinara y empleara a su gusto la media hora que faltaba hasta que se sirviera el té.

Cuando bajó, volvía a ser la Barbara compuesta y serena de siempre. Su leal y estimada Barbara, a quien quería más que a nadie en el mundo, pensó Hannah con una sonrisa mientras atravesaba el salón para volver a abrazarla.

—Estoy contentísima de que hayas venido, Babs —dijo. Soltó una carcajada—. Por si no te ha quedado claro después de mi recibimiento.

—Bueno, me ha parecido ver cierto entusiasmo, sí —comentó Barbara, tras lo cual ambas se echaron a reír otra vez.

Hannah intentó recordar en ese momento cuándo fue la última vez que se rió, pero fue incapaz de acordarse de una sola ocasión. No importaba. Nadie se reía mientras guardaba luto. Podría tildarse de crueldad.

Charlaron sin cesar durante una hora, en esa ocasión prestándose atención la una a la otra, antes de que Barbara le preguntara aquello que le rondaba la mente desde la muerte del duque de Dunbarton, aunque había evitado el tema en las cartas.

—Hannah, ¿qué vas a hacer ahora? —Se inclinó hacia delante en su sillón—. Debes de sentirte terriblemente sola sin el duque. Os adorabais.

Barbara era de las pocas personas que había en Londres, o tal vez en toda Inglaterra, que creía de corazón algo tan sorprendente. Tal vez fuera la única incluso.

—Nos adorábamos, sí —reconoció ella con un suspiro. Extendió los dedos de una mano sobre el regazo y clavó la vista en los tres anillos que adornaban sus dedos, rematados por una exquisita manicura. Se pasó la palma de la mano por la delicada muselina blanca de su vestido—. Lo echo de menos. Me paso el día pensando en esas tonterías que siempre corría a compartir con él, y de repente me acuerdo de que ya no está aquí para escucharme.

—Sé que sufrió muchísimo por culpa de la gota —comentó Barbara con voz seria por la lástima— y que el corazón le dio muchos problemas y sustos durante los últimos años. Supongo que ha sido una bendición que haya tenido un final tan rápido después de todo.

A Hannah le hizo gracia el comentario, por inapropiada que fuese su reacción. Barbara ejercería a la perfección el papel de esposa del vicario si contaba con un buen repertorio de tópicos como el que acababa de soltar.

—Todos deberíamos contar con esa bendición cuando nos llegue el momento —replicó—. Pero supongo que su ataque al corazón fue provocado en parte por el enorme filete de ternera y las copas de clarete de las que disfrutó la noche anterior a su muerte. Ya le habían prohibido semejantes excesos diez años antes de que yo lo conociera, y siguieron recordándoselo al menos… hum… una vez al año durante nuestro matrimonio. Siempre decía que debería haber estado criando malvas cuando yo jugaba con mis muñecas. De vez en cuando se disculpaba por vivir tanto.

—¡Hannah! —exclamó Barbara, medio escandalizada y con un deje de reproche. Era evidente que no sabía qué decir a modo de réplica.

—Al final conseguí que dejara de hacerlo —siguió Hannah—, después de componer una oda, malísima por cierto, titulada «Al duque que debería haber muerto». Cuando se la leí, se rió tanto que sufrió un ataque de tos y estuvo a punto de morir en aquel mismo momento. Se me ocurrió escribir otra para acompañarla, titulada «A la duquesa que debería ser viuda». Pero no conseguí encontrar una palabra que rimara con «viuda», salvo quizá «ayuda», referida a su gota. Pero me pareció que quedaba un poco cojo... —Al ver que Barbara reparaba en el chiste y se echaba a reír, esbozó una leve sonrisa.

—¡Ay, Hannah! —exclamó su amiga—. ¡Qué mala eres!

—Pues sí —admitió.

Y ambas estallaron de nuevo en carcajadas.

—¿Qué vas a hacer de verdad? —insistió Barbara, que la miró de forma penetrante en espera de su respuesta.

—Voy a hacer lo que la alta sociedad espera de mí, por supuesto —contestó ella al tiempo que extendía los dedos de la otra mano sobre el brazo del sillón, para admirar también los anillos que llevaba en los dedos anular y meñique. Adelantó un poco la mano a fin de que la luz de la ventana se reflejara en los diamantes y los destellos que vio le resultaron la mar de satisfactorios—. Voy a buscarme un amante, Babs.

Dicho en voz alta parecía un poco... pecaminoso. Pero no lo era. Porque era una mujer libre. Ya no le debía nada a nadie. Y el hecho de que una viuda se buscara un amante, siempre y cuando la relación se llevara en secreto y con discreción, era irreprochable. Bueno, tal vez estaba exagerando al tildarlo de irreprochable. El término «aceptable» era más acertado.

Sin embargo, Barbara pertenecía a un mundo muy distinto del suyo.

—¡Hannah! —exclamó mientras el rubor se extendía por su cuello, por sus mejillas y por su frente hasta desaparecer por debajo del nacimiento del pelo—. ¡Eres de lo que no hay! Lo has dicho para escandalizarme, y la verdad es que lo has conseguido. Casi me ha dado un pasmo. Ponte seria.

Hannah enarcó las cejas.

—Estoy hablando en serio —le aseguró—. He tenido un marido que ya no está. Jamás podré reemplazarlo. He tenido acompañantes cuya presencia siempre me ha resultado agradable, pero ese arreglo no me acaba de satisfacer. Todos me parecen demasiado fraternales. Necesito alguien nuevo, alguien que añada un poco de... ¡no sé, un poco de sal y pimienta a mi vida! Necesito un amante.

—Lo que necesitas es alguien a quien amar —la corrigió su amiga con voz ya más firme—. De forma romántica, me refiero. Alguien de quien te enamores. Alguien con quien te cases y con quien tengas hijos. Sé que amabas al duque, Hannah, pero eso no era... —Guardó silencio y volvió a ruborizarse.

—¿Un amor romántico? —dijo Hannah, que completó la frase por ella—. Babs, de todas formas duele. Perderlo, quiero decir. Aquí. —Se colocó una mano bajo el pecho—. Además, el amor romántico me sirvió de bien poco antes de conocerlo a él, ¿verdad?

—Solo eras una niña —le recordó Barbara—. Y lo que pasó no fue culpa tuya. El amor llegará a su debido tiempo.

—Es posible. —Hannah se encogió de hombros—. Pero no tengo la intención de esperar a que aparezca. Y tampoco tengo la intención de buscarlo desesperada para acabar convenciéndome de que lo he encontrado y descubrirme atrapada en otro matrimonio cuando acabo de librarme de uno. Soy libre, y voy a seguir siéndolo hasta que decida dejar de serlo, lo que tal vez no suceda hasta dentro de muchísimo tiempo. Tal vez no suceda nunca. La viudez tiene sus ventajas, ¿sabes?

—Hannah, ponte seria —le reprochó Barbara.

—Así que voy a buscarme un amante —insistió—. Ya lo he decidido y estoy hablando muy en serio. Será un arreglo por pura diversión, sin ningún tipo de compromiso. Buscaré un hombre guapísimo, y pecaminosamente atractivo. Experimentado y muy habilidoso en las lides amatorias. Alguien sin un corazón que herir y sin deseos de contraer matrimonio. ¿Crees que existirá semejante dechado?

Barbara volvía a sonreír, y el gesto parecía sincero.

—Se dice que en Inglaterra abundan los libertinos atractivos —respondió Barbara—. Y según he oído es casi obligatorio que sean guapos. De hecho, creo que hay una ley que lo exige. Además, casi todas las mujeres se enamoran de ellos... y se dejan llevar por la convicción generalizada de que serán capaces de reformarlos.

—¿Por qué les gusta creer eso? —preguntó Hannah—. ¿Por qué desea una mujer convertir a un pecaminoso libertino en un caballero respetable y aburrido?

Ambas acabaron dobladas de la risa.

—Supongo que el señor Newcombe no es un libertino, ¿verdad? —quiso saber.

—¿Simon? —preguntó Barbara a su vez entre carcajadas—. Hannah, es un clérigo, y muy respetable además. Pero no es… te aseguro que no es un hombre aburrido. Me niego a aceptar la insinuación de que los hombres solo pueden ser o pelmazos o libertinos.

—Yo no he insinuado nada —protestó Hannah—. Estoy segurísima de que tu vicario es un ejemplar maravilloso y perfecto de romántica caballerosidad.

Las carcajadas de Barbara se convirtieron en una risilla tonta.

—¡Me imagino la cara que pondría si le contara lo que acabas de decir!

—Lo único que quiero de un amante —puntualizó Hannah—, aparte de las cualidades que ya he mencionado y que por supuesto son obligatorias, es que solo tenga ojos para mí durante todo el tiempo que le permita mirarme.

—Un perrito faldero, en otras palabras —apostilló su amiga.

—Babs, insistes en poner un sinfín de palabras ridículas en mis labios —protestó Hannah, que se puso en pie para hacer sonar la campanilla del servicio a fin de que se llevaran la bandeja del té—. Quiero… o más bien exijo todo lo contrario. Buscaré un hombre dominante y muy viril. Alguien a quien sea un reto controlar.

Barbara meneó la cabeza con la sonrisa aún en los labios.

—Guapo, atractivo, encandilado y devoto —enumeró al tiempo que extendía los dedos para llevar la cuenta—. Dominante y muy viril. ¿Me he dejado algo atrás?

—Habilidoso —contestó.

—Experimentado —añadió Barbara, que volvió a ruborizarse—. ¡Por Dios! Creo que ese tipo de hombres crecen en los árboles, Hannah. ¿Tienes a alguien en mente?

—Pues sí —respondió, pero guardó silencio mientras esperaba a que la doncella se llevara la bandeja y cerrara la puerta al salir—. Aunque no sé si este año está en Londres. Suele aparecer todas las primaveras. Si este año no aparece, será un inconveniente, pero tengo otros candidatos en caso de que sea necesario. Debería ser una tarea sencilla. ¿Quedaría como una vanidosa si digo que todos los hombres se vuelven a mirarme allá por donde voy?

—Es una afirmación vanidosa, sí —contestó una sonriente Barbara—, pero cierta. Siempre has causado ese efecto en ellos, incluso cuando eras una jovencita. En ellos y en ellas. Los hombres lo hacen por deseo y las mujeres por envidia. Nadie se sorprendió al ver que el duque de Dunbarton decidía hacerte su duquesa de repente, a pesar de ser un solterón reconocido. Aunque las cosas no fueran realmente así.

Barbara había estado a punto de sacar a colación un tema prohibido desde hacía once años. De hecho, lo había sacado en algunas de sus cartas a lo largo de esos años, pero Hannah jamás le había contestado.

—Por supuesto que fue así —dijo—. ¿Crees que me habría mirado dos veces si no hubiera sido guapa, Babs? Pero era un buen hombre. Y yo lo adoraba. ¿Te apetece salir? ¿Estás demasiado cansada después del viaje? ¿No te gustaría tomar el aire fresco y estirar las piernas? A esta hora Hyde Park será un hervidero de gente, al menos la zona de moda del parque, porque todos van a lucirse y a observar a los demás. Es obligatorio cuando se está en Londres.

—Recuerdo de una de mis visitas que hay más gente en el parque a la hora del paseo que en nuestro pueblo el día de la feria de mayo —comentó Barbara—. No conoceré a nadie, y a tu lado me sentiré como una provinciana, pero da igual. Vamos a pasear de todas formas. Necesito el ejercicio con desesperación.

2

$\mathcal{R}$ecogieron sus bonetes y dieron un paseo por el parque. Hacía un día estupendo, más aun teniendo en cuenta que no había empezado el verano. Había claros y nubes, y corría una ligera brisa.

Hannah se cubrió con la sombrilla blanca aunque los períodos de sombra eran más prolongados que los de sol. Al fin y al cabo, ¿para qué tener una sombrilla tan bonita si no se iba a mostrar en todo su esplendor?

—Hannah —dijo Barbara con voz titubeante mientras atravesaban las puertas del parque—, no hablabas en serio mientras tomábamos el té, ¿verdad? Sobre lo que tienes planeado, digo.

—Por supuesto que lo decía en serio —contestó—. Ya no soy una jovencita en busca de marido ni una mujer casada. Soy una criatura envidiada por todas las mujeres: una viuda rica con buena posición social. Y sigo siendo joven. Prácticamente se espera que las viudas de la alta sociedad tengan un amante… siempre y cuando dicho amante también sea de la alta sociedad, claro. Y esté soltero.

Barbara suspiró.

—Tenía la esperanza de que estuvieras bromeando —dijo—, aunque mucho me temía que no era así. Veo que has adoptado las costumbres y la moral del licencioso mundo en el que entraste cuando te casaste. No apruebo lo que quieres hacer. De hecho, lo desapruebo por inmoral, Hannah. Pero sobre todo por irreflexivo. Tú no eres tan desalmada ni tan… ¡Ay! ¿Cómo se dice? Ni tan cínica, ni tan apática como te crees. Eres capaz de sentir mucho afecto y amor. Una aventura solo te provocará insatisfacción en el mejor de los casos, y te partirá el corazón en el peor.

Hannah soltó una risilla.

—¿Ves toda esta gente que hay aquí? —le preguntó a su amiga—. Babs, cualquiera de ellos te dirá que la duquesa de Dunbarton carece de corazón para que se lo rompan.

—No te conocen —replicó Barbara—. Yo sí. Por supuesto, nada de lo que te diga te hará cambiar de opinión. De modo que solo voy a decir una cosa: te querré de todas formas. Siempre te querré. Nada de lo que hagas hará que deje de quererte.

—Pues me gustaría que al menos dejaras de hablar —repuso Hannah—, porque de lo contrario la alta sociedad presenciará el increíble espectáculo de ver a la duquesa de Dunbarton llorando y abrazada a su acompañante.

Barbara resopló con muy poca elegancia y las dos se echaron a reír una vez más.

—En ese caso, ahorraré saliva y me limitaré a disfrutar de este maravilloso paisaje —dijo Barbara—. Por cierto, tu hombre dominante, que puede estar en Londres o no, ¿tiene nombre?

—Qué raro sería si no lo tuviera —respondió—. Su apellido es Huxtable. Constantine Huxtable. El señor Constantine Huxtable. Es un poco humillante, ¿no te parece? Más que nada porque durante estos últimos diez años solo me he relacionado con duques, marqueses y condes. Incluso con el rey. Casi se me había olvidado lo que significaba la palabra «señor». Por supuesto, significa que es un plebeyo. Aunque no del todo. Su padre era el conde de Merton… y él es su primogénito. Su madre, y te lo digo para que no saques conclusiones precipitadas, era la condesa. Todo fue fruto de una tremenda idiotez, al menos por parte de la condesa y de su familia. Aunque supongo que el conde también haría alarde de una tremenda oposición. Al final acabaron casándose, sí, pero unos días después de que el primogénito naciera. ¿Te puedes imaginar un desastre peor para él? Creo que fueron dos días. Dos días que le negaron la posibilidad de convertirse en el conde de Merton, un título que ostentaría a estas alturas, y que lo convirtieron en el humilde señor Constantine Huxtable.

—Qué desgracia —convino Barbara.

Por delante de ellas la alta sociedad se había reunido en masa y fingía hacer un poco de ejercicio. Los carruajes de todas clases y colores, los jinetes sobre una gran variedad de monturas y los transeúntes ataviados a la última moda deambulaban por un trocito de tierra ridículo (teniendo en cuenta la superficie total del parque), en su intento por ver y lucirse, por contar los últimos cotilleos y enterarse de los rumores que difundían los demás.

Era primavera y la alta sociedad estaba en plena ebullición.

Hannah hizo girar su sombrilla.

—El duque de Moreland es su primo —comentó—. Se parecen muchísimo, aunque en mi opinión el duque solo es guapo, mientras que el señor Huxtable es pecaminosamente guapo. El actual conde de Merton también es primo suyo, aunque el contraste entre ellos es notable. El conde es rubio y apuesto, con un aire angelical. Parece agradable y tan peligroso como una mosca. Además, se casó con lady Paget hace un año, cuando los rumores de que esta había asesinado a su primer marido con un hacha corrían por todos los salones. Me llegaron incluso a mí, y eso que estaba en el campo. Tal vez el conde no sea tan sumiso e insípido como aparenta. Espero que no lo sea, pobrecillo. Porque es guapísimo.

—¿El señor Huxtable no es rubio? —quiso saber Barbara.

—¡Ay, Babs! —exclamó Hannah al tiempo que hacía girar de nuevo su sombrilla—. ¿Has visto los bustos de los dioses y de los héroes griegos tallados en mármol blanco? Son preciosos, pero también muy engañosos, porque los griegos vivieron a orillas del Mediterráneo y es imposible que hubieran tenido ese color a menos que fueran fantasmas. El señor Huxtable es un dios griego de carne y hueso… de pelo negro, tez oscura y ojos oscuros. Y un cuerpo… En fin, júzgalo por ti misma. Ahí lo tienes.

Y allí lo tenía, sí, acompañado por el conde de Merton y el barón Montford, el cuñado del conde. Iban a caballo.

Sí, no se había equivocado, decidió Hannah mientras observaba al señor Huxtable con ojo crítico. Su memoria no la había engañado aunque llevaba dos años sin verlo, ya que la primavera anterior la había pasado en el campo para cumplir su período de luto. Tenía un cuerpo perfecto, resaltado al ir a caballo. Era alto y delgado, pero bien formado y con todos los músculos en su sitio. Tenía unas piernas largas y fuertes, lo que siempre era una gran ventaja en un hombre. Tal vez sus facciones fueran algo más duras y angulosas de lo que recordaba. Y se le había olvidado el detalle de la nariz, que debió de rompérsele en algún momento de su vida y que no le habían colocado bien. Sin embargo, no cambió de opinión con respecto a su cara. Era lo bastante guapo como para que sintiera una agradable flojera en las rodillas.

Pecaminosamente guapo.

Tenía el buen gusto de vestir de negro, salvo por los pantalones de montar y la camisa blanca, por supuesto. Su chaqueta de montar era negra y se amoldaba a los poderosos músculos de su pecho, de sus hombros y de sus brazos como una segunda piel. Las botas también eran negras, al igual que el sombrero de copa. Incluso su caballo era negro.

¡Madre de Dios, parecía peligrosísimo!, pensó Hannah con aprobación. Parecía inalcanzable. Parecía una fortaleza inexpugnable. Parecía capaz de cogerla con una mano (mientras ella intentaba asaltar la fortaleza, claro) y aplastarle todos los huesos del cuerpo.

Desde luego era el elegido. Al menos para ese año. Al año siguiente elegiría a otro. O tal vez al año siguiente se plantearía de verdad buscar a alguien a quien amar, a alguien con quien sentar la cabeza. Sin embargo, todavía no estaba preparada para eso. Ese año estaba preparada para algo totalmente distinto.

—¡Ay, Hannah! —exclamó Barbara con voz titubeante—, no parece un hombre muy agradable. Ojalá…

—Pero, dime, ¿quién quiere un hombre agradable por amante, Babs? —preguntó ella mientras se adentraba en la multitud con una leve sonrisa en los labios—. Un hombre así parece un pelmazo insoportable, sea quien sea.

Allí estaba de nuevo, pensó Constantine Huxtable. De vuelta en Londres para otra temporada social. De vuelta en Hyde Park, rodeado por la mayoría de la alta sociedad, con su primo Stephen, el conde de Merton, a un lado y Monty (Jasper, el barón Montford, casado con su prima Katherine) al otro.

Parecía que solo había pasado un día desde que pisó Hyde Park por última vez. Le costaba creer que hubiera transcurrido otro año. En algún momento llegó a pensar que no se molestaría en aparecer por Londres esa primavera. Lo pensaba todos los años, claro. Pero todos los años volvía.

Había cierta atracción irresistible que lo llevaba de vuelta a Londres cada primavera, admitió en silencio mientras los tres saludaban a una pareja de ancianas con enormes bonetes que paseaban despacio en un viejo cabriolé con un cochero todavía más viejo en el pescante. Las damas les devolvieron el saludo con idénticos gestos de la mano y asentimientos de cabeza. Como si fueran de la realeza.

Le encantaba estar en casa, en Ainsley Park, en Gloucestershire. Jamás se sentía tan feliz como cuando estaba en casa, sumergido en la ajetreada vida de la granja o en las igualmente ajetreadas tareas domésticas. Apenas tenía un momento de tranquilidad cuando se encontraba en el campo. Y no se podía quejar de soledad. Sus vecinos siempre estaban ansiosos por que participara en las celebraciones que organizaban, aunque tuvieran sus reservas acerca de las actividades que llevaba a cabo en Ainsley Park.

Y en cuanto a la mansión en sí... En fin, la casa estaba tan atestada de gente que hacía dos años que se había mudado a la residencia de la viuda para disfrutar de un mínimo de intimidad... y también para que sus aposentos quedaran libres y pudieran alojar a los que iban llegando. El arreglo había funcionado de maravilla hasta el invierno anterior, cuando un grupo de niñas descubrió el invernadero adyacente a la residencia de la viuda y lo convirtió en su sala de juegos. Después, cómo no, invadieron la cocina en busca de platos y agua con los que hacer el té de sus muñecas. Y después...

Y después, un día, aprovechando la ausencia de su cocinero,

Con se descubrió saqueando la cocina en busca del tarro de las galletas… y sumándose al té, ¡por el amor de Dios!

Era normal que se escapara a Londres todas las primaveras. Un hombre necesitaba un poco de paz y tranquilidad en su vida. Por no mencionar un poco de cordura.

—Siempre es maravilloso regresar a la ciudad, ¿verdad? —les preguntó Monty con tono jovial.

—Pues sí, aunque me acaben de echar de mi propia casa —contestó Stephen.

—Pero las damas necesitan admirar al heredero sin la interferencia masculina —comentó Monty—. No querrás estar presente, ¿verdad, Stephen? Sobre todo cuando tus hermanas se han tomado la molestia de invitar a una docena de damas para que admiren con ellas al niño y para que lo agasajen con sus regalos, que Cassandra tendrá que admirar y que todas tendrán que examinar y… esto… elogiar con embeleso… —Se estremeció de forma teatral.

Stephen sonrió.

—En eso tienes razón, Monty —repuso el conde.

Su condesa acababa de alumbrar a un hijo varón. Su primogénito. Un heredero. El futuro conde de Merton. A Con no le importaba en absoluto. Después de su padre, el papel de conde lo ocupó durante unos años su hermano Jonathan, Jon, y en ese momento lo desempeñaba Stephen. Y con el tiempo el título recaería en el hijo de Stephen. En los años venideros Cassandra y él podrían tener un montón de hijos varones para curarse en salud si así lo deseaban. Para él no cambiaría nada. Nunca podría heredar el título.

Le daba igual. Siempre lo había sabido. No le importaba.

Se detuvieron para saludar a unos conocidos. El parque estaba lleno de rostros familiares, se percató Con cuando echó un vistazo a su alrededor. Casi no había caras nuevas, y las únicas que había eran las de las jovencitas, la nueva hornada de muchachas con aspiraciones de contraer un gran matrimonio.

Había algunas bellezas entre ellas, sí. Sin embargo, a Con le sorprendió, aunque no le resultó alarmante, descubrir lo aséptico que era su análisis. No sintió la menor atracción hacia ninguna de ellas. Podría haber expresado su interés sin temor a parecer presuntuoso. Su ilegitimidad era una mera formalidad legal. Le impedía heredar el título y las propiedades vinculadas a este, cierto, pero no afectaba a su posición social como hijo de un conde. Había crecido en Warren Hall. Había recibido una herencia considerable a la muerte de su padre.

Podría participar en el mercado matrimonial y contraer un matrimonio bastante ventajoso. Sin embargo, a sus treinta y cinco años tenía la incómoda impresión de que todas esas bellezas eran niñas. La mayoría tendría diecisiete o dieciocho años.

En realidad, sí que era alarmante. Porque no iba a rejuvenecer, ¿verdad? Y nunca había querido quedarse soltero. En ese caso, ¿cuándo pensaba casarse? Y lo más importante: ¿con quién iba a casarse?

Por supuesto, él mismo había disminuido sus posibilidades de contraer matrimonio al comprar Ainsley Park unos años atrás y llenar la propiedad con indeseables sociales: vagabundos, ladrones, antiguos soldados, retrasados mentales, prostitutas, madres solteras con sus hijos y otras muchas categorías. Ainsley Park era un enjambre de actividad y, para su satisfacción, la propiedad era muy próspera después de los primeros años de gastos... y trabajo duro.

No obstante, una joven esposa, en particular si procedía de noble cuna, no apreciaría que la llevara a vivir rodeada de semejantes personas y en semejante lugar... donde además tendría que alojarse en la residencia de la viuda. Hacía un mes que su salón fue designado como habitación infantil para las muñecas que estaban demasiado cansadas como para mantener los ojos abiertos después de tomar el té en el invernadero.

—Déjame adivinar —dijo Monty al tiempo que se inclinaba hacia él—. ¿La de verde?

En ese momento Con se percató de que había estado mirando fijamente a dos jovencitas acompañadas por sendas doncellas de caras largas, que caminaban unos pasos por detrás, y las cuatro se habían dado cuenta. Las muchachas estaban riendo por lo bajo, muy orgullosas, mientras que las doncellas se apresuraban a acortar la distancia que las separaba.

—Es la más guapa de las dos —reconoció, apartando la mirada—. Aunque la de rosa tiene mejor cuerpo.

—Me pregunto cuál de las dos tendrá un padre más rico —apostilló Monty.

—La duquesa de Dunbarton ha vuelto a la ciudad —les dijo Stephen mientras los tres reemprendían la marcha—. Tan guapa como de costumbre. Ya debe de haber abandonado el luto. ¿Os parece que vayamos a presentarle nuestros respetos?

—Por supuesto —respondió Monty—, siempre y cuando podamos acercarnos sin que nos atropellen los siguientes seis carruajes y arrollemos a los siguientes seis transeúntes. Insisten en abandonar el camino pese al peligro para su seguridad. —Dicho lo cual procedió a avanzar con habilidad entre los carruajes y los jinetes hasta que llegaron a los transeúntes, la mayoría de los cuales paseaba tranquilamente por el sendero habilitado para ellos.

Con por fin vio a la duquesa. Claro que ¿qué hombre con dos ojos en la cara no iba a fijarse en ella? Era alta y delgada, con un cutis de alabastro, mejillas y labios sonrosados, y ojos azules, insondables y siempre entornados.

Si hubiera escogido ser una cortesana en vez de la esposa de Dunbarton, a esas alturas sería la más aclamada de toda Inglaterra. Y habría amasado una fortuna. Aunque, por supuesto, la fortuna la había conseguido de todas formas al convencer a ese vejestorio para que se casara por primera y única vez en su vida. Y después procedió a exprimirlo para quedarse con todo lo que no estaba vinculado al título.

A su lado caminaba una acompañante de aspecto respetable. A su alrededor se había reunido un buen número de personas (hombres en su mayoría) para rendirle pleitesía. La duquesa se dejaba adorar con esa enigmática media sonrisa y algún que otro gesto de una de sus manos, enfundadas en guantes blancos, en cuyo índice brillaba un diamante tan grande como para abrirle la cabeza al hombre que tuviera la osadía de sobrepasarse.

—¡Vaya! —exclamó la duquesa, desviando la lánguida mirada de su séquito, que en su mayor parte se vio obligado a seguir camino, empujado por la multitud—. Lord Merton. Tan angelical y apuesto como de costumbre. Espero que lady Paget valore el trofeo que se ha llevado.

Hablaba con un tono suave y agradable. Era evidente que no necesitaba alzar la voz. Cada vez que abría la boca para decir algo, todo aquel que la rodeaba guardaba silencio para escucharla.

Le concedió a Stephen el honor de su mano y él se la llevó a los labios antes de mirarla con una sonrisa.

—Ahora es lady Merton, señora —replicó Stephen—. Y yo sí que valoro el trofeo que me he llevado.

—Bien dicho —dijo la duquesa—. Me ha dado la respuesta correcta. Y lord Montford. Parece usted muy… domesticado. Lady Montford ha hecho un trabajo excelente —añadió al tiempo que le tendía la mano.

—En absoluto, señora —repuso Monty con una sonrisa tras la cual le besó el dorso de la mano—. Me bastó con mirarla y fui… domesticado a primera vista.

—Me alegra oírlo —comentó ella—, aunque eso no fue lo que me dijo cierto pajarito. Y el señor Huxtable. ¿Cómo está? —Lo miró con algo rayano al desdén, aunque dado que lo hizo con los párpados entornados, el efecto quedó un tanto empañado… siempre y cuando su intención fuera la de mirarlo con desdén, por supuesto. No le tendió la mano.

—Muy bien, duquesa, gracias por preguntar —respondió él—. Mucho mejor ahora que hemos comprobado que ha vuelto a la ciudad.

—Zalamero —replicó ella, que descartó el comentario con un gesto de la mano, haciendo relucir el anillo. Se volvió hacia su compañera, que guardaba silencio—. Babs, tengo el placer de presentarte al conde de Merton, al barón Montford y al señor Huxtable. Caballeros, la señorita Leavensworth es mi mejor amiga. Ha tenido la amabilidad de acompañarme a la ciudad y de quedarse unos días conmigo antes de regresar al campo para casarse con el vicario del pueblo donde ambas crecimos.

La señorita Leavensworth era alta y delgada, tenía unas facciones muy nórdicas, los dientes ligeramente hacia fuera y el pelo rubio. No era una mujer desagradable a la vista. Los saludó con una reverencia. Y los caballeros la correspondieron desde sus monturas.

—Es un placer conocerla, señorita Leavensworth —dijo Stephen—. ¿Se va a casar pronto?

—En agosto, milord —contestó la aludida—. Pero hasta entonces tengo la intención de conocer bien Londres. Al menos, espero ver todos los museos y las galerías de arte.

La duquesa estaba examinando su caballo, se percató Con. Y después hizo lo propio con sus botas. Y con sus muslos. Y con su... cara. La vio enarcar las cejas cuando descubrió que él también la estaba mirando.

—Debemos proseguir, Babs —dijo la dama—. Me temo que estamos bloqueando el paso y estos caballeros están deteniendo a los otros jinetes. Son tan... grandes. —Dicho lo cual, se dio media vuelta y echó a andar hacia la siguiente oleada de admiradores que se acercaban para saludarla y para darle la bienvenida a la ciudad.

—Por Dios —murmuró Monty—. Ahí va una dama muy peligrosa. Que acaba de librarse de la correa.

—Su amiga se ve muy sensata —comentó Stephen.

—Parece que solo los caballeros con título pueden disfrutar del inmenso honor de besarle la mano —dijo Con.

—Yo que tú no le daría importancia —le aconsejó Monty—. A lo mejor los caballeros sin título son los únicos que tienen el honor de recibir un escrutinio exhaustivo en vez de una mano.

—O tal vez sean solo los caballeros solteros, Monty —añadió Stephen—. Con, es posible que le gustes a la dama.

—Y también es posible que la dama no me guste a mí —replicó él—. Nunca he ambicionado compartir amante con la mitad de la alta sociedad.

—Mmm —murmuró Monty—. ¿Crees que ese fue el caso del pobre Dunbarton? Por cierto, eso me recuerda que de joven tenía fama de ser muy peligroso. La verdad es que nunca pareció un cornudo mientras estuvo casado, ¿no creéis? Siempre lo vi como un gato satisfecho que acababa de comerse el cuenco de nata a placer.

—Acabo de caer en la cuenta de una cosa… —dijo Stephen—. El año pasado, tal vez por estas mismas fechas, y en este preciso lugar, fue cuando vi por primera vez a Cassandra. Tú estabas conmigo, Con. Y si la memoria no me falla, Monty, tú te acercaste a caballo con Kate mientras la mirábamos y comentábamos lo incómoda que debería sentirse vestida de negro y con velo teniendo en cuenta el calor que hacía.

—Y al final habéis acabado felices y comiendo perdices —replicó Monty. Volvió a sonreír—. ¿Le estás vaticinando un futuro similar a Con al lado de la guapísima duquesa?

—Hoy está nublado —comentó Con— y no hace ni pizca de calor. Y la duquesa no va de luto. Ni pasea sola con su acompañante totalmente inadvertida para la multitud. Además, no estoy pensando en el matrimonio, así que no empieces, Monty.

—Pero por aquel entonces —apostilló Stephen, meneando las cejas—, yo tampoco.

Los tres se echaron a reír… y en ese instante vieron a Timothy Hood a las riendas de un reluciente faetón nuevo tirado por dos tordos. Se olvidaron a toda prisa de la viuda vestida de blanco que lo había mirado no tanto de forma desdeñosa como provocativa, se percató Con, una vez que se detuvo a analizarlo con tranquilidad.

No le interesaba en lo más mínimo. Cada año, cuando iba a la ciudad, escogía a sus amantes pensando en su comodidad durante lo que quedaba de la temporada social.

Una mujer cuyo pasatiempo diario consistía en reunir al mayor número de adoradores posibles, para lo que poseía una habilidad pasmosa, no le reportaría mucha comodidad.

No le gustaba bailar al son que dictaba una mujer.

Ni ser una marioneta cuyos hilos moviera otra persona.

Mucho menos si se trataba de la infame duquesa de Dunbarton.

3

Con el transcurso de los días Barbara se reafirmó en la convicción de que el mundo al que Hannah se había trasladado era desconcertante y perturbador, muy distinto de aquel que habían compartido en el pueblecito de Lincolnshire. Un mundo mucho más amoral. Durante esos primeros días Hannah soltó un par de embustes tremendos, aunque se negó a reconocer que fueran mentira.

O que tuvieran importancia.

La primera ocasión tuvo lugar una mañana mientras salían de una sombrerería situada en Bond Street, seguidas por un lacayo cuya cabeza quedaba oculta tras las cuatro cajas que llevaba en los brazos. Su intención era que el lacayo dejara las cajas a buen recaudo en el carruaje antes de trasladarse a una pastelería emplazada en esa misma calle para tomar un refrigerio. Pero el destino tenía otros planes y les puso en la misma acera al señor Huxtable. Cuando lo vieron estaba a una distancia suficiente como para eludir el encuentro, sobre todo porque no había reparado en ellas dada la multitud de transeúntes que entraban y salían de las tiendas. Sin embargo, Hannah se demoró para darle tiempo a que se acercara y las viera.

Cuando lo hizo, el señor Huxtable se llevó la mano al ala del sombrero antes de que intercambiaran los saludos de rigor.

—Llevamos horas comprando —comentó Hannah con un suspiro cansado.

Esa parte al menos no era una mentira propiamente dicha sino una exageración, pensó Barbara. Al fin y al cabo, una hora y media era más que una hora.

—Y estamos muertas de sed —añadió su amiga.

El rumbo de la conversación comenzó a incomodar a Barbara. Hannah estaba intentando atraer la atención del señor Huxtable, pero ¿por qué lo hacía de forma tan evidente?

Sin embargo, el gran embuste estaba por llegar, aunque Barbara no se lo esperaba.

El señor Huxtable replicó con la galantería que un verdadero caballero debía mostrar en tales circunstancias.

—Hay una confitería o una panadería aquí al lado —dijo—. Así que, señoras, ¿me conceden el honor de acompañarlas a dicho establecimiento para invitarlas a un té?

Y entonces, en vez de parecer agradecida o incluso avergonzada, Hannah se mostró apenada. El gesto pilló a Barbara por sorpresa.

—Señor Huxtable, es usted muy galante —dijo—, pero esperamos visita y debemos volver a casa sin demora.

De modo que el cochero se vio obligado a coger las riendas a toda prisa, y el lacayo corrió a abrir la portezuela mientras el señor Huxtable aceptaba la negativa con una reverencia antes de ayudarlas a subir al vehículo.

Hannah se despidió con un elegante gesto de la cabeza cuando el carruaje se puso en marcha.

—¿Hannah? —dijo Barbara.

—Nunca hay que parecer ansiosa —adujo su amiga.

—Pero prácticamente le has suplicado que nos invitara a un té —señaló ella.

—Me he limitado a comentar que estaba muerta de sed —precisó Hannah—. Cosa que era cierta.

—¿Esperamos visita? —quiso saber Barbara.

—No, que yo sepa —reconoció Hannah—, pero alguien podría aparecer de improviso.

En otras palabras, había mentido. Barbara reprobaba las mentiras. Sin embargo, guardó silencio. Hannah estaba inmersa en un juego, que ella también reprobaba, pero su amiga era una mujer adulta. Estaba en su derecho de elegir el camino que quería seguir en la vida.

El segundo embuste fue pronunciado unos días después, la noche del baile de los Merriwether. Barbara no quería asistir. Era un baile de la aristocracia y lo más elegante que ella conocía eran las fiestas en los salones de reunión del pueblo.

—Tonterías —dijo Hannah cuando le comentó su inquietud—. Babs, enséñame los pies.

Barbara se levantó las faldas a la altura de los tobillos y Hannah contempló ceñuda sus pies.

—Tal como sospechaba —dijo—. Tienes dos. Uno derecho y otro izquierdo. Perfectos para bailar. Habría permitido que te quedaras en casa si solo tuvieras uno, pobrecilla mía. Aunque hay personas que son unas negadas para bailar aun teniendo dos, normalmente suele pasarles a los hombres. Vendrás al baile conmigo. Y no me lo discutas. No hay más que hablar. Dime que sí.

Barbara, por supuesto, fue al baile y llegó a la conclusión de que si no tenía cuidado, acabarían saliéndosele los ojos de las órbitas. Nunca había imaginado que existía semejante esplendor. Las cartas que pensaba escribir al día siguiente serían larguísimas.

Tan pronto como pusieron un pie en el salón de baile, la multitud las rodeó. O más bien rodeó a Hannah y a Barbara con ella. La transformación que sufría su amiga cuando estaba en público le resultaba sorprendente y en parte graciosa. Porque ni siquiera se parecía físicamente a la persona que ella había conocido durante toda la vida. Parecía una… bueno, una duquesa.

El señor Huxtable también estaba en el salón de baile. A su lado se encontraban los dos caballeros con los que estuvo cabalgando en el parque y dos damas. No obstante, se separó pronto de ellos para circular entre los invitados y charlar con diferentes grupos.

Y Hannah, según se percató, puso especial cuidado en colocarse de forma que siempre quedara bien a la vista del caballero. Cada vez que sus miradas se cruzaban, Hannah se abanicaba muy despacio con su abanico de plumas blancas y en un par de ocasiones se las ingenió para parecer desolada. Como si se sintiera desamparada entre la multitud y necesitara que la rescatasen.

Posiblemente, pensó Barbara, hubiera un buen número de mujeres en la estancia deseando sentirse tan desamparadas y desvalidas como su amiga... El poder que Hannah ostentaba sobre los hombres era asombroso, sobre todo porque no parecía esforzarse en absoluto para que así fuera. Claro que ya atraía las miradas de los hombres cuando apenas era una niña. Era una de las pocas criaturas realmente hermosas que bendecían el mundo con su presencia.

El señor Huxtable acabó por complacer su silenciosa súplica y atravesó la distancia que los separaba.

Saludó primero a Barbara con una reverencia y después hizo lo propio con Hannah.

—Duquesa —dijo—, ¿sería tan amable de concederme el primer baile de la noche?

Hannah volvió a parecer desolada.

—Me temo que no puedo hacerlo —contestó—. Ya se lo he prometido a otro.

«¿¡Cómo!?», exclamó Barbara para sus adentros, parpadeando. Su amiga le había explicado de camino al baile que nunca le concedía ningún baile a un hombre con antelación. Solo lo hacía con el duque, antes de que dejara de bailar. Y desde que habían llegado a casa de los Merriwether, Barbara no había visto que le concediera un baile a ningún caballero. Sin embargo, lo peor estaba por llegar.

—¿El segundo, entonces? —insistió el señor Huxtable—. ¿O el tercero?

—Lo siento mucho, señor Huxtable —contestó Hannah con voz pesarosa—. Los tengo todos comprometidos. Quizá en otra ocasión.

El caballero se despidió con una reverencia y se alejó.

—¿Hannah? —dijo Barbara.

—Bailaré todas las piezas —le aseguró su amiga—. Nunca hay que parecer ansiosa, Babs.

Y en ese momento volvió su séquito, compitiendo por llamar su atención.

«Qué embustes más descarados y raros», pensó Barbara. ¿Se podía atraer a un hombre llamando su atención para luego desdeñarlo? ¿Así se lograba que un desconocido se convirtiera en un amante?

Esperaba que no. Porque estaba convencida de que Hannah cometería un error garrafal si se enredaba con un amante. Y el señor Huxtable, aunque parecía el perfecto caballero, también parecía muy peligroso. El tipo de hombre que se cansaba pronto de que jugaran con él.

Ojalá acabara por darle la espalda a Hannah cuando llegase el momento.

Y en ese instante sus pensamientos se vieron interrumpidos por la llegada de un caballero que se mostró interesado en conocerla. En cuanto Hannah los presentó, el caballero le hizo una reverencia sin soltarle la mano y la invitó a bailar la pieza inaugural.

Estuvo tentada de echarse un vistazo a los pies para comprobar que, efectivamente, seguía teniendo dos. De repente, se le secó la boca, el corazón comenzó a latirle con mucha fuerza y deseó estar con Simon.

—Gracias —contestó con una sonrisa serena mientras colocaba la palma de la mano en el brazo que el caballero le ofrecía. No recordaba su nombre.

Entretanto, Hannah hacía alarde del atributo más importante que había adquirido a lo largo de los últimos once años: la paciencia. Nunca debía mostrarse ansiosa. Por nada. Mucho menos cuando estaba empeñada en conseguir algo. Y estaba empeñada en conseguir a Constantine Huxtable. Había descubierto que era más atractivo de lo que lo recordaba, y estaba segura de que sería un amante satisfactorio. Posiblemente el término «satisfactorio» se quedara corto, de hecho.

Y también sabía que él no creía desearla como amante. Ese hecho le quedó muy claro durante el encuentro en Hyde Park. Se había limitado a mirarla con expresión glacial desde la posición ventajosa que le ofrecía su montura y ella había llegado a la conclusión de que la despreciaba. Como muchos otros, por supuesto, que ni siquiera la conocían. Aunque, para ser justos, la culpa era solo suya. Sin embargo, la seguían. Y no podían apartar los ojos de ella.

El duque la había enseñado no solo a hacerse notar, sino también a ser irresistible.

«Nadie admira la timidez ni el recato, amor mío», le dijo en una ocasión al comienzo de su matrimonio, cuando Hannah poseía un exceso de ambas cualidades. «Amor mío» era su forma de referirse a ella. Nunca la había llamado «Hannah». De la misma forma que ella siempre lo había llamado «duque».

Había aprendido a no mostrarse tímida en ninguna situación.

Y a no ser recatada en ninguna circunstancia.

Y a ser paciente.

Tres noches después del baile, Hannah y Barbara se encontraban en un concierto privado en casa de los Heaton. Estaban con el resto de los invitados que habían llegado temprano en una antesala oval, disfrutando de una copa de vino mientras aguardaban el momento de ocupar sus asientos en la sala de música. Como siempre, las rodeaba un séquito de admiradores y amigos de Hannah. Dos de ellos rivalizaban por el honor de ocupar un asiento a su lado durante la velada. Podría haberles recordado que en realidad había dos lugares que ocupar junto a ella, pero tal vez el argumento no satisficiera a ninguno de los dos.

Hannah se abanicaba la cara despacio cuando reparó en la llegada de los condes de Sheringford, una pareja cuyo matrimonio, celebrado hacía ya varios años, fue la culminación de un escándalo monumental, aunque la pareja parecía haber encontrado la felicidad.

La condesa la vio y la saludó con una sonrisa. El conde también lo hizo, aunque añadió un breve saludo con la mano. Con ellos se encontraba el señor Huxtable. Claro, pensó, era familia de la condesa, quien a su vez era la hermana del conde de Merton. El señor Huxtable las saludó, a Barbara y a ella, con una inclinación de cabeza, pero sin sonreír.

El resto de los ocupantes de la estancia perdió lustre en su presencia. Tenía que ser su amante.

Lo sería. Se negaba a dudarlo.

«Si deseas algo, amor mío, jamás lo conseguirás. "Desear" es una palabra timorata, despreciable. Implica que se está seguro de no poder conseguir lo que se desea, implica la certeza de saberse poco merecedor de dicho deseo y de que solo se tendrá una posibilidad si se produce un milagro. Lo que debes hacer en cambio es esforzarte en lograr las cosas y las conseguirás. Los milagros no existen.»

—Me temo que no puedo sentarme con usted, lord Netherby —dijo con la intención de ponerle fin a la disputa entre sus dos admiradores—, aunque le agradezco la invitación. —No le hizo falta alzar la voz. Todos los que se encontraban a su alrededor guardaron silencio para escuchar lo que estaba a punto de decir—. Ni tampoco me sentaré a su lado, sir Bertrand. Lo siento. Voy a sentarme con el señor Huxtable. Hace una semana a Babs y a mí nos fue imposible aceptar su invitación a tomar el té cuando nos encontramos en Bond Street. Y tampoco pude bailar con él en la fiesta de los Merriwether hace unas noches. De modo que hoy me sentaré a su lado. —Cerró el abanico y se llevó el extremo a los labios fruncidos mientras miraba al señor Huxtable.

El aludido no mostró reacción alguna. Ni sorpresa, ni desdén, ni satisfacción. Era evidente que no se pavoneaba como solían hacer los demás hombres, los muy tontos. Aunque tampoco le dio la espalda y se alejó.

Lo que fue todo un alivio.

—Buenas noches, duquesa —la saludó una vez que se acercó a ella, después de que su séquito se apartara para dejarlo pasar—. Esto está muy concurrido, ¿no le parece? Veo que la sala de música está más despejada. ¿Le apetece dar un paseo hasta allí?

—Me parece bien —contestó ella al tiempo que le ofrecía su copa a un caballero situado a su izquierda a fin de tomar el brazo del señor Huxtable.

Los Park estaban hablando con Barbara, comprobó, después

de haber sido presentados. Su segundo hijo era clérigo, si mal no recordaba.

En ese momento reparó en la solidez del brazo que había aceptado. Un brazo ataviado de negro salvo por el almidonado puño blanco que se veía en la muñeca. La mano era morena, de dedos largos y uñas bien arregladas, aunque no tenía nada de suave. Más bien lo contrario. Parecía haber desempeñado algún trabajo duro en algún momento. El dorso de esa mano estaba salpicado de vello oscuro. Era más alto que ella, de modo que su hombro quedaba por encima del suyo. Llevaba una colonia que saturó su olfato de un modo muy agradable. No pudo identificarla.

La sala de música estaba ciertamente casi desocupada. Este tipo de entretenimientos nunca empezaba a la hora dispuesta. Dieron un paseo tranquilo por el perímetro de la estancia.

—De modo —comenzó él, volviendo la cabeza para mirarla—, que me ofrece sentarme a su lado esta noche como compensación por sus anteriores desaires. ¿No es así, duquesa?

—¿Se sintió desairado? —le preguntó ella a su vez.

—Más bien entretenido —respondió el señor Huxtable.

Hannah volvió la cabeza para mirar esos ojos tan oscuros cuya expresión era imposible de descifrar.

—¿Entretenido, señor Huxtable? —Enarcó las cejas.

—Es entretenido ver a un titiritero manejar los hilos de su marioneta y comprobar que no se mueve porque dichos hilos no existen —contestó él.

«¡Vaya!», exclamó Hannah para sus adentros. Un conocedor del juego que se negaba a seguir las reglas. «Mis reglas», precisó. Su respuesta mejoró la imagen que tenía de él.

—Pero ¿no es curioso ver cómo la marioneta acaba moviéndose pese a todo y demuestra así que no es una marioneta, sino que lo hace porque le encanta bailar? —replicó.

—Duquesa —dijo el señor Huxtable—, resulta que a la marioneta no le gusta bailar en el coro. Lo encuentra demasiado… ordinario. De hecho, se niega a ser una insignificante parte más del cuerpo de baile en cuestión.

De modo que estaba fijando sus propias normas…

—Se podría arreglar el asunto para que la marioneta bailara en solitario, señor Huxtable. O tal vez en un dúo. Sí, definitivamente un dúo sería perfecto. Y si demuestra ser una pareja excelente, como estoy segura de que será el caso, podría conseguir el puesto de primer bailarín en exclusiva para toda la temporada. Ya no habría necesidad de un cuerpo de baile. De hecho, sería despedido.

Habían llegado a la parte delantera de la sala de música y siguieron caminando entre el estrado donde descansaban los instrumentos de la orquesta y la primera fila de sillas doradas con asientos de terciopelo.

—¿Eso quiere decir que al principio estará a prueba? —preguntó él—. ¿Una especie de audición?

—No creo que sea necesario —respondió Hannah—. No lo he visto bailar, pero estoy convencida de que posee un talento superlativo.

—Duquesa, es usted demasiado benévola y confiada —replicó el señor Huxtable—. Tal vez el bailarín se muestre más cauto. Al fin y al cabo, si va a formar parte de un dúo, se le debería ofrecer la oportunidad de examinar a su futura pareja para descubrir si es una bailarina tan experimentada como él y si su estilo se ajusta a lo que busca para toda una temporada a fin de evitar aburrirse a las primeras de cambio.

Hannah abrió el abanico con la mano libre y comenzó a moverlo delante de su cara. La sala de música no estaba concurrida, pero el ambiente resultaba cargado y caluroso.

—«Aburrirse», señor Huxtable —repitió—, es una palabra que la bailarina no contempla en su vocabulario.

—¡Ah, pero él sí!

La réplica podría haberla ofendido, indignado o ambas cosas a la vez. Sin embargo, se sentía muy complacida. El verbo «aburrirse» ocupaba un lugar importante en su vocabulario, de modo que acababa de soltar otra mentira. Barbara se enfadaría con ella si la escuchara. Menos mal que no había oído ni una palabra de la conversación. Su amiga se habría muerto de la impresión. Casi todos los caballeros que Hannah conocía eran aburridos. En el fondo no deberían colocarla en un pedestal ni adorarla. Los pedestales podían ser lugares yermos y solitarios, y adorar a alguien era ridículo cuando se trataba de una simple mortal.

Giraron al llegar al extremo y continuaron por el lateral de la estancia.

—¡Vaya! —exclamó Hannah—. Ahí están los duques de Moreland. ¿Le apetece que los saludemos?

El duque era primo del señor Huxtable, el que se parecía tanto a él. De hecho, podrían pasar fácilmente por hermanos.

—Parece que no nos queda otra —lo oyó murmurar mientras lo instaba a acercarse a la pareja.

Los duques se mostraron muy amables con ella, pero muy fríos con él. Hannah creyó recordar que había algún tipo de distanciamiento entre los primos. Sin embargo, se contuvo antes de censurarlos por haber discutido aun siendo familia. Al fin y al cabo, sería como si la sartén le dijera al cazo que se apartara para no tiznarla…

Su primera impresión había sido acertada. El duque era el más guapo de los dos. Sus rasgos tenían una perfección clásica y contaba con el sorprendente azul de unos ojos que a priori se esperaban castaños. Sin embargo, el señor Huxtable era el más atractivo. En su opinión, por supuesto, lo que era perfecto, teniendo en cuenta que el duque estaba casado.

—El señor Huxtable y yo vamos a ocupar nuestros asientos —dijo Hannah antes de que la situación se volviera más tensa todavía—. Estoy cansada después de pasar tanto rato de pie.

Todos se despidieron con sonrisas y gestos de cabeza, y el señor Huxtable la llevó hasta una silla situada en el centro de la cuarta fila.

—No es muy prometedor que a una bailarina le duelan los pies por no haberse sentado durante una hora.

—¿Me ha oído usted decir que sea una bailarina? —replicó ella—. ¿Por qué está enfadado con el duque de Moreland?

—A riesgo de parecer descortés, duquesa —respondió—, me siento obligado a decirle que no es de su incumbencia.

Hannah suspiró.

—Pero sí que lo es. O lo será. Insistiré en conocer todo lo referido a su persona.

Esos ojos oscuros se clavaron en los suyos.

—Siempre y cuando le ofrezca el papel de bailarina después de la audición, ¿no?

—Señor Huxtable —replicó ella al tiempo que le daba unos golpes con el abanico en el brazo—, después de la audición me suplicará usted que acepte el papel. Aunque no hace falta que yo se lo diga, porque ya lo sabe. De la misma forma que yo sé que en su caso la audición es innecesaria. Espero que sea un hombre misterioso, con más secretos por descubrir aparte del motivo del distanciamiento con su primo. Lo espero de todo corazón. Claro que estoy segurísima de que no me decepcionará.

—Ya veo, duquesa —repuso él—, que es usted un libro abierto. Tendrá que ingeniárselas de alguna manera a fin de mantenerme interesado, ya que no podré desvelar sus inexistentes secretos.

Hannah esbozó una leve sonrisa y entornó los párpados.

—La estancia comienza a llenarse —comentó—. Creo que el concierto empezará dentro de un cuarto de hora más o menos. Sin embargo, todavía no hemos hablado de nada importante, señor Huxtable. ¿Qué le parece el clima del que estamos disfrutando últimamente? Demasiado bueno para esta fecha, ¿verdad? ¿Cree que lo pagaremos con un verano desapacible? Esa es la creencia popular, ¿cierto? ¿Qué opina usted?

—En mi opinión, duquesa —contestó—, un calor excesivo para la época del año en la que estamos no la asusta. Su naturaleza optimista sin duda espera que vengan más días calurosos a medida que la primavera dé paso al verano.

—Sí que debo de ser un libro abierto —replicó ella—. Me ha calado por completo. No me diga que es de los que prefieren una primavera fresca con la esperanza de que el verano resulte medianamente caluroso. ¡Es griego!

—Medio griego —precisó el señor Huxtable—, y medio inglés. Dejaré que descifre qué pertenece a cada parte.

Los invitados comenzaron a ocupar las sillas que tenían a su alrededor y la conversación se generalizó entre la audiencia hasta que lord Heaton subió al estrado y se hizo el silencio en espera del comienzo del concierto.

Hannah dejó que el abanico colgara de su muñeca y colocó una mano con disimulo en el brazo del señor Huxtable.

Todo había sido muy desconcertante. Después de haberlo rechazado premeditadamente tanto en Bond Street como en la fiesta de los Merriwether, había decidido dar un paso adelante esa noche y retroceder la siguiente vez que se encontraran. La verdad era que no tenía prisa. Los preliminares podían ser tan emocionantes como el juego en sí.

Sin embargo, el señor Huxtable se había negado a dejarla jugar a su manera. Y en vez de dar un pasito hacia delante, Hannah tenía la sensación de haber avanzado al menos un kilómetro esa noche. Se sentía casi sin aliento.

Y rebosante de emoción.

No obstante, no iba a permitir que fuese él quien dijera la última palabra. No tan pronto. De hecho, jamás se lo permitiría.

—Veo que el señor Minter ha llegado tarde —comentó una hora después, durante el intermedio, mientras los asistentes se ponían en pie para charlar e ir en busca de una copa de vino—. Debo ir a regañarlo. Me suplicó que me sentara a su lado esta noche y como me dio pena, acepté. Supongo que será mejor que me siente con él durante el resto de la velada. El pobre está muy solo.

—Sí —convino el señor Huxtable, hablándole al oído—, supongo que será mejor que se vaya, duquesa. Si sigue a mi lado, es posible que acabe viéndola como a una descocada.

Hannah lo reprendió dándole unos golpecitos con el abanico en el brazo y se lanzó en pos del incauto señor Minter, que seguramente ni siquiera estuviera al tanto de su presencia esa noche en el concierto.

4

Las amantes primaverales de Con, como Monty las apodó en una ocasión, eran seleccionadas casi exclusivamente de entre las viudas de la alta sociedad. Tenía como regla no visitar los burdeles ni pagar por los servicios de una cortesana o de una actriz. Por supuesto, tampoco miraba a las señoras casadas, aunque una sorprendente cantidad de damas en dicho estado civil se molestara en indicarle su disponibilidad. Tampoco miraba a las solteras. Al fin y al cabo Con quería una amante, no una esposa.

Según había descubierto, muchas viudas no tenían prisa por volver a casarse. Aunque la mayoría acababa haciéndolo, estaban encantadas de pasar unos años disfrutando de su libertad y de los placeres sensuales de una relación ocasional.

Casi siempre se buscaba una amante para la temporada social. Rara vez más de una, y nunca a la vez. Sus amantes solían ser mujeres guapas y más jóvenes que él, aunque no consideraba que la belleza o la edad fueran requisitos indispensables. Le gustaban las mujeres discretas, elegantes y lo bastante inteligentes como para conversar de diversos temas interesantes. Por supuesto, buscaba cierto grado de compañerismo en una amante, además de gratificación sexual.

¿Y ese año?

Se encontraba en la mansión Fonteyn, en Richmond, concretamente en la amplia terraza adoquinada situada detrás de la casa, aunque «detrás» y «delante» eran términos relativos en ese caso. La fachada delantera estaba orientada hacia el camino, por el que llegaban los carruajes, y no era nada del otro mundo. La parte posterior, en cambio, tenía vistas al río Támesis, y entre el río y la mansión había un amplio espacio ocupado por la terraza; por una amplia escalinata flanqueada por parterres de flores; por un prado en ligera pendiente delimitado a un lado por un cenador y una pequeña huerta y al otro por una hilera de invernaderos; y otra terraza, esa pavimentada, paralela al río. Un pequeño embarcadero se internaba en el agua para la comodidad de quien quisiera usar alguno de los botes que estaban amarrados a cada lado.

Y en ese momento la parte posterior de la mansión, que podría ser considerada la verdadera fachada, estaba bañada por la luz del sol aunque la brisa fría impedía que hiciera calor, como era de esperar en esa época del año. Era una estampa muy pintoresca y decididamente agradable.

Los Fonteyn se habían arriesgado mucho al organizar un almuerzo en el jardín nada más comenzar la temporada social, mucho antes de que alguien se atreviera a jugársela con el tiempo. Por supuesto, la mansión contaba con un espacioso salón de baile y con un salón igual de espacioso, y sin duda habría otras estancias lo bastante grandes como para acomodar a todos los invitados en el caso de que se estropease el tiempo o de que lloviera.

Ese año había una viuda nueva en la ciudad, y se estaba ofreciendo prácticamente en bandeja y con poca sutileza para ocupar el puesto de su amante. Siempre y cuando se obviara la evidente treta de hacerse la inalcanzable, por supuesto. Le había hecho muchísima gracia su comportamiento en Bond Street y en el baile de los Merriwether.

En ese instante la dama volvía a la carga. Estaba en el prado no muy lejos de la huerta, cogida del brazo de lord Hardingraye, uno de sus antiguos amantes, que había llegado hacía media hora. Se encontraban rodeados por otros invitados, tanto hombres como mujeres, y la duquesa estaba totalmente concentrada en el grupo mientras hacía girar una sombrilla muy elegante. Inevitablemente, era blanca, como el resto de su atuendo. Vestía casi siempre de blanco, aunque jamás repetía vestido. Impresionante logro.

No había mirado ni una sola vez hacia donde él estaba. Un detalle que solo podía tener dos explicaciones: o no lo había visto todavía o ya no tenía interés en entablar una relación, del tipo que fuera, con él.

Sabía perfectamente que ninguna de esas explicaciones era la verdadera.

Estaba decidida a atraparlo. Y desde luego que lo había visto. No estaría dándole la espalda con tanto empeño si no lo hubiera visto.

La situación le hizo gracia.

Le dio un trago a su bebida y siguió con la conversación que mantenía con su grupo de amigos. No tenía prisa por acercarse a ella. De hecho, no tenía intención de dar el primer paso. Si quería darle la espalda toda la tarde, le traía sin cuidado.

Sin embargo, empezó a darle vueltas a la pregunta que llevaba preocupándolo esos tres días mientras reía con sus contertulios y observaba a los recién llegados, saludando a unos con una mano y a otros con una sonrisa.

¿De verdad quería a la duquesa de Dunbarton por amante?

Había respondido con un no rotundo a esa pregunta en Hyde Park, y lo había dicho en serio.

La mayoría de los hombres habría considerado que esa pregunta era ridícula, por supuesto. La duquesa era, al fin y al cabo, una de las mujeres más guapas que había visto en la vida y, en el caso de ser posible, había mejorado con la edad. Seguía siendo relativamente joven y sexualmente atractiva. Era una mujer solicitadísima… y se quedaba corto. Podría escoger a cualquier hombre como amante, los casados incluidos.

Pero…

Algo lo hacía titubear, y no sabía muy bien por qué.

¿Por el hecho de que hubiera sido ella quien lo había elegido? Sin embargo, no había razón para que una mujer no persiguiera lo que deseaba con el mismo celo que un hombre. Cuando él se decantaba por una mujer, siempre la perseguía con insistencia hasta que capitulaba… o no. Además, ¿no era halagador que una mujer guapa y atractiva que podría tener a cualquiera lo escogiese a él?

¿Se debía entonces a que le parecía demasiado dispuesta? ¿Acaso no había tenido un sinfín de amantes en vida del difunto duque? ¿No era lo normal que siguiera con la misma tónica cuando por fin era libre, no solo del duque sino del obligatorio año de luto? No obstante, nunca se había amedrentado por la competencia. Además, si al final la duquesa decidía entretener a más amantes aparte de él, siempre podía cortar la relación. Al fin y al cabo, no buscaba amor ni nada que se pareciera a un compromiso conyugal. Solo buscaba una amante. Su corazón no se involucraría.

Y durante el concierto de los Heaton le había insinuado que mientras fuera su amante, no habría sitio para ninguno más.

¿Se debía entonces a que ella era como un libro abierto, tal como le había dicho durante el concierto? Todo el mundo la conocía. Pese a la mirada lánguida y a la leve sonrisa que no abandonaba sus labios, la duquesa no encerraba ningún misterio, no se ocultaba bajo múltiples capas que ir apartando, como los pétalos de una rosa.

Salvo por su ropa.

Era imposible saber qué aspecto tendría una mujer desnuda, sin importar las veces que se admirara su cuerpo vestido. Era imposible saber qué se sentiría al tocarla, cómo se movería, qué sonidos emitiría cuando…

—Constantine —lo llamó su tía, lady Lyngate, la hermana de su madre, que se había acercado a él por detrás y le había colocado una mano en el brazo—, dime que todavía no has ido hasta la orilla. O si lo has hecho, miénteme y dime que estarás encantado de acompañarme.

Le cubrió la mano con la suya y la miró con una sonrisa.

—No te mentiría, tía Maria, aunque hubiera estado una docena de veces en la orilla, cosa que no ha sucedido —le dijo—. Siempre es un placer acompañarte a donde quieras ir. No sabía que estabas en la ciudad. ¿Cómo te encuentras? Los años y las canas te sientan de maravilla. Te otorgan una gran elegancia.

Tampoco mentía al decir eso. Su tía debía de rondar los sesenta y todavía se volvían a mirarla.

—En fin —replicó ella con una carcajada—, creo que es la primera vez que alaban mis canas.

Seguía teniendo el pelo muy oscuro, pero sus sienes comenzaban a aclararse de un modo muy atractivo. Era la madre de Elliott, el duque de Moreland, pero nunca le había retirado el saludo a pesar de que su hijo apenas le hablaba. Y lo mismo sucedía con las hermanas de Elliott.

—¿Cómo está Cece? —le preguntó mientras conducía a su tía a la escalinata por la que se descendía hasta el prado. Se refería a Cecily, la vizcondesa de Burden, la benjamina de la familia y su prima preferida—. ¿Tendrá pronto a su hijo?

—Tan pronto que Burden y ella se han quedado en el campo este año —contestó su tía—, para el deleite de sus otros dos hijos, estoy segura. Es una idea magnífica la de colocar las mesas en la terraza junto al río. Así se puede disfrutar de los refrigerios junto a la orilla.

Hicieron justo eso. Estuvieron unos diez minutos sentados hasta que se les unieron tres amigos de su tía, una dama y dos caballeros.

—Lady Lyngate, ¿tendría la amabilidad de apiadarse de mí? Siempre y cuando su sobrino pueda prescindir de su presencia —le preguntó el caballero soltero después de un rato de conversación—. Hemos bajado a la terraza para dar una vuelta en bote, pero soy de la opinión de que tres son multitud. Por favor, acompáñenos para así ser cuatro.

—¡Por supuesto! —accedió ella—. ¡Qué idea más maravillosa! Constantine, ¿me disculpas?

—Muy a regañadientes —respondió, guiñándole un ojo a su tía.

Los observó subirse a un bote que acababa de quedarse libre y uno de los caballeros se hizo cargo de los remos para alejarse por el río.

—¿Está solo, señor Huxtable? —preguntó una voz conocida a su espalda—. Sería un desperdicio dejar solo a un caballero tan disponible.

—Estaba esperando a que usted me viera y se apiadara de mí —replicó al tiempo que se ponía en pie—. Siéntese conmigo, duquesa.

—No tengo hambre ni sed, ni tampoco necesito un descanso —dijo ella—. Lléveme a los invernaderos. Quiero ver las orquídeas.

¿Alguna vez alguien le decía que no?, se preguntó Con mientras le ofrecía el brazo. Cuando anunció en la velada musical de los Heaton que se sentaría con él durante el concierto, ¿se le ocurrió que podía acabar muy avergonzada si él se negaba? Claro que ¿por qué temerle al rechazo cuando hasta el cascarrabias y arisco duque de Dunbarton había sucumbido a sus encantos después de llevar resistiendo los de las demás mujeres más de setenta años?

—Me he sentido ofendidísima —comentó ella cuando aceptó su brazo—. No se ha acercado a saludarme al llegar.

—Me parece que yo he llegado antes, duquesa. Y usted no se ha acercado a saludarme.

—¿Ahora resulta que es la mujer la que debe dejar lo que esté haciendo para saludar al hombre?

—¿Tal como acaba de hacer? —preguntó a su vez, mirándola.

No llevaba bonete ese día, sino un absurdo sombrerito, inclinado de forma muy sofisticada sobre la ceja derecha y que le quedaba, por supuesto, perfecto. Los rizos rubios lo rodeaban con un estilo desenfadado que su doncella posiblemente habría tardado una hora en conseguir. El vestido de muselina blanca, según comprobaba de cerca, estaba bordado con capullitos de rosas en un tono muy claro.

—Señor Huxtable, está muy feo que me lo eche en cara —replicó ella—. ¿Qué otra alternativa me ha dejado? Habría sido muy aburrido volver a casa sin hablar con usted.

Pasearon por el prado en diagonal, en dirección a los invernaderos. Con se dejó llevar por la sensación de inevitabilidad. La duquesa estaba decidida a conquistarlo. Y pese a sus dudas, reconocía que la idea de ser conquistado no le resultaba desagradable.

Acostarse con ella sería toda una aventura llena de emociones fuertes, no le cabía la menor duda. ¿Una lucha por hacerse con el control, tal vez? ¿Y un enorme placer mutuo mientras luchaban?

En ocasiones, pensó, las perspectivas de un placer sensual extraordinario bastaban para entablar una relación. Los secretos de una personalidad digna de explorar podrían esperar hasta el año siguiente, hasta la siguiente amante.

Estaba rindiéndose sin apenas oponer resistencia, se dijo. Lo que quería decir que la duquesa era una experta en el arte de la seducción. Nada sorprendente, por supuesto. Y no debería echárselo en cara cuando empezaba a disfrutar al dejarse seducir.

—¿Dónde está la señorita Leavensworth esta tarde? —le preguntó.

—El señor y la señora Park la han invitado a visitar algún museo —contestó ella—, y ha preferido acompañarlos a venir conmigo a esta fiesta. ¿Puede creérselo, señor Huxtable? Después de la visita la llevarán a cenar y luego irán a la ópera.

La notó estremecerse con delicadeza.

—¿Nunca ha estado en la ópera, duquesa? —quiso saber—. ¿Ni en un museo?

—Por supuesto que sí —respondió ella—. Ya sabe que no se puede parecer una ignorante ni una palurda a ojos de nuestros pares. Hay que demostrar interés en los temas culturales.

—Pero ¿nunca ha disfrutado de esas visitas? —insistió.

—Disfruté mucho viendo el carruaje de Napoleón Bonaparte en... Bueno, en algún museo —respondió Hannah, agitando la mano con la que sujetaba la sombrilla para restarle importancia al asunto—. El carruaje que usó para trasladarse a la batalla de Waterloo, quiero decir. No pudo ir montado a caballo porque sufría de hemorroides. ¿Lo sabía? El duque me lo contó y también me explicó qué eran las hemorroides. Parecen muy dolorosas. Tal vez el duque de Wellington ganó la batalla por las hemorroides de Napoleón. Me pregunto si los libros de historia contarán ese pequeño detalle.

—Seguramente no —replicó él con sorna—. Sin duda alguna la historia preferirá perpetuar la versión actual, según la cual Wellington aparece como un héroe grandioso e invencible que ganó la batalla gracias a la fuerza de su grandeza y de su invencibilidad.

—Eso creo yo también —convino ella—. Es lo que me dijo el duque. Mi duque, me refiero. Una vez me llevó a ver las estatuas de lord Elgin y no me escandalicé al ver todos esos cuerpos desnudos. Ni siquiera me impresionaron. Solo eran pálido mármol. Preferiría ver a un hombre de carne y hueso. Un griego, quiero decir. Con la piel morena por el sol, no una fría estatua de piedra. Por supuesto, ningún hombre real podría tener una belleza tan perfecta. —Suspiró y su sombrilla volvió a girar.

«Bruja», pensó Constantine.

—¿Y qué me dice de la ópera? —le preguntó.

—Nunca he entendido el italiano —contestó ella—. Sería aburridísimo de no ser por toda esa pasión y por la tragedia de ver que todo el mundo muere sobre el escenario. ¿Se ha dado cuenta de que los personajes moribundos cantan maravillosamente justo antes de perecer? Qué desperdicio. Preferiría ver toda esa pasión dedicada a la vida.

—Sin embargo, eso es precisamente lo que sucede, dado que las óperas se escriben para cantantes vivos y para una audiencia compuesta por personas vivas más que para un personaje moribundo —repuso Huxtable—. La pasión se dedica a la vida.

—Jamás volveré a ver una ópera con los mismos ojos —afirmó la duquesa, que hizo girar la sombrilla una vez más antes de cerrarla al llegar al primer invernadero—. Ni a escucharla de la misma manera. Muchas gracias, señor Huxtable, por su explicación. Debe llevarme una noche para poder disfrutarla correctamente en su presencia. Invitaré a unas cuantas personas.

Había mucha humedad y hacía calor dentro del invernadero. La parte central estaba ocupada por enormes maceteros cuajados de helechos y el perímetro, rodeado por naranjos que se alzaban por delante de las paredes de cristal. El lugar estaba desierto.

—¡Qué bonito! —exclamó ella, que seguía junto a los helechos del centro con la cabeza hacia atrás para disfrutar del aroma de la vegetación—. ¿No cree que sería maravilloso vivir para siempre en una tierra tropical, señor Huxtable?

—Un calor abrasador —señaló él—. Insectos. Enfermedades.

—¡Vaya! —La duquesa bajó la cabeza y lo miró—. La fealdad en medio de la belleza. ¿Es de la opinión de que siempre hay fealdad? ¿Aunque algo sea muy, muy hermoso? —De repente, sus ojos parecieron enormes e insondables. Y tristes.

—No siempre —contestó Huxtable—. De hecho, prefiero pensar lo contrario, que siempre hay una belleza indestructible en medio de la oscuridad.

—Indestructible —repitió ella en voz baja—. Eso quiere decir que es usted optimista.

—¿Qué otra cosa se puede ser si pretendemos llevar una existencia tolerable? —replicó.

—Es muy fácil caer en la desesperanza. Siempre vivimos al borde de la tragedia, ¿no le parece?

—Sí —respondió él—. El secreto estriba en no ceder nunca al impulso de saltar voluntariamente por ese precipicio.

La duquesa siguió mirándolo a los ojos. No entornó los párpados, se percató. Sus labios no esbozaron ninguna sonrisa. Pero sí estaban ligeramente entreabiertos.

Parecía… distinta.

La parte racional de su cerebro le dijo que no había nadie más en ese invernadero en concreto y que se encontraban ocultos a la vista de los demás.

Inclinó la cabeza y le rozó los labios con los suyos. Los tenía cálidos y suaves, ligeramente húmedos, y rendidos a su beso. Recorrió con la lengua la estrecha abertura que había entre ellos, el contorno del labio superior y por último el labio inferior, tras lo cual le introdujo la lengua en la boca. Sus dientes no le impidieron el paso. Le acarició el cielo de la boca con la lengua antes de retirarla y apartar la cabeza de ella.

El beso lo dejó con un regusto a vino y a mujer sensual.

La miró a los ojos y ella le devolvió la mirada unos instantes hasta que se produjo un sutil cambio en su expresión. La vio entornar los párpados de nuevo y esbozar una sonrisa, recuperando así su habitual compostura. Tuvo la sensación de que se estaba colocando una máscara.

Lo que planteaba una posibilidad muy interesante.

—Señor Huxtable, espero que cumpla la promesa implícita en ese beso. Me llevaría una tremenda decepción de no ser así.

—Lo comprobaremos esta noche —replicó.

—¿Esta noche? —Enarcó las cejas al escucharlo.

—No debe quedarse sola —le dijo—, mientras la señorita Leavensworth cena fuera y va a la ópera. Seguro que se sentiría sola y aburrida. Así que cenará conmigo.

—¿Y después? —Mantuvo las cejas enarcadas.

—Y después disfrutaremos de un suculento postre en mi dormitorio —contestó Constantine.

—¡Oh! —Parecía estar considerando la posibilidad—. Pero tengo otro compromiso esta noche, señor Huxtable. Qué contrariedad. Tal vez otro día.

—No —repuso él—, nada de otro día. Nada de juegos, duquesa. Si me quiere, será esta noche. No en otro momento, cuando considere que ya me ha torturado bastante.

—¿Se siente torturado? —quiso saber ella.

—Vendrá esta noche —le dijo— o no lo hará nunca.

La duquesa lo miró en silencio un instante.

—¡Por el amor de Dios! Creo que lo dice en serio —comentó ella.

—Así es —le aseguró.

Y hablaba en serio. Ya le había advertido que no sería su marioneta. Y aunque el coqueteo era entretenido, no podía alargarse indefinidamente.

—¡Caray! —exclamó ella—. Me encantan los hombres dominantes e impacientes. Me resulta muy emocionante, ¿sabe? Aunque no tengo intención de dejarme dominar, señor Huxtable. Mucho menos por un hombre. Jamás. Pero creo que voy a tener que decepcionar al caballero a quien prometí ver esta noche. Lo cierto es que solo me ha invitado a cenar, pero sin postre. O sin postre suculento, para ser más exactos. Suena tan delicioso que no me puedo resistir.

—Es un postre que solo puede consumirse en pareja —repuso él—. Y lo consumiremos esta noche. Le enviaré…

La duquesa lo interrumpió justo cuando se percataba de que alguien abría la puerta.

—Pero solo son helechos —la oyó decir con voz desdeñosa—. Puedo ver helechos en cualquier camino de Inglaterra. Quiero ver las orquídeas. Lléveme a verlas, señor Huxtable.

—Será un placer, duquesa —replicó al tiempo que ella se cogía de su brazo.

—Y después puede llevarme a tomar el té en la terraza superior —continuó ella antes de intercambiar los saludos de rigor con el grupo de invitados que entraba en ese momento en el invernadero.

—Las orquídeas están en el tercer invernadero, excelencia —informó la señorita Gorman.

—Ah, gracias. Muy amable. —La duquesa le sonrió—. Hemos empezado por el extremo equivocado.

Y así fue como cerraron el trato, pensó Con mientras salían al sol primaveral en busca de las orquídeas. Tenía una amante para esa temporada social. Un acuerdo muy satisfactorio en muchos aspectos, sobre todo porque la relación se consumaría esa misma noche. Llevaba célibe demasiado tiempo.

Pero... ¿no en todos los aspectos?

¿A pesar de que la duquesa era una criatura hermosa, atractiva y fascinante que al parecer lo deseaba tanto como él la deseaba a ella?

No sabía por qué ese año le parecía distinto a los demás.

«Siempre debes contar con el poder de lo inesperado, amor mío», le dijo el duque en una ocasión a Hannah. «También debes tener en cuenta que no se debe usar con demasiada frecuencia, o de lo contrario ya no será inesperado.»

—Las esmeraldas, por supuesto, Adèle —le dijo Hannah a su doncella.

Tenía ropa y joyas de todos los colores alegres imaginables, aunque rara vez se ponía algo que no fuera blanco. Era lo que esperaba la gente de ella: ropa blanca y diamantes. Y, por supuesto, el blanco, incluidas todas las tonalidades posibles, siempre era más llamativo entre la multitud que cualquier color fuerte que los demás llevaran para lucirse. El duque también le había enseñado eso.

Esa noche, sin embargo, no estaría en medio de una multitud.

Y esa noche haría algo inesperado que desequilibraría al siempre seguro Constantine Huxtable.

Esa noche llevaría un vestido de satén verde esmeralda. Tenía un escote muy pronunciado y escandaloso, y brillaba a la luz de las velas a cada movimiento, creando un halo reluciente a su alrededor. Y esa noche iba a ponerse esmeraldas en vez de diamantes.

Y esa noche, lo que era todavía más inesperado, no se había recogido el pelo en la coronilla como acostumbraba, y como acostumbraban la mayoría de las damas. Se lo había recogido en la nuca con un pasador de esmeraldas. Por debajo del pasador, su pelo caía suelto por la espalda, en una desordenada cascada de rizos y ondas.

—No me esperes despierta, Adèle —dijo mientras se levantaba del taburete que ocupaba frente al tocador, una vez que comprobó que todas las joyas estaban tal como ella quería—. Volveré muy tarde. Y recuerda que debes darle mi nota a la señorita Leavensworth en mano cuando regrese de la ópera.

—Eso haré, excelencia. —La doncella le hizo una reverencia y salió del vestidor.

Hannah se estudió con ojo crítico en el espejo de pie. Irguió la espalda, cuadró los hombros, levantó la barbilla y esbozó una sonrisa.

Hasta entonces el peinado no acababa de convencerla. Pero en ese momento pensó que había acertado. Aunque de no haberlo hecho, tampoco importaba. Así era como escogía presentarse ante su amante. De modo que era lo acertado.

Su amante. Su sonrisa adquirió un matiz casi burlón.

Constantine Huxtable no la miraría con su habitual expresión inescrutable cuando la viera esa noche. En sus ojos vería el deseo que sabía que sentía.

El demonio estaba a punto de ser domesticado.

Una idea espantosa si se detenía a considerarla. Si lo domesticaba, ¿qué interés podría tener para ella? Un demonio domesticado sería la criatura más patética y miserable del mundo.

Quería un amante. Lo quería todo. Quería todo lo que podía ofrecerle ese mundo de placeres sensuales, aunque para conseguirlo tuviera que descender a los infiernos en busca del mismísimo demonio.

Tenía treinta años. ¿Por qué le parecían muchísimo peor que los veintinueve?

¿Qué le diría Barbara si la viera en ese momento?, se preguntó mientras le daba la espalda al espejo y recogía su capa de color blanco, que estaba doblada sobre el respaldo de un sillón. Se la puso y se la abrochó al cuello antes de cubrirse la cabeza con la capucha. A continuación cogió su ridículo. No llevaría abanico esa noche. No lo iba a necesitar.

Probablemente Barbara no le habría dicho nada. No le habría hecho falta. La miraría con expresión recriminatoria y ligeramente dolida. Seguro que tildaba de inmoralidad lo que estaba a punto de hacer. Aunque ella no era de la misma opinión. Ya no era una mujer casada. Además, su amiga pensaba que estaba a punto de emprender un camino que le partiría el corazón. Una opinión que tampoco compartía. Solo iba a acostarse con un hombre atractivo, muy atractivo, y también muy experimentado. Involucraría todo su cuerpo, salvo el corazón.

Y su cuerpo se alegraría mucho.

No estaba a punto de cometer un error. Cierto que estaba ocurriendo más deprisa de lo que había planeado. Tal vez no debiera haber capitulado tan pronto esa tarde. Su amenaza de no volver a relacionarse con ella si no iba a verlo esa noche seguro que no era real. Además, si lo fuera, ¿qué importaba? Había otros hombres. Sin embargo, había capitulado. Porque al fin y al cabo quería a un hombre dominante, no a un perrito faldero, como Barbara le había dicho.

No, no estaba a punto de cometer un error.

Contempló de nuevo su reflejo. Sí. Cubierta con la capa, volvía a ir toda de blanco.

El carruaje que le había enviado ya la esperaba en la puerta cuando Adèle salió en busca de las esmeraldas. Había llegado muy puntual.

Lo que quería decir que ella iba unos quince minutos tarde. Como debía ser.

Salió del vestidor y bajó las escaleras hasta el vestíbulo, donde un criado ataviado con su elegante librea esperaba para abrirle la puerta.

5

Al contrario de lo que hacían muchos caballeros cuando pasaban temporadas en Londres, Constantine Huxtable no tenía por costumbre alojarse en la zona de Saint James, donde se encontraban los clubes más selectos. Lo que hacía era alquilar todos los años la misma casa en una zona respetable de la ciudad, acorde a su posición social, pero no demasiado en boga, a fin de evitar que su intimidad se viera resentida.

O eso supuso Hannah una vez que el cochero la ayudó a apearse frente a la puerta de su casa, mientras observaba la calle con curiosidad. Aún era de día. Iban a cenar relativamente temprano.

Un criado había abierto la puerta de la casa. Hannah se levantó los bajos de la capa y del vestido, subió los escalones y pasó al lado de dicho criado. En el interior descubrió un vestíbulo de planta cuadrada muy espacioso, con el suelo ajedrezado y paisajes con recargados marcos dorados en las paredes.

Constantine Huxtable la esperaba en el centro de la estancia, vestido de negro como siempre y con una apariencia realmente demoníaca.

—¿Duquesa? —la saludó mientras hacía una elegante reverencia—. Bienvenida a mi hogar.

—Espero que su chef se haya esmerado. No he probado bocado desde el almuerzo al aire libre y estoy famélica.

—Si no lo ha hecho, lo despediré mañana mismo sin referencias —replicó él al tiempo que se acercaba para quitarle la capa.

—Es un hombre cruel —comentó sin moverse del lugar que ocupaba, a unos pasos de la puerta.

El señor Huxtable frunció ligeramente los labios y se acercó un poco más para bajarle la capucha y soltar el broche que mantenía la capa cerrada. Una vez que le quitó la prenda, se la tendió al silencioso criado sin apartar los ojos de ella. Unos ojos que en ese momento la recorrieron de forma deliberada de arriba abajo y de abajo arriba hasta volver a posarse en los suyos.

No pareció sorprenderse. Pero Hannah vislumbró algo. Un indicio de pasión, quizá. En el fondo lo había sorprendido.

En ese momento deseó haber llevado un abanico después de todo.

—Duquesa, esta noche está especialmente guapa —dijo él mientras le ofrecía el brazo.

La condujo a una estancia pequeña y acogedora de planta cuadrada. Las gruesas cortinas que ocultaban la ventana impedían el paso de la mortecina luz del atardecer. La única fuente de luz era el fuego que chisporroteaba en la chimenea, más dos velas altas situadas en sendos candelabros de cristal sobre una mesita emplazada en el centro. Una mesita dispuesta para dos comensales.

Ese no era el comedor, supuso Hannah.

Había elegido un lugar más íntimo.

Lo vio acercarse a un aparador para servir dos copas de vino, tras lo cual tiró del cordón de la campanilla. Le ofreció una de las copas a ella.

—¿Con el estómago vacío, señor Huxtable? —le preguntó—. ¿Quiere verme bailar encima de la mesa?

—No estaba pensando en la mesa precisamente, duquesa —contestó él, que acercó su copa a la suya a modo de silencioso brindis.

Hannah probó el vino.

—Necesito poco incentivo para bailar sea donde sea —le aseguró—. Estará malgastando el vino.

—En ese caso, espero que al menos le parezca exquisito —replicó el señor Huxtable.

Estaba exquisito, por supuesto.

El mayordomo y un criado entraron en ese momento con la comida, y ellos ocuparon sus respectivos lugares a la mesa.

El chef era excelente, descubrió Hannah casi al instante. Durante unos minutos comieron casi en silencio.

—Señor Huxtable —dijo ella a la postre—, hábleme de su hogar.

—¿Se refiere a Warren Hall?

—Ese fue su hogar en el pasado —señaló ella—. Pero ahora pertenece al conde de Merton. ¿Se lleva bien con él?

Al fin y al cabo, lo había visto cabalgando con el conde en el parque.

—De maravilla —contestó.

—¿Dónde vive usted ahora? —le preguntó Hannah.

Él hizo un gesto con la mano que abarcó la estancia.

—Aquí.

—No todo el año, supongo —replicó—. ¿Dónde vive cuando no está en la ciudad?

—Tengo una casa en Gloucestershire —respondió.

Lo observó en silencio mientras retiraban los cuencos de la sopa y servían el pescado.

—No piensa hablarme de ella, ¿verdad? Qué irritante es usted. Otro secreto que añadir al referente a su distanciamiento con el duque de Moreland. Y al misterio de su maravillosa relación con el conde de Merton después de que le robara el título que le pertenecía por derecho.

El señor Huxtable soltó sus cubiertos sobre el plato sin hacer ruido. La miró a los ojos desde el otro lado de la mesa. Sus iris parecían negros.

—Duquesa, está usted mal informada —repuso—. El título jamás pudo ser mío. No había la menor posibilidad de que pudiera serlo. Perteneció a mi padre y después a mi hermano pequeño, y ahora es de mi primo. No tengo motivos para guardarles rencor a ninguno de ellos. Quise mucho a mi padre y a mi hermano. Le tengo cariño a Stephen. Todos forman parte de mi familia. Y a la familia hay que quererla.

«¡Ah!», exclamó Hannah para sus adentros. Acababa de poner el dedo en una llaga. Aunque su voz y sus gestos eran serenos, parecían…

¿Demasiado serenos?

—Salvo al duque de Moreland —apostilló ella.

El señor Huxtable siguió mirándola, desentendiéndose por completo de la comida.

Les retiraron los platos para servir el siguiente.

—¿Qué me dice de su familia, duquesa?

Hannah se encogió de hombros.

—Está el duque —contestó—. Me refiero al actual. Un hombre intachable, inofensivo y tan interesante como el maíz y las ovejas a los que adora. El duque, mi difunto marido, tenía un ejército de parientes con quienes apenas se relacionaba.

—¿Y su familia? —insistió él.

Hannah cogió la copa y la hizo girar muy despacio para contemplar el reflejo de la luz de las velas en el cristal antes de llevársela a los labios.

—No tengo —respondió—. Así que no puedo contarle nada. No hay secretos que ocultar ni que descubrir. Pero le hablaré de Copeland Manor, mi casa de Kent. El duque me la compró hace cinco años como un regalo. Decía que era mi rústica casita de campo, pero ni es rústica ni es una casita. Es una mansión en toda regla. Rodeada por una inmensa propiedad que extiende su esplendor en las cuatro direcciones, con terrenos de labor y otras zonas no cultivables, pero bien atendidas. Hay arboledas, pastos y un lago natural. Pero no hay cenadores, ni jardines de parterres ni senderos agrestes. Todo es muy… rústico. En ese sentido, el duque no podía llevar más razón al tildarla así. —Hannah guardó silencio mientras cortaba un trozo de ternera, que por su aspecto y su blandura parecía haber sido cocinada a la perfección.

—¿No será tal vez demasiado natural para usted, duquesa? —le preguntó el señor Huxtable.

—A veces me temo que así es —reconoció—. Creo que debería imponer mi voluntad humana para embellecerla un poco, para lograr el mismo efecto que tenía esta tarde el jardín.

—¿Pero…? —la instó a explicarse, olvidada de nuevo la comida.

—Pero confieso que me gusta tal como está —contestó—. La naturaleza necesita ser domesticada en ocasiones. En aras de la civilización. Pero ¿debemos obligarla a ser algo distinto de lo que debería ser en aras de la belleza? ¿Qué es la belleza?

—La pregunta del siglo —replicó él.

—Debería verla con sus propios ojos y decirme qué le parece —sugirió.

—¿Debería verla? —El señor Huxtable enarcó las cejas—. ¿Me está invitando a Kent?

—Organizaré una breve fiesta campestre, si bien será más adelante, cuando la gente empiece a cansarse de los interminables bailes —contestó—. Le aseguro que todo será muy respetable, aunque para entonces todo el mundo sabrá, por supuesto, que somos amantes. La gente siempre lo sabe, aunque a veces no sea cierto. Que no será nuestro caso. Así me dirá qué opina de la propiedad.

—¿Y tendrá en cuenta mi opinión? —le preguntó él.

—Posiblemente no —respondió Hannah—. Pero, de todas formas, escucharé lo que tenga que decirme.

—Me siento honrado.

—Y yo me siento llena —anunció—. ¿Sería tan amable de felicitar al chef de mi parte, señor Huxtable?

—Lo haré —dijo—. Le alegrará muchísimo saber que no será despedido mañana por la mañana. ¿Le apetece un poco de queso o una taza de café? ¿Té, quizá?

No le apetecía nada. Llevaba toda la noche intentando distraerse mediante la conversación. E intentando fingir que tenía hambre, cosa que debería ser cierta porque no había comido desde el almuerzo al aire libre, cuando el señor Huxtable le ofreció un plato con entremeses en la terraza superior.

Apoyó un codo sobre la mesa, se colocó la barbilla en la mano y lo miró a la cara. Su rostro quedaba enmarcado por las dos velas.

—Solo el postre, señor Huxtable —contestó al tiempo que sentía la deliciosa emoción de lo que había soñado durante la segunda mitad del año de luto y de lo que había planeado durante los meses posteriores a la Navidad.

Emoción y nerviosismo. No debía mostrar lo último. Parecería una reacción impropia de ella.

Le alegraba mucho que fuera él. Se habría sentido desilusionada si el señor Huxtable no hubiera ido ese año a la ciudad. Pero no desolada. Porque tenía otras alternativas, magníficas también. Aunque ninguno podía compararse con el señor Constantine Huxtable.

Lo tenía por un amante extraordinario. Estaba convencida de que no la defraudaría a ese respecto.

No le faltaba mucho para descubrir si sus suposiciones eran ciertas. El señor Huxtable se había levantado, había apartado la silla con las piernas y estaba rodeando la mesa para ofrecerle la mano.

Era una mano cálida y firme, descubrió nada más aceptarla. Y él le pareció más alto y más corpulento cuando se puso en pie. Su colonia, la misma que llevaba en la otra ocasión, volvió a saturarle los sentidos.

—En ese caso, vayamos a disfrutar de él sin más demora —sugirió.

Hannah lo miró con los párpados entornados.

—Espero que este chef en concreto tampoco me defraude —dijo.

—Si lo hace, duquesa —replicó él—, no solo lo despediré por la mañana, además lo llevaré a algún páramo remoto y le pegaré un tiro.

—Una medida un tanto drástica —repuso ella—. Y un desperdicio de toda esta belleza griega. Aunque no creo que sea necesario llegar a esos extremos. Porque no me decepcionará. No lo permitiré.

El señor Huxtable la invitó a tomarlo del brazo y la condujo fuera de la estancia.

Las palabras a menudo eran insuficientes para expresar los pensamientos, hecho del que Con había sido muy consciente durante toda la velada. ¿Qué palabras podían describir algo que era más bello que la belleza y más perfecto que la perfección?

Siempre había tenido a la duquesa de Dunbarton por una mujer de belleza perfecta, aunque nunca se había sentido atraído en lo más mínimo por ella.

Esa noche hasta un superlativo se quedaría corto.

No recordaba haberla visto nunca con otro color que no fuera el blanco. Y siempre había pensado que era un recurso muy ingenioso hacer de dicho color su firma, por llamarlo de alguna manera. Sin embargo, el abandono de la norma era igual de ingenioso... y abrumador.

La duquesa de Dunbarton estaba... En fin, no encontraba las palabras adecuadas para describirla. Tal vez «abrumadora» fuera la única palabra que alcanzaba remotamente a definirla.

Su cocinero bien podría haberles servido cuero y gravilla para cenar, dada la atención que le había prestado a la comida. Y para colmo había tenido que hacer el supremo esfuerzo de no pasarse toda la cena contemplándola boquiabierto.

El color de su vestido y de sus piedras preciosas la transformaba de una reina de hielo en una especie de diosa de la fertilidad. Y su pelo, que posiblemente todos los caballeros sin excepción habrían soñado con ver suelto sobre sus hombros, estaba recogido con un pasador en la nuca y caía por su espalda en una cascada de ondas alborotadas.

El escote de su vestido dejaba bien poco a la imaginación, pero la despertaba de todas formas. Porque si fuera un solo centímetro más bajo...

Monty la había tildado de peligrosa la tarde que la vieron en Hyde Park.

Era más peligrosa que las sirenas de la mitología.

La duquesa había llevado el peso de una conversación carente de las habituales insinuaciones que solían prodigarse. De hecho, cuando le describió su casa de Kent le resultó... cercana. Como si de verdad le gustara la propiedad.

Era una mujer lista, muy lista. Tendría que ser muy cuidadoso con ella, pensó mientras la conducía en silencio por la escalera en dirección a su dormitorio. Aunque no acababa de entender de qué tendría que cuidarse. Al fin y al cabo, estaban a punto de convertirse en amantes. Y posiblemente seguirían siéndolo durante toda la temporada social.

Ese sería el límite, por supuesto. Si la duquesa no quería prolongar tanto su relación... pues muy bien. Él no acabaría con el corazón hecho añicos, ¿verdad?

Emplazado en el baúl que ocupaba uno de los rincones de su dormitorio había un candelabro con las velas encendidas. La ropa de la cama estaba apartada; las cortinas, corridas. Junto a la cama habían dispuesto una bandeja con un decantador de vino y dos copas. Todo estaba listo.

Cerró la puerta tras él.

La duquesa de Dunbarton suspiró mientras le soltaba el brazo y se volvía para mirarlo. El sonido le recordó al ronroneo de una gata satisfecha.

—No hay nada como el placer de la expectación, ¿verdad? —preguntó ella—. Me corre por las venas desde esta tarde, lo confieso. No me arrepiento en lo más mínimo de haber cancelado mi cita para aceptar su invitación. —Le colocó un dedo en la barbilla que procedió a mover con delicadeza mientras lo seguía con los ojos.

—Yo tampoco me arrepiento —le aseguró Con.

—Espero que disfrute de cada minuto —siguió ella—. Confío en que no se parezca a esos hombres que demuestran su virilidad mediante la velocidad que emplean en la carrera. —Lo miró a los ojos, aunque no movió la cabeza.

—¡Caray, duquesa! —exclamó—. Mi idea era correr. Pero en mi caso será un maratón. ¿Conoce la historia griega?

—¿Muchos kilómetros? —preguntó ella a su vez—. ¿Muchas horas? ¿Una resistencia casi sobrehumana?

—Veo que la conoce —repuso.

La duquesa bajó la mano hasta colocarla sobre su hombro al tiempo que hacía lo mismo con la otra.

—En ese caso, será mejor que no consuma más energía hablando, señor Huxtable —le aconsejó—. Será mejor que comience con esta carrera de resistencia, con este maratón, sin más demora. —Y sus sensuales ojos azules lo miraron con expresión soñadora.

Con inclinó la cabeza para besarla en los labios.

Le colocó las manos a ambos lados de su estrecha cintura mientras ella unía las manos en su nuca y le devolvía el beso.

Estaba excitada, muchísimo, pese a la clara advertencia de no olvidar la importancia de los preliminares.

No había esperado descubrir una mujer apasionada, y tal vez su primera impresión resultara cierta una vez metidos en materia. Quizá después de todo fuera la amante experimentada, habilidosa, sensual y dominante que esperaba que fuese. Y quizá fuera lo bastante inteligente, lo bastante segura de sí misma, como para añadir unas gotas de pasión a la mezcla.

En ese momento cayó en la cuenta de que aunque disfrutaba de la pasión, rara vez la encontraba con sus amantes. Porque la pasión requería de ciertos sentimientos, de cierta emoción, de cierto riesgo. La mayoría de las mujeres con las que se acostaba solo buscaban compañía y sexo sudoroso. Fines que a él le satisfacían plenamente. La ausencia de pasión era mejor que un exceso de pasión exaltada.

Porque la pasión podía llevar a establecer un vínculo emocional indeseado. Y él no quería ataduras de ese tipo con ninguna mujer. No quería hacerlas sufrir.

Sin embargo, sus pensamientos racionales se disolvieron al instante. La duquesa había pegado sus pechos a su torso, y también notaba su abdomen y sus muslos apoyados en él. Además de sus labios, que estaban pegados a los suyos.

Sintió una intensa oleada de deseo.

¡Por fin!

Habían pasado demasiados meses desde la última vez que estuvo con una mujer. No se había percatado de lo desesperado que estaba.

Levantó las manos para tomarle la cara entre ellas y la apartó un poco, poniendo fin al beso. Deslizó las manos hasta su nuca para quitarle el pasador de esmeraldas que le sujetaba el pelo y lo dejó caer sobre la alfombra. Le introdujo las manos en el pelo para ordenárselo a placer. La abundante melena no necesitó que hiciera nada, porque rápidamente se extendió por su espalda y por encima de sus hombros como una reluciente nube de delicadas ondas.

La imagen estuvo a punto de arrancarle un siseo.

Parecía diez años más joven. Parecía... inocente. Con esos párpados entornados y esos ojos que aun a la suave luz de las velas eran azulísimos. Una sirena inocente... un incitante oxímoron.

—Yo no puedo hacerle lo mismo —comentó la duquesa—, aunque algunos afirmarían que ya no se lleva el pelo tan largo. De todas formas, no se lo corte. Se lo prohíbo.

—¿Tendré que ser su esclavo sexual, siempre dócil? —preguntó mientras inclinaba la cabeza para besarla detrás de una oreja, para lo cual le apartó el pelo con un dedo.

En el último momento decidió pasarle la lengua suavemente por esa zona tan delicada y tuvo la satisfacción de sentir su estremecimiento.

—En absoluto —contestó ella—, pero sí hará lo que me complazca porque le complacerá satisfacerme. Le quitaré la chaqueta ya que no lleva ningún pasador en el pelo.

No era fácil. Su ayuda de cámara sudaba tinta poniéndole las chaquetas que, tal como dictaba la moda, debían quedar como una segunda piel. Sin embargo, ella solo tuvo que pasarle los dedos por debajo de las solapas y deslizarlos por sus hombros y sus brazos para que la prenda siguiera sin protestar el camino marcado por sus manos hasta acabar en el suelo, a su espalda.

No era la primera vez que lo hacía, pensó Con.

Esos ojos azules se pasearon por su camisa y su corbata, justo antes de que sus manos atacaran a esa última para quitársela con destreza. Le desabrochó los botones del cuello y le apartó la camisa.

La observó en todo momento, mientras ella trabajaba con la mirada clavada en lo que sus manos hacían y con los labios entreabiertos.

No había prisa. Ninguna. Tenían toda la noche y no había ningún premio dependiendo del número de veces que la poseyera. Quizá una fuera suficiente, dado que era su primera vez juntos.

—Está magnífico en mangas de camisa —la oyó decir—. Masculino y viril. Quítesela.

¿No iba a hacerlo ella misma?

Se sacó los faldones del pantalón sin apartar la mirada de sus ojos, y después procedió a desabrocharse los puños antes de cruzar los brazos para sacarse la camisa por la cabeza. La duquesa lo observó con atención y después sus ojos recorrieron despacio sus hombros, sus brazos y su torso antes de descender hasta la pretina de sus pantalones. Apoyó las yemas de los dedos en su pecho.

Él se las apartó con el dorso de las manos, tras lo cual le bajó el vestido por los hombros. Acto seguido, sus pulgares siguieron el borde del escote y se detuvieron en el centro. Una vez allí aferró la tela con ambos dedos y se la bajó hasta dejar sus pechos fuera. Se había pasado toda la cena deseando hacer justo eso.

Sus senos no eran demasiado generosos, pero sí turgentes, bonitos y firmes. Con la ayuda del corsé, cierto. Además, eran del tamaño perfecto para sus manos. Cálidos y suaves. Tenía la piel muy blanca, casi translúcida en comparación con la suya. Sus pezones eran rosados y el deseo los había endurecido. Inclinó la cabeza y se llevó uno a la boca. Lo acarició con la lengua.

Sintió, que no escuchó, cómo aspiraba el aire con fuerza.

Desvió la atención de sus labios al otro pezón.

—Mmm… —la oyó murmurar. Un sonido ronco y satisfecho que surgió del fondo de su garganta mientras le pasaba los dedos por el pelo antes de levantarle la cabeza.

La duquesa había echado la cabeza hacia atrás. Tenía los ojos cerrados y el pelo le caía por la espalda mientras le acercaba los pechos al torso, mientras se pegaba por completo a él. Lo instó a acercar la cabeza y separó los labios justo antes de que los suyos los rozaran.

La abrazó para estrecharla con fuerza y se entregó al momento con abandono. Sus lenguas se debatieron, se acariciaron y se exploraron. La tensión se apoderó de sus brazos. La respiración se aceleró.

En un momento dado ella lo abrazó y notó que le clavaba los dedos en la espalda. Esas manos descendieron hasta detenerse en su cintura, donde se deslizaron por debajo de los pantalones y de los calzones para acariciarle las nalgas.

—Quíteselos —la oyó decir contra sus labios mientras tensaba el dorso de las manos contra la tela.

Una orden más. ¿Tampoco pensaba quitárselos ella misma? Claro que a esas alturas ya había demostrado dominar el arte de lo inesperado. Lo observó mientras se quitaba primero los zapatos y las medias, y después los pantalones y los calzones. Todo ello sujetándose el vestido bajo el pecho… hasta que lo vio desnudo. En ese momento apartó las manos y el satén verde esmeralda se deslizó hasta el suelo, dejándola tan solo con el corsé, las medias de seda y los escarpines.

Seguramente la habría poseído en ese mismo momento, sin más preámbulos, si no tuviera una ligera idea de lo opresivo que debía de ser el corsé y si no le hubiera prometido un maratón, claro está. En cambio, le desató las cintas y la asfixiante prenda acabó sobre el vestido.

La moda era un concepto raro. No sería de extrañar que se sintiera desnuda sin el corsé, aunque en realidad no lo necesitara. Su cuerpo era delgado, firme y bien formado. Sus pechos, turgentes y juveniles. Sus piernas, largas y torneadas. Si bien daba la impresión de no ser muy alta, solo era eso, una ilusión.

La vio sentarse en el borde de la cama e inclinarse hacia atrás con las manos apoyadas en el cobertor. Acto seguido levantó una pierna y le ofreció el pie. Le quitó la media y después la otra cuando ella repitió el movimiento.

Se inclinó sobre ella, instándola a tenderse en la cama, y la besó de forma apasionada y vehemente, mientras le acariciaba los pechos y se acomodaba entre sus muslos, que ella ya había separado, al igual que los brazos que estaban extendidos sobre la cama.

—¿Cuánto se tarda en completar un maratón? —le preguntó la duquesa cuando por fin se apartó de sus labios. Según vio, tenía las mejillas sonrosadas.

—Toda la noche si es necesario —contestó él—. Aunque siempre se puede hacer trampa, tomar un atajo si nadie mira, llegar a la meta muchísimo antes de que la noche acabe.

—Estoy a favor de hacer cosas escandalosas cuando nadie mira —replicó ella mientras le pasaba los dedos índice y corazón por los hombros como si estuvieran caminando.

—Pues vamos allá.

En el fondo fue un alivio. Porque estaba tan excitado que incluso le resultaba incómodo.

Se enderezó para colocarle las manos bajo la espalda y la levantó a fin de acostarla a lo largo de la cama, y no a lo ancho como estaba hasta ese momento. Tras dejar las sábanas y el cobertor a los pies, se tumbó a su lado de costado y se apoyó en un codo para mirarla.

La duquesa estaba inmóvil, con las manos extendidas.

Le aferró la barbilla para besarla mientras su otra mano se deslizaba entre sus pechos, sobre ese abdomen tan plano, sobre su monte de Venus y entre sus muslos. Descubrió que estaba caliente y mojada. Tras explorar con los dedos, la penetró ligeramente con dos de ellos.

Y volvió a escuchar ese murmullo ronco que brotaba del fondo de su garganta.

Se colocó sobre ella, le separó los muslos y tras llevar de nuevo las manos bajo su espalda, la penetró hasta el fondo.

Su calor, su humedad, la tensión de sus músculos y la suavidad de su cuerpo fueron un impacto a sus sentidos.

Se obligó a controlar la respiración y las reacciones de su cuerpo. El momento de alcanzar el placer más sublime había llegado, por fin, y no quería apresurarlo, pese al estímulo que ella le había dado y al acuciante deseo que lo embargaba. Se mantuvo inmóvil y notó que la rigidez que de repente se había apoderado de ella comenzaba a desaparecer a medida que se relajaba. La esperó.

A la duquesa de Dunbarton.

A Hannah.

De repente, la recordó tal como la había visto en el parque aquella tarde con Stephen y Monty.

En ese momento ella lo abrazó por la cintura. Sus piernas se movieron para colocarse sobre las suyas. Su cuerpo irradiaba calor.

Levantó la cabeza para mirarla.

El deseo le oscurecía los ojos. Se estaba mordiendo el labio inferior.

—La línea de meta ya se ve —murmuró—, aunque todavía estamos a cierta distancia.

Ella no dijo nada. La vio cerrar los ojos y notó cómo lo aprisionaba en su interior.

Salió de ella y escuchó una especie de murmullo de protesta, pero volvió a penetrarla al instante, con fuerza y rapidez. Repitió el movimiento hasta imitar el ritmo de su propio corazón, hasta que todo su ser pareció sumergirse en esa ardiente humedad.

Era una mujer exquisita.

El momento era exquisito.

Sin embargo, el momento, el sexo, no se podía disfrutar a menos que se fuera consciente de la persona con la que se estaba compartiendo dicho momento. Y la duquesa demostró ser lista hasta el final. En vez de exhibir la experiencia que él esperaba, y que hasta ese momento creía desear, se limitó a dejarse hacer, a yacer casi de forma pasiva bajo su cuerpo.

Con se había preparado para resistir durante los preliminares, pero lo habían indultado. Claro que también habría disfrutado al máximo de no haber logrado dicho indulto. De modo que empleó la energía atesorada y el control que había invocado en ese momento, en el momento de la verdad, con la mujer que sería su amante durante los próximos meses.

El ritmo y la profundidad de sus envites continuaron hasta que se le nubló el pensamiento. Hasta que solo quedó el doloroso placer de hundirse y salir de ella. El abandono completo de la mujer a la que poseía.

El abandono de Hannah.

Su interior estaba caliente y mojado, al igual que el resto de su cuerpo por el efecto del sudor y del deseo. La escuchaba respirar de forma superficial.

En un momento dado su resistencia flaqueó, y el deseo físico se desbordó hasta acabar con el control. Introdujo las manos bajo ella para inmovilizarla y aumentó la fuerza y la rapidez de sus movimientos, para hundirse hasta el fondo y presionar y... derramarse en su interior. ¡Derramarse en su interior!

Notó que la tensión abandonaba por completo su cuerpo mientras se relajaba sobre ella. La duquesa tenía la cabeza bajo su hombro con la cara vuelta hacia el otro lado. Todavía lo abrazaba por la cintura y lo rodeaba con las piernas, de modo que también la notó relajarse.

Salió de ella y al sentir la frescura del aire sobre su cuerpo sudoroso, alargó un brazo para tirar de las sábanas y el cobertor. Una vez arropados, volvió la cabeza para mirarla. Tenía el pelo húmedo, rizado y alborotado. Sus ojos azules volvían a estar serenos a la luz de la vela mientras lo miraban a su vez.

—Mis suposiciones sobre usted no podían ser más ciertas —concluyó ella.

—¿Eso es bueno o malo? —replicó.

—Para ser sincera —añadió—, no eran del todo ciertas. Es usted mucho mejor de lo que esperaba, señor Huxtable.

—Constantine —la corrigió él—. Con para la mayoría. Dejemos las formalidades.

—Siempre te llamaré Constantine —le aseguró la duquesa—. ¿Por qué acortar un nombre tan maravilloso y perfecto? Has superado la audición con honores. El papel de bailarín es tuyo para una larga temporada.

«¿Larga?», se preguntó él.

—Hasta el verano, me refiero —puntualizó la duquesa—. Hasta que vuelva a Kent para instalarme de nuevo en el campo y tú te vayas a tu propiedad de Gloucestershire.

—¿Y cómo sabes que tú has superado la audición?

La pregunta hizo que ella enarcara las cejas.

—No seas tonto, Constantine —replicó.

Y de repente se percató de que no sabía si había alcanzado el clímax al mismo tiempo que él. Desde luego no lo había hecho ni antes ni después de ese momento.

¿Había tenido un orgasmo o no?

Y si la respuesta era negativa, ¿significaba que él había fallado? No obstante, sus palabras indicaban justo lo contrario. ¿Vería la duquesa el sexo como un ámbito más donde imponer su poder y control? Y donde disfrutar, claro. Porque era evidente que había disfrutado del momento.

Sin embargo, preferiría saber si lo había disfrutado al máximo o no. Eso sí, no se lo preguntaría.

—Más tarde repetiré la audición —le dijo—. De momento me has agotado, duquesa. Necesito recuperar las fuerzas.

—Hannah —lo corrigió ella—. Me llamo Hannah.

—Sí, lo sé —repuso mientras se volvía para tenderse de espaldas. Se tapó los ojos con el dorso de una mano—, duquesa.

No quería entablar una relación íntima con ella. Una ambición absurda dadas las circunstancias.

No iba a entablar una relación emocional.

La duquesa de Dunbarton no iba a controlarlo.

Ni por asomo.

La verdad era que estaba agotado. Pero era un cansancio placentero. Se desperezó satisfecho entre las sábanas. Sentía el calor que irradiaba el cuerpo femenino que tenía al lado. El olor, una mezcla de perfume caro y sudor. Un olor muy erótico y agradable.

Se durmió casi en el acto.

Y se despertó sin saber el tiempo que había pasado para descubrir la cama vacía a su lado y las cortinas descorridas. La duquesa de Dunbarton, ataviada con la camisa blanca que él se había quitado y la melena rubia platino suelta por la espalda, estaba sentada en el alféizar abrazándose la cintura, con las piernas dobladas frente a ella y la mirada clavada en el exterior.

Podía considerarse afortunada, muy afortunada, de que las velas se hubieran consumido en algún momento. Porque con la luz a su espalda y a pesar de llevar la camisa, habría sido un interesante ornamento que contemplar desde la calle.

El hecho de que las velas se hubieran apagado significaba, por supuesto, que se había pasado casi toda la noche durmiendo. Sin embargo, comprobó al mirar hacia el rincón que en realidad las velas no se habían consumido.

Comprendió que ella había tenido el buen tino de apagarlas antes de sentarse en el alféizar.

—¿Hay algo interesante ahí afuera? —le preguntó al tiempo que entrelazaba los dedos bajo la cabeza.

Ella se volvió para mirarlo.

—No, nada —contestó—. Lo mismo que aquí dentro.

En fin… eso le pasaba por preguntar.

6

*E*n el exterior solo se veía la negrura de la noche, comprobó Hannah cuando descorrió las cortinas para mirar por la ventana. No había carruajes, ni transeúntes, ni luces en las ventanas de las casas de enfrente, salvo un breve resplandor en una ventana de la planta baja de la sexta casa de la hilera. Antes de descorrer las cortinas, había apagado las velas.

Las corrió de nuevo y se acercó al pie de la cama donde se demoró un instante. Constantine estaba dormido como un tronco, con un brazo sobre los ojos. Su respiración era profunda y regular. Tenía una pierna doblada por la rodilla, de forma que la ropa de la cama se asemejaba a una tienda. Pese a la penumbra, lo veía con total claridad.

Se preguntó si dormiría durante lo que quedaba de noche y esbozó una sonrisilla. Según le había asegurado, lo había agotado, cosa que no la sorprendía. Al fin y al cabo, había corrido un maratón.

Se sentía muy dolorida. Pero no era una sensación del todo desagradable.

El frío de la noche le provocó un escalofrío y echó un vistazo en busca de su vestido. Lo vio en el suelo, debajo del corsé, y debía de estar terriblemente arrugado. Se percató de que la camisa de Constantine también descansaba en el suelo. Se agachó para cogerla y se la llevó a la nariz un instante. Olía a su colonia, a él.

Se la pasó por la cabeza, metió los brazos por las mangas y se abrazó con ella puesta. «¡Por Dios, qué hombre más grande!», exclamó para sus adentros. Claro que no tenía nada que objetar sobre su tamaño…

Consideró la idea de volver a la cama, arroparse y acurrucarse a su lado para disfrutar de su calor corporal. Pero no quería dormir con él. Adormilarse conllevaba una pérdida de control. Y era imposible saber lo que se podía decir en sueños o nada más despertarse, antes de espabilarse por completo. O lo que se podía sentir durante esas horas de indefensión.

De modo que regresó junto a la ventana, apartó las cortinas con el dorso de las manos y examinó el alféizar. No estaba diseñado exactamente para ser un asiento, de hecho ni siquiera estaba acolchado, pero era lo bastante ancho como para sentarse. Descorrió las cortinas por completo y se sentó subiendo los pies al alféizar, con las piernas dobladas y abrazándose para entrar en calor. Apoyó la cabeza en el cristal.

Todo estaba en silencio. Y oscuro. Y tranquilo.

Escuchaba la respiración acompasada de Constantine. Era un sonido reconfortante. Porque evidenciaba la cercanía de otro ser humano.

No se arrepentía. Nunca se arrepentía de lo que hacía, más que nada porque jamás actuaba por impulso. En su vida todo estaba planeado y controlado. Como a ella le gustaba.

«Lo único que jamás podrás planear ni controlar, amor mío, es el amor en sí mismo», le había advertido el duque en una ocasión. «Cuando lo encuentres, debes rendirte a él. Pero solo en el caso de que se convierta en la única y verdadera pasión de tu vida. Jamás te conformes con menos o la vida te consumirá.»

«Pero ¿cómo voy a distinguirlo?», le había preguntado ella.

«Lo harás», fue la única respuesta que se dignó a ofrecerle.

La idea de no encontrar jamás el amor la asustaba un poco. Al menos ese tipo de amor. Ese amor arrollador que solo se presentaba una vez en la vida del que le había hablado el duque, dado que él lo conocía por experiencia propia. Seguro que no le pasaba a todo el mundo. No podía pasarles a muchas personas. Tal vez ella ni siquiera lo conociera.

Había querido al duque. Se estremeció y se abrazó con más fuerza. A veces pensaba que era la única persona a la que había querido en la vida. Pero eso no era del todo cierto, y había distintos tipos de amor. Quería a Barbara.

No, no se arrepentía de esa noche.

Y no se sentía culpable. No había ninguna razón de peso por la que no pudiera estar con su amante, en su dormitorio, después de haber mantenido relaciones conyugales con él. Claro que en realidad no eran cónyuges. Su vocabulario pecaba de un exceso de puritanismo en ocasiones. Debía solucionarlo. Era una mujer libre, sin compromisos, al igual que él. Podían mantener todas las relaciones que quisieran porque no había cabida para la culpa.

Debería haberse percatado de que ya no escuchaba su respiración. Su voz la tomó por sorpresa.

—¿Hay algo interesante ahí afuera?

Volvió la cabeza para mirarlo, pero sus ojos se habían acostumbrado a la suave penumbra del exterior y solo fue capaz de distinguir una silueta oscura.

—No, nada —respondió—. Lo mismo que aquí dentro.

—¿Te estás quejando porque he utilizado tanta energía que me he quedado dormido, duquesa?

—¿Estás buscando otro halago, Constantine? —le preguntó a su vez—. Creo haberte dicho que has superado con creces mis expectativas.

Constantine había apartado la sábana y el cobertor para salir de la cama. Una vez de pie, se agachó para rebuscar entre la ropa que descansaba en el suelo, cogió los calzones y después los pantalones. Lo vio darle la espalda y escuchó el tintineo del cristal. Se acercó a ella con dos copas de vino. Le ofreció una antes de apoyar un hombro desnudo en el marco de la ventana. La postura enfatizaba su altura, su fuerza y su virilidad.

Atributos que ella contemplaba con franca aprobación mientras bebía un sorbo de vino. Sería imposible haber elegido un espécimen más perfecto aunque lo hubiera intentado. Estaba mucho más espléndido desnudo, e incluso medio desnudo, que vestido. Muchos utilizaban la ropa para disimular un sinfín de imperfecciones.

Ciertamente, Constantine había superado con creces sus expectativas.

Por tonto que pareciera, dado que todavía se sentía muy dolorida, notó un palpitante hormigueo solo con pensar en lo grande, lo duro y lo satisfactorio que le había parecido.

Constantine cruzó una pierna por delante de la otra y apuró su copa, tras lo cual la dejó en el otro extremo del alféizar.

—Eres espantosamente guapo —le dijo, mientras lo observaba cruzarse de brazos.

—¿Espantosamente? —puntualizó él, enarcando las cejas—. ¿Te inspiro espanto?

Hannah volvió a llevarse la copa a los labios.

—Muchos se refieren a ti como al demonio —contestó—. Supongo que lo sabes. Causa cierto espanto haber corrido un maratón con el mismísimo demonio.

—Y haber sobrevivido —añadió él.

—¡Ah, pero yo siempre sobrevivo! —exclamó Hannah—. Y me encantan las cosas espantosas, porque nada me da miedo.

—Sí —comentó él—. Supongo que es cierto.

Observaron la calle en silencio unos minutos mientras ella apuraba el vino. Constantine le quitó la copa vacía y la dejó junto a la suya.

—Tu hermano, el conde, ¿era tu único hermano? —quiso saber.

—El único vivo —contestó él—. El mayor y el benjamín fuimos los únicos lo bastante fuertes como para sobrevivir a la infancia. Aunque Jon murió a los dieciséis.

—¿Por qué? ¿Cuál fue la causa de su muerte? —preguntó.

—Debería haber muerto cuatro o cinco años antes, según los doctores —respondió—. Desde pequeño fue diferente a los demás, me refiero a sus rasgos faciales y a su físico. Mi padre lo tildó de imbécil desde el principio. Igual que muchos otros. Pero no lo era. La mente de Jon era más lenta, sí, pero no era tonto ni mucho menos. Más bien al contrario. Y era todo amor.

Hannah siguió sin moverse, abrazándose con fuerza aferrada a la camisa. Constantine tenía la mirada clavada al otro lado de la ventana, como si la hubiera olvidado por completo.

—No me refiero a que quisiera a todo el mundo, que también lo hacía —precisó—. Era el amor en sí mismo. Un amor libre, incondicional y total. Y murió. Lo tuve durante cuatro años más de lo previsto.

Hannah sospechaba que su sinceridad se debía a la hora, a la oscuridad de la noche y al hecho de acabar de despertarse y de no haber tenido tiempo para levantar por completo sus defensas habituales. Había hecho bien en no quedarse dormida.

—Le querías mucho —susurró.

Esos ojos oscuros se clavaron en ella. Parecían muy negros.

—Y también lo odiaba —confesó—. Porque tenía todo lo que debería haber sido mío.

—Salvo la salud —añadió ella.

—Salvo la salud —repitió—. Y salvo la inteligencia. Porque nos quería a todos, incluso a mí. Sobre todo a mí.

Hannah se estremeció otra vez, y él se inclinó para aferrarla por los brazos y levantarla del alféizar como si no pesara nada. En cuanto sus pies tocaron el suelo Constantine la estrechó con todas sus fuerzas, la pegó a él y la besó con ferocidad y pasión.

Paralizada por la sorpresa en un primer momento, llegó a la conclusión de que cualquier intento por resistirse sería en vano. Además, siempre era aconsejable no provocar una pelea que no se pudiera ganar. En realidad, presentaría batalla si de verdad no le apeteciera nada de nada lo que estaba haciendo, pero…

En fin, era mejor dejar de pensar. Y dedicarse a disfrutar. Porque sí que le apetecía. Sí que lo deseaba.

Se acercó hasta que sus pies descalzos rozaron los de Constantine, lo abrazó y le devolvió el beso con apasionado fervor. Había algo distinto en ese beso. No era el mismo juego al que habían jugado a primeras horas de la noche, antes de meterse en la cama. Había algo más… más real. Más sincero.

Dejó de pensar.

Se encontró de repente sin camisa, y la ropa de Constantine

volvió a acabar en el suelo. Regresaron a la cama, entrelazados y rodando sobre el colchón. Tan pronto se encontraba encima de él como giraban e invertían las posiciones en un frenesí de bocas, manos e incluso dientes. Aquello no era un juego.

Era pasión pura y dura.

Y la había poseído por completo.

Aquello era...

Debería ponerle fin, pensó. Debería decirle que no y Constantine se detendría de inmediato. Sabía que lo haría. No tenía miedo. No necesitaba tener miedo. Era su amante. Lo había elegido precisamente para eso. Pero...

En ese instante se colocó sobre ella, le separó las piernas y el momento de detenerlo pasó. De hecho, no pudo decir nada.

La penetró de repente.

Fue como si la hubieran apuñalado en una herida abierta.

Dio un respingo, jadeó, intentó relajarse y...

Y él se apartó. Bueno, no se apartó del todo. Salió de ella pero siguió sobre su cuerpo, apoyado en un codo y mirándola. Se alegró de haber apagado las velas. Aunque una vez que los ojos se acostumbraban a la oscuridad era imposible ocultar nada.

—¿Qué pasa? —preguntó él.

Hannah levantó una mano y le acarició el pecho con la yema de un dedo.

—Eso digo yo —respondió.

—¿Te he hecho daño?

—Era hora de parar —adujo—. Con una vez por noche es suficiente, Constantine. Debo volver a casa. No esperes que me quede contigo toda la noche ahora que somos amantes. Sería aburrido.

—No serías virgen, ¿verdad?

La pregunta fue hecha en tono socarrón, claro. Sin embargo, Hannah tardó más de la cuenta en contestar, y cuando lo hizo enarcó las cejas de forma arrogante, aunque el efecto de dicho gesto quedara oculto por la oscuridad.

—¿¡Eras virgen!?

En esa ocasión Constantine lo dijo muy en serio. Ni siquiera fue una pregunta en toda regla.

Tenía treinta años. No había habido barrera física. No había habido sangre. Sin embargo, seguía siendo virgen en lo verdaderamente importante.

—¿Hay alguna ley en contra de la virginidad? —replicó—. Nunca había tenido un amante hasta que te elegí, Constantine. Sabía que serías magnífico y lo eres. Es cierto que no tengo a nadie con quien compararte, pero sería tonta si te tildara de mediocre.

—Estuviste casada —señaló él—. Durante diez años.

—Con un anciano que no estaba en absoluto interesado en ese aspecto de nuestro matrimonio —repuso Hannah—. Lo cual me parecía estupendo, porque yo tampoco lo estaba. Me casé con él por otros motivos.

—Te convertiste en duquesa —aventuró Constantine, sacando a colación las únicas razones aparentes—, en una duquesa muy rica.

—Incalculablemente rica —convino—. Y es poco probable que acabe con ese horrendo título de «duquesa viuda» porque es casi imposible que el actual duque se case. Tiene una amante y diez hijos, cuyas edades van de los dos a los ocho años, pero la sacó de un burdel y, obviamente, no puede casarse con ella.

—Un detalle bastante escabroso para que una dama esté al tanto —replicó Constantine.

—Por suerte, el duque… mi duque —especificó— nunca me ocultó los detalles más jugosos de cualquier noticia. Siempre que escuchaba algún cotilleo picarón corría a casa para contármelo.

—De modo, duquesa, que no mantuviste relaciones conyugales —señaló Constantine—. Pero ¿qué me dices de la horda de amantes que tuviste durante tu matrimonio? Aparentemente al menos.

—Prestas demasiada atención a las habladurías —repuso Hannah—. Bueno, eso nos pasa a todos, así que mejor decir que les das demasiado crédito. ¿De verdad crees que rompí mis votos matrimoniales?

—¿Teniendo en cuenta que tu marido no te satisfacía? —apostilló él.

—Constantine, ahora soy una viuda alegre, sí —reconoció—. De hecho, tengo la intención de pasar muy buenos ratos contigo durante el resto de la primavera, aunque por esta noche he tenido suficiente. Como iba diciendo, aunque ahora soy una viuda alegre, fui una esposa fiel. Y antes de que llegues a la horrible conclusión, no lo hice porque mi esposo me obligara a serle fiel. Porque eso habría sido espantoso. Mi duque no era un tirano en absoluto, al menos conmigo. Yo misma decidí serle fiel, al igual que ahora he decidido buscar un amante. Siempre he llevado las riendas de mi vida.

Constantine la miró en silencio un instante y por primera vez Hannah comprendió que había debido de costarle un tremendo esfuerzo apartarse de ella, dada su excitación, y tumbarse a su lado solo para hablar.

Si se hubiera negado a tiempo, él se habría detenido antes y la conversación que estaban manteniendo no habría tenido lugar. Tal vez el episodio la enseñara a no volver a titubear.

De todas formas, no importaba. Nada había cambiado. Al menos en su caso. En el de Constantine, tal vez sí. Porque había supuesto que contaba con una amante experimentada.

—Bueno —lo oyó decir en voz baja—, la rosa acaba de perder uno de sus pétalos exteriores. ¿Quedarán muchos en el centro?, me pregunto yo.

Era una pregunta retórica. De modo que Hannah no la respondió. De todas formas, tampoco sabía muy bien a qué se refería.

—De haberlo sabido, podría haber corrido el maratón de forma algo menos… vigorosa —siguió él—. Podría…

—Constantine —lo interrumpió—, como alguna vez se te ocurra mostrarte condescendiente o delicado conmigo como si fuera una dama frágil, te…

—¿Me…?

—Te dejo —concluyó—. Como si fueras un par de zapatos viejos. Y para el día siguiente ya tendré otro amante, el doble de guapo y el triple de viril que tú. Te borraré por completo de mi memoria.

—¿Eso es una amenaza? —le preguntó Constantine, que no parecía sentirse muy amenazado.

—Por supuesto que no —respondió con desdén—. Nunca hago amenazas. ¿Para qué hacerlas? Me limito a informarte de un hecho. De lo que sucederá si alguna vez intentas tratarme como a un ser inferior.

—Mi intención solo era la de comentarte que no es lo mismo hacer el amor con una virgen que con una mujer con experiencia —precisó él—. El placer no habría sido menor, duquesa, tal vez habrías disfrutado más si cabe.

Se percató de que Constantine le estaba acariciando el abdomen con la mano libre. La notaba más caliente que su piel.

—Supongo que harás el amor con una virgen al menos cada quince días.

Distinguió la blancura de los dientes de Constantine en la oscuridad y comprendió que le había arrancado una sonrisa. Un logro extraordinario. Lástima que no estuvieran a la luz del día para verlo bien.

—No me gusta fanfarronear ni exagerar —le aseguró él—. Una vez al mes. —Inclinó la cabeza para besarla con delicadeza en los labios—. Lo siento —murmuró.

Hannah le dio unas palmaditas en la mejilla, algo más fuertes de la cuenta.

—Nunca te disculpes por algo que hayas hecho —le aconsejó—. Nunca te arrepientas. Si haces las cosas de forma intencionada, no debes arrepentirte. Y si lo haces de forma accidental, no hay nada por lo que disculparse. En mi caso, no voy a disculparme por haber sido virgen hasta hace unas horas. Yo elegí serlo. Y no voy a disculparme por haberte ocultado esa información. Era un detalle que no necesitabas conocer. Parafraseando las palabras que me dijiste la noche del concierto, cuando te pregunté por tu distanciamiento del duque de Moreland: no era de tu incumbencia. Y, ya que estamos hablando del tema, te aseguro que te seré fiel durante el resto de la primavera, mientras estemos juntos. Y espero que sea recíproco. Me voy a casa.

—Tal vez no haya más pétalos en la rosa —comentó Constantine—, pero ciertamente el tallo está lleno de espinas. Duquesa, puedes estar tranquila con respecto a mi fidelidad durante los próximos meses. Físicamente carecería de resistencia para satisfacer a otra mujer como tú... o aunque no fuera como tú, la verdad. Sigue acostada un rato mientras yo aviso a mi cochero. No le va a hacer mucha gracia. Esperaba que requiriéramos sus servicios a primera hora de la mañana, pero me temo que sigue siendo más de madrugada que otra cosa. —Salió de la cama mientras hablaba y se vistió.

Hannah siguió acostada hasta que lo vio abandonar el dormitorio.

La noche había sido interesante, pensó. Y no del todo relajada. Desde luego, no había resultado en absoluto como la había planeado.

En primer lugar porque la... la experiencia propiamente dicha había sido muchísimo más carnal de lo que se imaginaba. ¡Y el doble de placentera, además! Aunque la hubiera dejado bastante dolorida.

Y en segundo lugar porque albergaba la incómoda sospecha de que tener un amante iba a conllevar algo más que lanzarse indirectas subidas de tono y retozar alegremente entre las sábanas. Un detalle que no había esperado ni deseado.

Sospechaba que el *affaire* con Constantine Huxtable acabaría enredándola en una especie de relación, como le sucedió con su matrimonio.

Y no quería una relación. Esa vez no.

O tal vez sí. Una relación unilateral o ceñida a sus propias condiciones. Comprenderlo le produjo cierta sorpresa. La verdad era que había deseado conocer más cosas de él desde el principio, conocerlo a fondo, de hecho. Y se lo había dejado claro. Era un hombre enigmático y misterioso. Se sabían ciertas cosas sobre él. Pero no sabía de nadie que lo conociera de verdad. Su duque no lo había conocido, aunque hablaba de él de vez en cuando. Según sospechaba su esposo, el carácter sombrío y taciturno de Constantine se debía al odio; y sus agradables modales cuando se desenvolvía en sociedad se debían al amor. Por tanto, aseguraba que se trataba de un hombre complejo y peligroso, poseedor de un atractivo arrollador. Así tal cual lo había dicho.

Posiblemente ese comentario fuese la semilla de su decisión de conseguir al señor Constantine Huxtable como amante.

Esa noche había admitido odiar a su retrasado hermano pequeño. Sin embargo, estaba convencida de que también lo había querido mucho. Hasta un punto rayano en el dolor.

De lo que no se había dado cuenta hasta esa noche, craso error por su parte, era de que no se podía mantener una relación unilateral. Constantine había descubierto más cosas sobre ella que ella sobre él.

¡Por el amor de Dios!

Su reputación acabaría hecha jirones si a Constantine se le ocurría comentar entre la alta sociedad lo que había descubierto esa noche. Aunque no lo haría, claro.

Sin embargo, lo cierto era que estaba al tanto.

Y eso resultaba de lo más irritante.

No quería una relación. Solo quería… bueno, debía aprender a emplear la palabra. El duque la había utilizado siempre en su presencia y ella no era mojigata ni mucho menos. Lo único que quería de Constantine Huxtable era sexo.

Y la verdad era que la noche, en cuanto al sexo, había sido gloriosa. Ni siquiera había notado el dolor hasta que todo pasó. El momento en cuestión podría haberse alargado durante toda la noche por lo que a ella se refería. Pobre Constantine. Habría acabado muerto.

Soltó un resoplido muy poco elegante mientras pasaba las piernas por el borde de la cama y comenzaba a buscar las medias.

La duquesa no quería que la acompañara, pero Con pasó por alto sus protestas. La ayudó a subir al carruaje y la siguió al interior. Una vez sentados, cogió su mano y se la colocó en el muslo.

Ataviada con la capa blanca y con la cabeza cubierta por la amplia capucha, parecía la de siempre.

No obstante, jamás volvería a verla de esa forma. Lo que era comprensible, claro. La había visto sin ropa y sin sus artísticos peinados. Había poseído su cuerpo.

Pero no era solo eso.

Al menos en un aspecto concreto no era la mujer que todos creían, que todos suponían que era. El tipo de mujer que le habría costado la misma vida aparentar que era.

El matrimonio con el duque no había sido consumado. Un detalle en absoluto sorprendente. Porque, de hecho, se había especulado mucho sobre el tema. Sin embargo, todos esos amantes con los que había paseado orgullosa: Zimmer, Bentley, Hardingraye por nombrar unos cuantos...

No habían sido sus amantes.

Él había sido el primero.

Era una idea desconcertante. Nunca había desvirgado a una mujer. Nunca había querido hacerlo.

¡Dios santo!

—Duquesa, necesitarás unos cuantos días para reponerte —dijo cuando el carruaje se acercaba a Hanover Square—. ¿Fijamos una cita para el próximo martes, después del baile de los Kitteridge?

Ella, por supuesto, jamás le permitiría decir la última palabra, aunque había cedido en el almuerzo al aire libre del día anterior. De modo que era su turno para decidir.

—Mejor el lunes por la noche —respondió—. El duque tiene un palco en el teatro, pero nadie lo usa salvo yo. Le he prometido a Barbara que iríamos una noche. Invitaré al señor y a la señora Park y tal vez también a su hijo, el clérigo, si sigue en la ciudad. Tú serás mi acompañante.

—Un grupo perfecto —comentó él—. Un clérigo, la prometida de un clérigo, aunque no del anteriormente mencionado, los padres de dicho clérigo y la duquesa de Dunbarton con su nuevo amante, a quien llaman «demonio» en ocasiones.

—Es agradable promover temas de conversación interesantes en los salones —replicó ella.

Con pensó que sería una buena meta siempre y cuando se tratase de la duquesa de Dunbarton.

Se llevó su mano a los labios al percatarse de que el carruaje doblaba en la esquina, tras lo cual aminoró la velocidad hasta detenerse. En ese momento inclinó la cabeza y la besó en la boca.

—Esperaré la llegada del lunes por la noche con ansia —le dijo.

—¿Pero no del lunes por la tarde? —preguntó ella.

—Tendré que tolerarlo —comentó—. Al fin y al cabo, el postre siempre resulta más apetecible después de una cena, tal como hemos descubierto esta noche. —Le dio unos golpecitos a la portezuela para indicarle al cochero que estaban listos para apearse.

Alguien se había levantado ya en casa de la duquesa. La puerta se abrió justo cuando él pisaba la acera y se volvía para tenderle la mano a ella.

La observó subir los escalones sin prisas, con la espalda erguida y la cabeza en alto. La puerta se cerró en silencio tras ella.

Aquello distaba un poco de su acostumbrada aventura primaveral, pensó.

Era un poco menos cómoda.

Pero un poco más erótica.

¿Qué demonios había querido decir con eso de que «también lo odiaba»?

Nunca había odiado a Jon. Jamás. Lo había querido muchísimo. Todavía lloraba su muerte. A veces tenía la impresión de que nunca dejaría de hacerlo. Había un negro y enorme vacío allí donde antes estaba Jon.

«También lo odiaba.»

Le había confesado esas palabras a la duquesa de Dunbarton, ni más ni menos.

¿Qué demonios había querido decir?

¿Y qué más ocultaba la duquesa aparte del pequeño y ya descubierto detalle de su virginidad?

La repuesta era «nada», por supuesto. Había confesado abiertamente que se había casado con Dunbarton por el título y por el dinero. Y en esos momentos estaba usando la libertad y el poder que ostentaba para disfrutar del placer sensual.

No era el más indicado para recriminarle nada.

Se volvió y miró ceñudo a su cochero, que aguardaba a que volviera a subirse al carruaje.

—Vete a casa —le ordenó—. Yo iré caminando.

El cochero meneó la cabeza despacio mientras cerraba la portezuela.

—Como quiera, señor —replicó.

7

El hijo del señor y la señora Park, el clérigo, no se encontraba en la ciudad. Sin embargo, el hermano menor de la señora Park estaba pasando una temporada con ellos y le encantó la idea de acudir como invitado al palco de la duquesa de Dunbarton el lunes por la noche, acompañando a su hermana y a su cuñado. Hannah también invitó a los barones Montford después de que Barbara y ella se los encontraran en la biblioteca de Hookham el lunes por la mañana y se detuvieran a charlar con la pareja.

Lady Montford era prima del señor Huxtable.

—Una ópera y una obra de teatro en la misma semana —dijo Barbara mientras viajaban la una al lado de la otra en el carruaje el lunes por la noche—. Por no mencionar las galerías de arte, los museos, las bibliotecas y las compras. Todos los días les escribo un libro a mis padres y a Simon en vez de una sencilla carta. Voy a quedarme sin tinta, Hannah.

—Tienes que venir más a menudo a la ciudad —replicó ella—. Aunque supongo que tu insoportable vicario no dejará que te escapes una vez que os caséis.

—Seguro que yo no quiero escaparme una vez que nos casemos —replicó Barbara—. Estoy ansiosa por emprender la vida de esposa de un vicario y de regresar a la vicaría. Aunque convenceré a Simon para que me traiga de vez en cuando y así nos veremos otra vez. Y tal vez tú puedas venir a… —Sin embargo, guardó silencio de repente y se volvió para mirarla en la penumbra del carruaje. Se disculpó con una sonrisa—. No, por supuesto que no vendrás —continuó—. Pero ojalá lo hicieras. Tal vez ya sea hora de que...

—Es hora de ir al teatro, Babs —la interrumpió ella.

El carruaje aminoró la marcha hasta detenerse en Drury Lane, donde contemplaron a la multitud que deambulaba por el lugar, muchos a la espera de que llegaran más personas para poder entrar. Constantine Huxtable se encontraba entre ellas, con aspecto elegante y demoníaco a la vez debido a su frac negro y su sombrero de copa.

—Mira, ahí está —dijo Barbara—. Hannah, ¿estás segura de que...?

—Lo estoy, tonta —le aseguró—. Somos amantes, Babs, y no he terminado con él ni mucho menos. Apostaría lo que fuera a que ese detalle no se lo has comentado a tu vicario en las cartas.

—Ni a mis padres —añadió su amiga—. Se preocuparían muchísimo. Es posible que lleven más de once años sin verte, Hannah, pero siguen teniéndote mucho cariño.

Le dio unas palmaditas en la rodilla a Barbara.

—Nos ha visto —dijo.

Y de hecho fue Constantine quien abrió la portezuela del carruaje y desplegó los escalones en vez del cochero.

—Señoras, buenas noches —las saludó—. Tenemos suerte de que la lluvia de esta tarde haya cesado, al menos de momento. ¿Señorita Leavensworth? —Constantine le ofreció la mano a Barbara, que la aceptó y lo saludó con cortesía.

Los modales de su amiga, por supuesto, siempre eran impecables.

Hannah inspiró hondo. Era la primera vez que lo veía desde la semana anterior. La noche pasada en su casa le parecía casi un sueño, salvo por los efectos físicos que sintió durante los días posteriores. Y salvo por la alarmante punzada de deseo que la atravesó en cuanto volvió a verlo. Y por la emoción de lo que estaba por llegar esa noche.

«¡Dios mío, es guapísimo!», pensó.

En cuestión de minutos, por supuesto, todos los espectadores que acudieran esa noche al teatro sabrían, o creerían saber, que Constantine era su nuevo amante. Uno más de una larga lista de amantes. Al día siguiente a esa misma hora todo el que no hubiera asistido al teatro también lo sabría.

El señor Constantine Huxtable era el nuevo amante de la duquesa de Dunbarton.

Sin embargo y por primera vez, estarían en lo cierto.

Barbara ya estaba sana y salva en la acera.

—¿Duquesa? —Le tendió la mano y sus ojos se encontraron.

Jamás había visto unos ojos tan oscuros. Ni tan hipnóticos. Nunca había visto unos ojos que tuvieran ese efecto tan letal en sus rodillas.

—Espero que alguien haya secado la acera —le dijo al tiempo que aceptaba su mano—. No me gustaría mojarme el bajo del vestido.

Era evidente que alguien lo había hecho. Y que también se habían encargado de controlar a la multitud. Se había abierto un camino para permitirles entrar en el teatro. Hannah contuvo una sonrisa al entrar, cogida del brazo derecho de Constantine. Barbara iba cogida del brazo izquierdo.

El palco ducal, que se encontraba en la primera planta de las tres que rodeaban el patio de butacas con forma de herradura, estaba situado cerca del escenario. Entrar en el palco era casi como salir a escena. Dudaba mucho que alguno de los presentes no se volviera para verlos entrar y saludar al resto de los invitados, que habían llegado antes y estaban de pie, charlando, a la espera de tomar asiento. Seguro que todos repararon en el detalle de que la amiga de la duquesa se sentó entre la señora Park y el hermano de esta, mientras que ella lo hacía junto al señor Constantine Huxtable.

Su nuevo favorito. El primero desde la muerte del viejo duque y su regreso a la ciudad. Su nuevo amante.

Fue fácil interpretar los cuchicheos que se escucharon por todo el teatro.

También fue fácil echar un lento vistazo a su alrededor con

despreocupación, tal como había hecho en incontables ocasiones mientras el duque seguía vivo. La había enseñado a mirar a su alrededor en vez de clavar la vista en el regazo. La única diferencia era que en ese momento no sentía la alegre curiosidad que siempre la acompañaba al saber que las especulaciones acerca de su acompañante masculino eran erróneas.

Esa noche no eran erróneas.

Y se alegraba muchísimo.

Colocó una mano enguantada en el brazo de Constantine y se inclinó un poco hacia él.

—¿Has visto *La escuela del escándalo*? —le preguntó—. Es una obra muy antigua. Debo de haberla visto diez o doce veces, pero siempre me hace gracia. Creo que no te parecerá demasiado aburrida ni demasiado larga.

—¿Suponiendo que estoy impaciente por que termine cuanto antes para por fin proceder con el verdadero asunto de esta noche, duquesa?

—Nada de eso —replicó—. Pero creía que te interesarían más las tragedias.

—¿En consonancia con mi aspecto demoníaco? —quiso saber él.

—Precisamente —contestó—. Aunque, por supuesto, ya me has explicado por qué las tragedias de las óperas no son realmente tragedias. Me quedé más tranquila. Supongo que lo próximo será decirme que los héroes de dichas tragedias no mueren al final.

—También es tranquilizador, ¿verdad? —replicó él—. Estás preciosa esta noche, vestida de blanco. De hecho, resplandeces.

Tenía un brillo extraño en los ojos… burlón, tal vez.

—¿De alegría? —inquirió—. Nunca resplandezco de alegría. Sería vulgar. Seguro que te refieres a mis joyas. —Levantó la mano izquierda—. El diamante del dedo corazón fue un regalo de bodas. En su momento no creí que fuera de verdad. No sabía que pudieran ser tan grandes. El que llevo en el meñique fue un regalo de cumpleaños. —Le enseñó ambas manos—. Recibí un anillo por cada cumpleaños después de ese, para los distintos dedos, hasta que me quedé sin dedos y tuvimos que empezar de nuevo, ya que me parecía un poco incómodo llevar anillos en los pies. Y también recibí un anillo por cada aniversario de boda y por un sinfín de ocasiones memorables.

—¿Y por Navidad? —le preguntó Constantine.

—Siempre recibía un collar y unos pendientes por Navidad —respondió—, y una pulsera para el día de San Valentín, que el duque siempre celebraba, el muy tonto. Era muy generoso.

—Como todo el mundo puede ver —señaló él.

Hannah bajó las manos a su regazo y volvió la cabeza para mirarlo de frente.

—Las joyas están pensadas para que los demás las vean, Constantine —repuso—. Al igual que la belleza. No pienso disculparme por ser rica o guapa.

—¿O vanidosa? —añadió él.

—¿Decir la verdad me convierte en vanidosa? —preguntó—. He sido guapa desde la infancia. Seguramente seguiré siendo guapa cuando envejezca, si vivo hasta entonces. Me han dicho que tengo una buena estructura ósea. No presumo de ser responsable de mi belleza, de la misma manera que un actor o un músico no presume de ser responsable de su talento. Pero todos tenemos la responsabilidad de usar los dones con los que hemos venido a este mundo.

—¿La belleza es un don? —quiso saber Constantine.

—Lo es —le aseguró—. La belleza debería ser fomentada y admirada. Hay demasiada fealdad en la vida. La belleza puede reportar alegría. ¿Por qué decoramos nuestras casas con cuadros, jarrones y tapices? ¿Por qué no escondemos todas esas cosas en armarios oscuros para que no se estropeen con el tiempo?

—Detestaría que te escondieras en un armario oscuro, duquesa —replicó él—. A menos que yo pudiera esconderme contigo, por supuesto.

La respuesta estuvo a punto de arrancarle una carcajada. Pero la risa no formaba parte de su personaje público y no le cabía la menor duda de que era objeto de muchas miradas.

—La función está a punto de comenzar —dijo Constantine, de modo que ella se concentró en el escenario.

No se había explicado bien, ¿verdad? El duque la había enseñado a no maldecir su belleza, a no desconfiar de ella, a no intentar ocultarla. Y a no negarla. Cosas que hacía en mayor o menor medida cuando se casó con él. La había enseñado a ensalzar su belleza y a celebrarla.

Y la había celebrado. Durante diez años había sido la niña de sus ojos, y eso había bastado.

O casi.

En ese momento se preguntaba cuánta alegría había reportado su belleza. A su duque sí le había reportado alegría. Pero ¿a alguien más? ¿Importaba que no hubiera sido así? El duque era su marido. Había sido su deber y su gozo proporcionarle alegría a él.

¿Cuándo fue la última vez que experimentó verdadera alegría? Ese tipo de alegría que llevaba a la gente a girar con los brazos extendidos y la cara hacia el sol entre la hierba y las flores del campo. Ese tipo de alegría que llevaba a la gente a echar a correr por la playa con el viento alborotándole el pelo.

¿La belleza era un don como el talento musical?

¿Y de dónde procedían esos pensamientos tan deprimentes cuando estaban representando una comedia en el escenario? Los espectadores se rieron al unísono y ella se abanicó la cara.

Había disfrutado muchísimo en el dormitorio de Constantine la semana anterior. Pero ¿había experimentado alegría?

Esa noche lo haría. Tal vez se quedara con él toda la noche. Le resultaría raro dormir con un hombre. Despertarse a su lado. Y…

—Duquesa —susurró él y su cálido aliento le rozó la oreja—, ¿estás soñando despierta?

—Constantine —murmuró sin apartar la mirada del escenario—, ¿me estás observando en vez de ver la obra?

Constantine no le contestó.

Con había mantenido una breve conversación con Monty en el palco antes de regresar al vestíbulo para esperar la llegada de la duquesa y de la señorita Leavensworth. Mientras tanto, Katherine estaba hablando con el señor y la señora Park y con el hermano de esta, que también formaban parte del grupo.

—Deja que lo adivine, Con —dijo Monty—. La señorita Leavensworth, ¿verdad? No está mal, cierto, pero… ¡Qué vergüenza! Creo recordar que está comprometida. Con un vicario.

—La señorita Leavensworth no, Monty, como muy bien sabes —replicó él.

El aludido retrocedió, fingiendo sorpresa.

—No irás a decirme que se trata de la duquesa, ¿verdad? —le preguntó—. ¿Después de lo que dijiste en el parque cuando te miró de arriba abajo pero no te tendió la mano para que se la besaras?

—Un hombre está en su derecho de cambiar de opinión de vez en cuando —adujo.

—De modo que la duquesa va a ser tu amante durante esta temporada social. —Monty sonrió y meneó la cabeza—. Peligroso, Con. Peligroso.

—Creo que soy capaz de sortear los peligros que me ponga en el camino —aseguró.

—¡Ah! —exclamó Monty arqueando las cejas—. Pero ¿podrá ella sortear todo lo que tú pongas en el suyo, Con? Va a ser una primavera muy interesante.

Sí, lo sería, pensó Con al final de la velada mientras su carruaje seguía al de la duquesa hasta Hanover Square, ya que ella había insistido, como era lógico, en regresar a Dunbarton House con su amiga. Se subiría a su carruaje en cuanto llegaran allí.

Sí, sería una primavera interesante. Al menos sería gratificante desde el punto de vista sensual, no le cabía la menor duda. La espera desde la semana anterior se le había hecho interminable, y estaba convencido de que su apetito sexual por la duquesa de Dunbarton quedaría saciado antes de que llegara el momento de que cada uno regresara a sus respectivas casas campestres para pasar el verano.

No retomarían su aventura al año siguiente, por supuesto. Ninguno de los dos querría hacerlo.

Pero ¿estaba cometiendo un error ese año?

Era guapa, deseable y vanidosa. Era rica, arrogante y deliciosamente superficial.

Hasta ese momento no se tenía por un hombre capaz de obviar ese tipo de consideraciones en aras de la lujuria. Sin embargo, la lujuria era el único motivo por el que había aceptado a la duquesa por amante.

Aunque también lo movía cierta fascinación. Una fascinación que compartía con la mitad de la población masculina de la alta sociedad, por supuesto, y también con una gran parte de la mitad femenina, aunque por distintos motivos.

No obstante, solo conocía un hecho muy interesante sobre ella: que había llegado a los treinta años de edad sin mantener relaciones sexuales.

Todavía le costaba trabajo creerlo.

Su carruaje se detuvo detrás del de la duquesa, y vio cómo las dos damas entraban en la casa. La puerta se cerró. El carruaje de la duquesa desapareció, de modo que el suyo se acercó más a los escalones de entrada.

La puerta principal permaneció cerrada durante dieciocho minutos. Se recostó en el asiento y se preguntó cuánto tiempo tendría que esperar y cuántas personas lo estarían observando ocultas tras las cortinas de las ventanas a oscuras de toda la plaza, preparadas para convertirlo en el hazmerreír del día siguiente.

La idea le hizo gracia en vez de ponerlo furioso.

La duquesa no iba a cederle ni un ápice de control, ¿verdad?

Se preguntó si al difunto duque lo habría llevado por la calle de la amargura. Eso sí, no le había sido infiel.

¿Cuánto tiempo iba a esperar?, se preguntó.

Al cabo de dieciocho minutos la puerta de Dunbarton House volvió a abrirse y la duquesa salió, ataviada con la capa blanca de la semana anterior y con la cabeza cubierta por la capucha.

¿Se había cambiado de ropa?

Salió del carruaje, le tendió una mano y la ayudó a subir. Se subió tras ella y se sentó a su lado. El cochero cerró la portezuela y el carruaje se ladeó un poco cuando el hombre regresó al pescante. Acto seguido se puso en marcha, rodeando la plaza y enfilando una calle.

Se giró para mirarla en la oscuridad. Ninguno había hablado. Extendió las manos para desabrocharle la capa, tras lo cual le quitó la capucha y le apartó la prenda.

Otra vez llevaba el pelo suelto, que mantenía apartado de la cara con unos pasadores cuajados de piedras preciosas colocados por encima de las orejas. El vestido era de color oscuro, azul o púrpura, quizá. Azul marino, vio cuando un rayo de luz procedente de una de las farolas lo iluminó al pasar junto a ella. Tenía un escote muy pronunciado y el talle alto. Los diamantes habían desaparecido de su cuello y de sus orejas.

Era una mujer preparada para recibir a su amante.

Inclinó la cabeza y la besó. Sus labios estaban cálidos y ligeramente entreabiertos, rendidos.

Le pasó una mano por la espalda y la otra bajo las rodillas para levantarla y colocársela en el regazo.

Volvió a besarla y ella lo abrazó.

«¡Sí!», pensó. Había lujuria de sobra.

¿Y tal vez algo más?

Sus intentos por racionalizar lo que sucedía eran los culpables de que estuviera imaginándose cosas. La relación con la duquesa no se basaba, aunque fuera de forma parcial, en el compañerismo, como solía suceder con sus aventuras. En su caso era pura lujuria.

Sexo.

Algo de lo que iban a disfrutar con vigor en cuestión de una hora. Con eso bastaba. El verano, el otoño y el invierno habían sido largos. De modo que no sería tan descabellado que sintiera un poco de lujuria desatada durante la primavera.

No habían intercambiado una sola palabra desde que salieron del teatro.

No la iba a llevar en volandas a su dormitorio y a tirarla sobre la cama sin más, descubrió Hannah cuando entraron en su casa y

Constantine le dijo al mayordomo que se retirase por esa noche, ya que no lo iba a necesitar.

Constantine la cogió del codo y la llevó a la misma estancia donde cenaron la semana anterior. La mesa estaba puesta una vez más, con fiambre, queso, pan y vino en esa ocasión. Una solitaria vela brillaba en el centro de la mesa. Y el fuego crepitaba de nuevo en la chimenea.

Era un alivio y una decepción a la vez, pensó. Aunque no tenía mucha hambre. Ni necesitaba una copa de vino. Y llevaba deseándolo con locura toda la noche. Apenas había podido concentrarse en la representación, una de sus preferidas. Además, el deseo se había desatado en el carruaje, sobre todo después de que la sentara en su regazo.

Qué maravillosamente fuerte tenía que ser para haberla levantado sin más, sin jadear siquiera por el esfuerzo. Al fin y al cabo, no era lo que se dice una pluma.

Se alegraba de que el deseo no hubiera prevalecido del todo. Una idea muy extraña. Porque estaba haciendo todo eso por lujuria, ¿no? Esa primavera era libre para buscarse un amante, había decidido buscar uno con toda deliberación y había escogido con sumo cuidado a Constantine Huxtable.

Solo para descubrir que la lujuria no bastaba en sí misma.

¡Qué irritante!

Una persona debería ser capaz de tomar una decisión con respecto a un objetivo en concreto y seguir trabajando inexorablemente hasta conseguirlo, sobre todo una vez que se había elegido dicho objetivo y se había puesto un empeño diligente y cuidadoso en su consecución.

Su objetivo era disfrutar de la persona de Constantine Huxtable hasta que el verano la instara a volver a Kent y a él lo llevara a regresar a ese punto indeterminado de Gloucestershire donde se emplazaba su hogar.

¿Qué gran secreto ocultaba ese lugar que Constantine se negaba a hablarle de él?, se preguntó.

Y en ese momento comenzaba a darse cuenta de que su persona, tan hermosa y perfecta como era, tal vez no fuera suficiente.

A lo mejor estaba cansada. Y también seguía excitada. Y se alegraba de que fueran a cenar algo antes… aunque no comiera nada.

Constantine le quitó la capa, para lo cual se colocó tras ella. Sus manos apenas la tocaron.

—Duquesa —dijo él al tiempo que le señalaba la silla en la que se había sentado la semana anterior—, ¿quieres sentarte?

Sirvió el vino mientras ella se sentaba y se llenaba el plato con un poco de todo.

—¿Te ha gustado la representación? —preguntó.

—He estado distraído durante la mayor parte —contestó Constantine—. Pero creo que ha sido entretenida.

—Barbara estaba contentísima —comentó—. Por supuesto, ella ve el escenario que es Londres a través de unos ojos inocentes.

—¿Nunca había estado en la ciudad? —quiso saber él.

—Sí había estado antes —respondió Hannah—. Mientras estuve casada conseguí convencerla alguna que otra vez para que pasara un par de semanas conmigo, aunque casi siempre me visitaba en el campo, no en la ciudad. Y nunca se quedó mucho tiempo. El duque la aterraba.

—¿Tenía motivos para ello? —preguntó él.

—Era un duque —adujo—. Ostentaba el título desde los doce años. Había sido duque durante más de sesenta años cuando me casé con él. Claro que tenía motivos para estar aterrada, aunque él siempre se esforzó por ser amable con ella. Es la hija de un vicario, Constantine.

—Pero ¿tú no le tenías miedo?

—Yo lo adoraba —contestó Hannah al tiempo que cogía la copa con la mano y hacía girar su contenido.

—¿Cómo lo conociste?

¿Cómo era posible que la conversación hubiera tomado ese rumbo? Ese era el problema de las conversaciones.

—Tenía una familia a la que le encantaba describir como «prodigiosamente extensa y aburrida» —respondió ella—. La evitaba siempre que podía, que era gran parte del tiempo. Pero también tenía un enorme sentido del deber. Asistió a la boda de un pariente, que era el decimocuarto en la línea sucesoria al título. En una ocasión me explicó que se sentía obligado hacia cualquiera que estuviera por encima del vigésimo puesto en la línea sucesoria. Yo también asistí a la boda. Nos conocimos allí.

—Y os casasteis poco después —concluyó él—. Debió de ser amor a primera vista.

—De no haber detectado el deje irónico de tu voz —replicó—, te habría dicho que no fueras tonto.

Constantine la miró en silencio un buen rato.

—¿Tu juventud y belleza frente a su posición y riqueza? —sugirió él.

—Una explicación aplicable a miles de matrimonios —comentó Hannah al tiempo que le daba un mordisquito al queso—. Haces que el duque y yo parezcamos muy ordinarios, Constantine.

—Estoy convencido de que no necesitas que te asegure que erais una pareja de lo más extraordinaria, pero lo haré de todas formas.

—Era espléndido, ¿verdad? —preguntó ella—. Ceremonioso, elegante y aristocrático hasta decir basta. Y con un porte que atraía las miradas pero que mantenía a la mayoría de las personas a cierta distancia. Pocos se atrevían a acercarse a él. ¡Seguro que fue magnífico de joven! Creo que me habría enamorado sin remedio de él si lo hubiera conocido en aquel entonces.

—¿Sin remedio? —repitió él.

—Sí. —Suspiró—. Habría sido una absoluta pérdida de tiempo. No me habría mirado siquiera.

—Me cuesta creerlo, duquesa —repuso—. Pero supongo que de todas formas estabas un poco enamorada de él.

—Le quería —lo corrigió—. Y él me quería a mí. ¿No crees que la alta sociedad se asombraría si supiera que disfrutamos de un matrimonio feliz? Pero no, no se asombraría. Sencillamente no daría crédito. La gente cree lo que quiere… lo mismo que tú.

—Ya demostraste que me equivocaba de parte a parte hace poquísimo tiempo —convino Constantine.

—Esta noche has dicho que soy vanidosa —replicó—, cuando en realidad solo soy sincera.

—Sería absurdo que fueras por la vida diciendo que eres fea.

—Y una mentira tremenda —añadió ella.

Apuró la copa mientras Constantine la miraba desde el otro extremo de la mesa.

—Y esta noche me has llamado avariciosa —continuó.

Lo vio enarcar las cejas.

—Duquesa, espero ser lo bastante caballeroso como para no acusar a otra persona de avariciosa, mucho menos a la dama que es mi amante.

—Pero lo has insinuado —insistió—. En el teatro, mientras examinabas mis joyas con actitud burlona y me escuchabas hablar de ellas. Y ahora mismo acabas de suponer que conoces los motivos que me impulsaron a casarme con el duque.

—¿Y me equivoco? —preguntó él.

Hannah extendió las manos a ambos lados de su plato, sobre la mesa. Se había quitado todas las joyas al llegar a casa y las había guardado en sus respectivas cajas fuertes. Sin embargo, se había puesto otros anillos. A decir verdad, siempre se sentía rara sin ellos. Todos sus dedos relucían, a excepción de los pulgares.

Se los quitó uno a uno y los dejó en el centro de la mesa, junto al candelabro.

—¿Cuánto valen en total? —preguntó a Constantine cuando se los quitó todos—. Solo las piedras preciosas.

Constantine miró los anillos, la miró a ella y volvió a mirar los anillos. Extendió una mano y cogió el más grande. Lo sostuvo entre el pulgar y el índice, haciéndolo girar para que captara la luz.

«¡Por Dios!», pensó Hannah. Qué inesperadamente erótico era ver esa mano morena y de dedos largos coger uno de sus anillos.

Constantine dejó ese anillo y cogió otro.

Lo vio separar los anillos con la punta de un dedo a fin de extenderlos sobre la mesa.

Y después le dio una cifra que demostraba que estaba familiarizado con los diamantes.

—No —replicó.

Constantine dobló la cantidad.

—Frío, frío —aseguró ella.

Lo vio encogerse de hombros.

—Me rindo —dijo él.

—Cien libras.

Constantine se echó hacia atrás y la miró a los ojos.

—¿Son falsos? —preguntó—. ¿Imitaciones de cristal?

—Estos sí —contestó—. Algunos son auténticos, los que recibí en las ocasiones más especiales. Todos los diamantes que llevaba esta noche en el teatro eran auténticos. Unos dos tercios de las piedras preciosas que poseo son falsas.

—¿Dunbarton no era tan generoso como parecía?

—Era la generosidad personificada —le aseguró—. Me habría dado la mitad de su fortuna, y seguramente lo hizo, aunque la mayor parte estaba vinculada al título, por supuesto. Me bastaba con admirar algo para que fuera mío. Me bastaba con no admirar algo para que fuera mío.

Constantine no tenía nada que decir. La miró en silencio.

—Eran auténticas cuando me las regaló —continuó Hannah—. Hice que reemplazaran los diamantes con imitaciones de cristal. Son unas imitaciones muy buenas. De hecho, es posible que te haya dado una cifra bajísima por esos anillos. Es posible que valgan doscientas libras. Tal vez un poco más. Lo hice con el conocimiento del duque. Me lo consintió a regañadientes, pero ¿cómo iba a negarse? Me había enseñado a ser independiente, a pensar por mí misma, a decidir lo que quería y a negarme a aceptar un no por respuesta. Creo que estaba orgulloso de mí.

Constantine tenía el codo apoyado en la mesa y la barbilla, entre el pulgar y el índice.

—Hay ciertos… proyectos en los que estoy interesada —añadió ella a modo de explicación.

—¿Has donado la pequeña fortuna que obtuviste por la venta de tus diamantes a ciertos proyectos, duquesa? —preguntó—. Aunque no creo que fuera pequeña, la verdad.

Se encogió de hombros antes de contestar:

—Una gotita insignificante en un océano enorme. Constantine, en este mundo sobra sufrimiento para satisfacer las inclinaciones filantrópicas de miles de ricos a quienes les gusta creer que tienen conciencia y que pueden aplacarla donando un poco de dinero.

Hannah se mordió la lengua para no seguir hablando. Sin duda alguna no la entendería. O la creería una sentimental sin remedio. Y tal vez lo fuera. ¿Por qué había sentido la necesidad de compartir con él lo poco que le había dicho? Constantine la veía como una mujer frívola, rica y consentida, como todos los demás. La creía una cazafortunas, una mujer que utilizaba su belleza para enriquecerse.

Aunque, en cierto sentido, lo era.

Pero había mucho más.

Hasta el momento no había sentido la necesidad de justificarse ante nadie. Al menos, no en los últimos once años. Se sentía muy segura de su personalidad. Se gustaba bastante. Al duque también le había gustado. Le importaba un comino lo que los demás pensaran de ella. De hecho, siempre había disfrutado muchísimo engatusando y engañando a la alta sociedad.

¿Constantine era distinto porque se trataba de su amante?

De él solo esperaba la mutua entrega de sus cuerpos.

No buscaba nada más.

Sin embargo, se había puesto esos anillos con toda deliberación. Había deseado que él lo supiera.

La había llamado vanidosa y prácticamente también la había llamado avariciosa.

¿Le importaba lo que él pensase? Qué irritante si era así.

¿Resultaría esa aventura primaveral menos placentera de lo que había pensado?

Constantine se puso en pie y rodeó la mesa. Le tendió una mano.

—No hemos venido aquí para hablar de causas filantrópicas ni de conciencias, duquesa —dijo.

—Creía que se te había olvidado —replicó al tiempo que se ponía en pie.

Y al cabo de un momento la estaba besando con determinación, pegándola a su cuerpo desde la cara hasta las rodillas. Hannah le echó los brazos al cuello y se convirtió en una participante activa.

¡Tenía un cuerpo tan fuerte, masculino y joven…!

No se arrepentía de nada. Eso era lo que anhelaba por encima de todas las cosas, al menos durante esa primavera. Tenía que recuperar mucho tiempo perdido, tenía muchos placeres que explorar.

Constantine alzó la cabeza y la miró, y en ese momento ella volvió a fijarse en lo oscuros que eran sus ojos y en lo bien que ocultaban su verdadera identidad. No le hacía falta conocerlo. Y sin embargo, siempre había querido hacerlo. Al fin y al cabo, Constantine no era solo un cuerpo masculino que utilizar para su placer. Ojalá lo fuera. La vida sería muchísimo más sencilla.

Y también tendría muchísimo menos aliciente.

Le recorrió la nariz con un dedo.

—¿Cómo pasó? —preguntó.

—¿La nariz rota? —precisó él—. Una pelea.

—Constantine —lo reprendió—, no empieces. No me hagas insistir.

—Con Moreland, aunque todavía no era Moreland —le explicó—. Con mi primo. Elliott. Éramos unos niños.

—¿Y tú te llevaste la peor parte? —quiso saber.

—Mi primo se pasó todo un mes con pinta de salteador de caminos con antifaz —contestó—. Por desgracia, los moratones no necesitan que alguien los enderece porque se van solos. Las fracturas de nariz sí lo necesitan, y a la mía no la enderezaron en condiciones. El médico era un matasanos rural.

—Estás más guapo precisamente por la nariz —le aseguró Hannah—. Tal vez ese matasanos sabía muy bien lo que estaba haciendo. ¿Por qué os peleasteis?

—Dios sabrá —contestó él—. Recurrimos a los puños en más de una ocasión mientras crecíamos. Esa pelea fue una de las mejores.

—¿Eso quiere decir que siempre fuisteis enemigos? —preguntó—. ¿O que erais amigos?

—Vivíamos a pocos kilómetros de distancia —respondió él—, y teníamos casi la misma edad. Elliott era… es, en realidad, tres años mayor que yo. Éramos muy buenos amigos, salvo cuando nos peleábamos.

—Pero en un momento dado os peleasteis y no hicisteis las paces —señaló.

—Algo así —replicó Constantine.

—¿Qué pasó?

—Se comportó como un imbécil pomposo y yo me comporté como un idiota testarudo. Y seguramente no deba usar el pasado. Sigue siendo un imbécil pomposo.

—¿Y tú sigues siendo un idiota testarudo?

—Él me llamaría algo peor.

—¿No deberíais hablarlo? —Lo miró con el ceño fruncido.

—No —respondió con firmeza—. No deberíamos hablarlo en absoluto, duquesa. Y tú tampoco deberías estar hablando. Deberíamos estar en la cama, concentrados en darnos placer.

—Ah, pero así estamos disfrutando de la emoción que supone la espera.

—Al cuerno con la espera —replicó él, que bajó las manos, la cogió en brazos y salió de la estancia con ella.

—Un hombre dominante —comentó con aprobación al tiempo que lo abrazaba por el cuello una vez más—. Estoy segura de que me arrastrarías del pelo escaleras arriba si me resisto.

—Con una cachiporra en la mano libre —añadió él—. ¿Quieres resistirte?

—Ni hablar —contestó Hannah—. ¿Podrías andar más deprisa? ¿O subir los escalones de dos en dos?

Sus preguntas consiguieron arrancarle una carcajada, ¡por fin!

—Tendrás suerte si me quedan fuerzas cuando lleguemos a mi dormitorio —le advirtió Constantine.

—En ese caso ahórrate el aliento, tonto —le ordenó.

Sin embargo, no pareció que le faltaran las fuerzas ni el aliento cuando por fin la dejó en el suelo de su dormitorio.

Hannah se pegó a él y lo abrazó con fuerza antes de suspirar de contento. El deseo y la emoción le aceleraban el corazón de forma que la sangre le corría por las venas como un torrente.

—Si te apetece, puedes seguir mostrándote dominante y tirarme a la cama para devorarme. Y si no te apetece, también.

Constantine volvió a cogerla en brazos y la obedeció.

Literalmente. Rebotó tres veces sobre el colchón antes de quedarse tumbada.

Sí, desde luego que había escogido al hombre adecuado.

Procedió a devorarla sin preocuparse por la ropa, salvo allí donde era imprescindible quitársela.

Cuando todo terminó, Hannah pensó que había merecido la pena sacrificar su vestido de noche azul marino, aunque era uno de sus preferidos. Debía de haber quedado en un estado lamentable.

Y ella estaba lamentablemente involucrada en su aventura primaveral.

—Mmm —murmuró cuando Constantine se apartó de ella.

Al cabo de un instante tenía la cabeza apoyada en su hombro y estaba acurrucada contra él, arropada con la sábana y el cobertor, si bien no sabía cómo habían llegado hasta allí.

Se quedó dormida al punto.

8

*H*annah estaba sentada en el alféizar acolchado de su gabinete privado en Dunbarton House, con las piernas dobladas por delante. Era una de sus posturas preferidas cuando no se encontraba en público, pero le hizo recordar la primera noche que pasó en casa de Constantine la semana anterior. Sin embargo, su alféizar era más ancho y estaba acolchado; además, era de día y la ventana daba a un extenso jardín con coloridos parterres de flores, no a la calle. Hacía un día estupendo… Y ella y Barbara estaban encerradas en casa.

—¿Estás segura de que no quieres salir, Babs? —preguntó al tiempo que volvía la cabeza para mirar a su amiga. Como era habitual, mientras ella se sentaba sin hacer nada, Barbara estaba derecha como un palo, diligentemente ocupada con un complicado bordado—. Me siento culpable por mantenerte encerrada.

—Estoy encantada —replicó Barbara—. Todo ha sido un torbellino de actividad desde que llegué a la ciudad, Hannah, y me siento casi abrumada por los acontecimientos. Me agrada pasar un día tranquilo.

—Pero esta noche será el baile de los Kitteridge —le recordó—. ¿Estás segura de que quieres ir?

—Por supuesto —contestó su amiga—. Si yo no voy, tú no podrás ir.

—¿Porque no tendría carabina? —preguntó Hannah con una sonrisa.

—Ni siquiera tú te atreverías a ir a un baile sola —adujo su amiga, alzando la vista.

—Podría mandarle una nota urgente a lord Hardingraye o al señor Minter, o a un buen número de caballeros, y tendría un acompañante dispuesto enseguida —replicó.

—¿No al señor Huxtable? —Barbara enarcó las cejas.

—Después de haber aparecido juntos en el teatro, aunque estuviésemos acompañados por el señor y la señora Park, por el hermano de esta, por los barones Montford y también por ti, estoy segurísima de que todas las conversaciones que se han mantenido esta tarde en todos los salones londinenses nos han catalogado como amantes. Sin embargo, debemos ceñirnos a eso que llaman «decoro», Babs. El señor Huxtable no me acompañará esta noche aunque nadie más lo haga, así que estoy condenada a quedarme en casa.

—Vaya por Dios, pues iré —dijo Barbara, que retomó su labor—. No hay necesidad de que le escribas a ningún caballero.

—Solo si te apetece de verdad —señaló—. No eres mi dama de compañía, Babs. Eres mi amiga. Y si quieres quedarte esta noche en casa, yo también lo haré.

—Debo confesar que después de haber asistido a un baile de la alta sociedad contigo —repuso Barbara—, estoy ansiosa por asistir a otro. ¿Crees que me estoy convirtiendo en una persona... inmoral?

Hannah miró la coronilla de su amiga con una sonrisa.

—Te queda muchísimo camino por recorrer antes de que puedas aplicarte ese calificativo —le aseguró—. Que no es mi caso.

Estaba un poco adormilada debido al calorcito del sol, que entraba a raudales por la ventana. Se había despertado a las cinco de la mañana y había despertado a Constantine para que la llevara a casa, pero eran más de las seis cuando por fin se pusieron en marcha. Había estado en lo cierto sobre los peligros de dormir con un hombre, sobre todo si ese hombre se había levantado por la noche sin despertarla y se había desnudado. De modo que por la mañana se encontraron muy calentitos, soñolientos y amorosos. Y abrazados. Tardaron una hora la mar de placentera en salir de la cama.

—¿Te resultó muy difícil dejar atrás a la mujer que eras para convertirte en la que eres ahora, Hannah? —preguntó Barbara tras unos minutos de silencio, con la cabeza inclinada sobre la costura—. Me refiero a después de casarte.

Tardó un rato en contestar. Barbara nunca le había hecho esa pregunta antes.

—En absoluto —respondió a la postre—. Tuve un maestro excelente. El mejor, de hecho. Y no me gustaba mi antigua forma de ser. Me gustaba la persona en la que me convertí. Me gusta la persona en la que me he convertido. El duque me enseñó a madurar, a valorarme mientras me formaba. Y me enseñó a ser una duquesa, ese fue su regalo. Me enseñó a ser independiente y autosuficiente. Me enseñó a no necesitar a nadie.

Esa última parte no era estrictamente verdad. No había sido consciente de lo mucho que lo necesitaba hasta que murió. Su duque nunca le había dicho que no necesitaba a nadie. Más bien había sido al contrario. Le había dicho que necesitaba amor y al precioso grupo de personas que acompañaría al amor cuando lo encontrara: una pequeña comunidad unida por la sensación de pertenencia, lo había llamado. Le había asegurado que algún día la encontraría. Le había enseñado a no ser dependiente mientras esperaba, sino a utilizar su fuerza interior para no caer en la tentación de aferrarse a un pálido sustituto del amor.

Como el sexo, pensó en ese momento, cerrando los ojos un instante. Era muchísimo más adictivo de lo que había imaginado. Le resultaría muy sencillo aferrarse a él, vivir para las horas que pasaba en casa de Constantine, para esos momentos en los que veía colmadas todas sus necesidades.

Bueno, no todas. No debía olvidarlo. No debía cometer el error de creer que las necesidades que Constantine colmaba eran las necesidades fundamentales de su ser.

Porque dichas necesidades no tenían nada que ver con el amor. Constantine no tenía nada que ver con el amor.

—A mí sí me gustabas, Hannah —dijo Barbara—. De hecho, te quería muchísimo. Me acuerdo muchas veces de lo maravilloso que era tenerte siempre tan cerca, a un simple paseo a través de un sembrado y un prado. Y me encantaría que siguieras viviendo allí.

—Pues si ese fuera el caso, no tardaría en verme abandonada —replicó—. Vas a casarte con tu vicario dentro de nada.

—No es exclusivamente mi vicario —le recordó su amiga con una sonrisa sin apartar la mirada de la costura—, aunque sí es exclusivamente mi Simon. Le quiero muchísimo, ¿sabes? Le encanta leer, es inteligente y casi incapaz de mantener una conversación frívola, aunque el pobrecillo lo intenta. Lleva anteojos y empieza a tener entradas en las sienes, aunque todavía no ha cumplido los treinta y cinco años. Tal vez sea un par de centímetros más bajo que yo, aunque cuando lleva botas de montar quedamos a la misma altura. Y tiene la sonrisa más dulce del mundo entero… todos lo dicen. Pero para mí tiene una sonrisa especial. Que me llega justo al corazón. —Barbara dejó la aguja en el aire. Siguió con la vista clavada en el bordado, con las mejillas un poco sonrojadas y los ojos brillantes, contemplando a un hombre que físicamente se encontraba muy lejos de allí.

Hannah sintió una punzada de envidia.

—Me alegro mucho por ti, Babs —dijo—. Sé que hasta ahora te veías abocada a la soltería pese a los pretendientes adecuados que has tenido a lo largo de los años. Pero has esperado hasta encontrar el amor.

—Hannah, ¿nunca has deseado haber esperado? —le preguntó su amiga, con la aguja todavía suspendida en el aire. El rubor se extendió por sus mejillas y bajó una vez más la aguja.

—No —contestó en voz baja—. No, nunca, en ningún momento.

—Pero… —Barbara dejó la tela en sus rodillas sin haber dado una sola puntada más—. Pero no estabas en condiciones de tomar una decisión tan importante en ese preciso momento. Estabas muy alterada. Y con toda la razón del mundo.

—Tuve un ángel de la guarda —adujo—, que era el duque de Dunbarton. En una ocasión se lo dije. Y casi se atragantó con el oporto.

—Pero, Hannah —insistió su amiga—, era tan… viejo. ¡Ay, por Dios, perdóname!

—Solo tenía cincuenta y cuatro años más que yo —le recordó con una leve sonrisa—. Apenas lo bastante viejo como para ser mi abuelo. De hecho, una vez me enseñó unas cuentas en las que demostraba que podría haber sido su bisnieta. Déjalo ya, Babs. Nunca admitiré haberme casado con él sin reflexionar y haberme arrepentido después. Me casé con él muy deprisa y jamás me he arrepentido, en ningún momento. ¿Por qué iba a arrepentirme? Me mimó y me cubrió de oro, y ascendí hasta entrar en este mundo. —Abarcó la estancia con un gesto de la mano—. Y ahora soy libre. —Volvió la cara hacia la ventana a toda prisa.

¿Lágrimas? ¿¡Lágrimas!?

—Hannah, deberías volver a casa —le aconsejó Barbara—. Deberías…

—Ya estoy en casa —la interrumpió.

Su amiga la miró con expresión triste.

—Ven a mi boda —le suplicó—. Puedes quedarte con mis padres. Nuestra casa no es en absoluto a lo que estás acostumbrada, pero sé que les encantaría acogerte. Y el día de mi boda sería perfecto si mi mejor amiga estuviera presente. Sé que Simon quiere conocerte. Por favor, ven.

—Se le quitarán las ganas de conocerme cuando sepa en lo que me he convertido —aseguró—. Además, estaría engañando a tus padres si me quedara bajo su techo tal como soy. Su mundo es distinto al mío, Babs. Tu mundo es distinto al mío. Vivís en un mundo más inocente, en uno más decente.

—Ven de todas formas —insistió su amiga—. Te querrán por ti misma, al igual que yo. Soy muy puritana y mojigata, Hannah. Sigo siendo una solterona que ha crecido pegada a la iglesia. He estado a punto de quedarme para vestir santos, pero en mi caso el dicho casi es cierto. Detesto lo que te has hecho durante estos últimos días porque no creo que seas feliz. Y creo que tu infelicidad crecerá a medida que tu relación con el señor Huxtable progrese. Crees que quieres placer, cuando en realidad quieres encontrar el amor. Pero ya me he ido por las ramas y me había prometido que no te echaría un sermón. Ven a mi boda de todas formas. ¿No te parece que es hora de regresar? Han pasado más de once años.

—Precisamente por eso —replicó—. Babs, ahora llevo una vida totalmente distinta, en un universo distinto. Todo lo anterior ha dejado de existir para mí. No quiero que exista.

—¿Y en qué me convierte eso? —preguntó su amiga—. ¿En un fantasma?

—¡Ay, Babs! —exclamó, y tuvo que volver de nuevo la cabeza para ocultar las lágrimas que le inundaban los ojos—. No me abandones nunca. —Escuchó el frufrú de la seda a su espalda y, acto seguido, se vio envuelta en un fuerte abrazo.

Se aferraron la una a la otra un buen rato, mientras ella se sentía como una tonta. Y por extraño que pareciera, tan apenada como el día que el duque murió.

—Mira que eres tonta —dijo Barbara con una voz un tanto temblorosa—. ¿Cómo quieres que deje de ser tu amiga cuando eres tan rica y me llevas a los bailes de la alta sociedad e insistes en comprarme un frívolo bonete cada vez que te engatuso para que me invites a venir a Londres?

Hannah bajó las piernas del alféizar de la ventana y se alisó las faldas del vestido de muselina.

—Era un bonete espléndido, ¿verdad? —replicó—. Si no me hubieras dejado comprártelo ayer, me lo habría comprado yo, y ¿dónde lo habría metido? Ya tengo todo el vestidor y el dormitorio de invitados adyacente a reventar de ropa… o eso se rumorea, y todo el mundo sabe lo fiables que son los rumores.

—Yo estoy en el dormitorio de invitados adyacente a tu vestidor —comentó Barbara al tiempo que se enderezaba y se giraba para doblar la tela.

—Pues te compadezco —dijo—. Tiene que ser dificilísimo pasar por la puerta, aunque vayas de costado.

Barbara soltó una carcajada.

—¿Vendrás a mi boda? —preguntó en voz baja.

Hannah suspiró en silencio. Había albergado la esperanza de que hubiera olvidado el tema.

—No puedo, Babs —respondió—. No volveré. Pero tal vez tu vicario y tú podáis pasar parte de vuestra luna de miel conmigo en Kent.

Una doncella entró en ese momento, llevándoles el té, y la conversación derivó hacia otros temas.

No era infeliz, se dijo Hannah. Barbara estaba muy equivocada. Y su infelicidad no aumentaría. ¿Cómo iba a hacerlo cuando ni siquiera era infeliz?

Estaba deseando que llegara la noche, el momento posterior al baile. El anhelo que sentía tal vez fuera superficial, pero también era muy poderoso.

La posibilidad de llegar a cansarse algún día de la forma en la que Constantine le hacía el amor le resultaba inconcebible. Claro que todo tendría que acabar en cuanto terminase la temporada social. Pero para eso faltaba mucho tiempo. Ni siquiera merecía la pena planteárselo en ese momento.

Se puso en pie y sirvió el té.

A primera hora de la tarde llegó una nota a casa de Con, de parte de Cassandra, la condesa de Merton y esposa de Stephen, para invitarlo a cenar en Merton House antes del baile de los Kitteridge. No tenía compromisos previos, de modo que se alegró de responder que asistiría.

A lo largo de los años había intentado muchas veces guardar rencor, incluso odiar, a Stephen, que había heredado el título de Jon y que se había presentado con diecisiete años en Warren Hall como su nuevo propietario, acompañado de sus hermanas. Los cuatro eran entonces unos desconocidos para él, y ni siquiera sabía de su existencia hasta que Elliott y sus abogados estudiaron el árbol genealógico en busca de un heredero lejano. E incluso después de haber localizado esa rama familiar no fue nada fácil encontrarlos en el pueblecito perdido de Shropshire donde vivían.

El odio lo había consumido antes de conocerlos. Iban a invadir su hogar, a pisotear sus recuerdos, a apoderarse de algo que debería haber sido suyo. Pero lo peor era que Jon estaba enterrado en unas tierras que pertenecían a un desconocido.

Los odió durante un tiempo después de conocerlos.

Pero ¿cómo odiar a Stephen una vez que se le conocía? Sería como odiar a los ángeles. E igual de difícil era odiar a sus hermanas. Los cuatro se alegraron muchísimo cuando descubrieron su existencia. Lo acogieron como a un hijo pródigo. Todos comprendieron cómo debía de sentirse por la sucesión.

Al llegar a Merton House, Con descubrió que Margaret y Duncan, el conde de Sheringford, también habían sido invitados a la cena. Margaret era la mayor de las tres hermanas, la que se había ocupado de que la familia siguiera unida después de la muerte de sus padres. Había mantenido su soltería con terquedad hasta que sus hermanos fueron mayores. Y entonces se casó. Su elección de marido pareció desastrosa en su momento. Sin embargo, el matrimonio había sobrevivido y también parecía haber florecido.

Con se relajó y disfrutó de la cena. La comida era buena, y la compañía y la conversación, agradables. No sospechó siquiera que pudiera existir un motivo oculto para haberlo invitado hasta que se retiraron al salón después de cenar, una hora antes de que llegara el momento de salir hacia el baile.

—Cassandra y yo hemos ido a casa de Kate esta mañana —comentó Margaret mientras Cassandra servía el té—. Nessie nos ha acompañado. Kate está embarazada otra vez después de tanto tiempo. ¿Lo sabías, Constantine? Está muy contenta y también algo mareada por las mañanas. Nos ha dicho que Jasper y ella pasaron una noche muy agradable.

«¡Ah!», pensó Con.

—No estaba al tanto de su embarazo —repuso—. Supongo que los dos están muy contentos.

Habían hablado de él durante esa visita matinal, no le cupo la menor duda. Esperó a que se lo confirmaran.

—Estuvimos hablando de ti —continuó Margaret.

—¿De mí? —repitió, fingiendo asombro—. ¿Debo sentirme halagado?

—Ya tienes más de treinta años —señaló Margaret.

Se preguntó cómo abordarían el tema. No podían echarle un sermón abiertamente por aceptar a la duquesa de Dunbarton como amante, ¿verdad? Como damas de buena educación, no podían admitir estar al tanto de semejante arreglo, ni siquiera de sospecharlo.

Por supuesto, Margaret era la encargada de hablar. Cassandra fingía estar muy ocupada con la tetera. Stephen y Sherry trataban de aparentar que la conversación no tenía nada de extraordinario.

—En fin —replicó él con un suspiro—, Dios no quiere que nos quedemos estancados en los veinte años, Margaret. Qué poca consideración por su parte.

Todos se echaron a reír, Margaret incluida, pero su prima no se dejó desviar de su objetivo, fuera cual fuese.

—Constantine, todos estamos de acuerdo en que deberías empezar a pensar en el matrimonio. Eres nuestro primo y…

—Primo segundo —la corrigió con énfasis—. Y en el caso de Cassandra, solo político.

—Esta noche está de buen humor, Meg —comentó Cassandra—. No está taciturno, así que no piensa tomarse nada en serio.

Stephen bebió un sorbo de té. Con intercambió una mirada exasperada con Sherry.

—Me tomo muy en serio la idea del matrimonio —les aseguró—. Sobre todo del mío. Y sobre todo cuando la idea parte de un comité formado por las mujeres de mi familia. Porque hay un comité, ¿no? ¿Hay también alguna dama en particular que queráis que tenga en cuenta?

Margaret abrió la boca para hablar y la volvió a cerrar. Cassandra se limitó a sonreír. Sus respectivos maridos se limitaron a seguir bebiendo té.

—¿O una en particular que queráis que no tenga en cuenta? —se corrigió.

Cassandra soltó una carcajada.

—Te dije que se olería enseguida de qué iba todo esto, Meg —comentó—. Pero, Con, te aseguro que solo pensamos en tu felicidad. Yo ni siquiera llevo un año en esta familia, pero también quiero verte feliz.

—Cuidado con una mujer felizmente casada —dijo él—. Confabulará e intrigará hasta lograr que todos los demás también sean felices.

Stephen sonrió y Sherry se echó a reír.

—¿Qué tiene eso de malo? —preguntó Margaret, a todas luces molesta. Estaba mirando a Sherry.

—Katherine se percató del asunto anoche en el teatro, ¿verdad? —preguntó Con—. No le gustó lo que vio. Y todas le disteis la razón esta mañana. Sería interesante saber si Vanessa también lo ha hecho.

—Todos los años tienes una favorita, Constantine —le recordó Margaret cuando se sentó en su sillón, con la taza y el platillo en las manos—. Hasta ahora, todas ellas han sido damas agradables. Me cayó muy bien la señora Hunter, el año que Duncan y yo nos casamos.

Margaret se pondría colorada si le pidiera que le explicase a qué se refería exactamente con «favorita», pensó Con.

—A mí también me caía bien —replicó—. Por eso fue mi favorita ese año. Pero espero que no vayas a pedirme que piense en ella como en mi futura esposa. Se casó con lord Lund hace dos veranos.

—Y le dio un heredero el año pasado, creo —apostilló Sherry—. Has hecho bien en olvidarla, Con.

Margaret le lanzó una mirada indignada a su marido.

—La duquesa de Dunbarton es guapa —dijo—. Nadie puede negarlo. Atrae todas las miradas allá donde va, y no es solo por su belleza. Es una mujer fascinante.

—Creo que ahora viene un pero... —dijo Con.

Cassandra tomó la palabra.

—Kate está convencida de que la duquesa ha decidido convertirte en su favorito, Con —dijo—. Y si la duquesa quiere algo, al parecer suele conseguirlo. Aunque se dice que es muy inconstante en sus preferencias. La semana que viene o la siguiente podría tener otro favorito. —Cassandra parecía incomodísima. Miró con el ceño fruncido a Stephen, quien a su vez la miraba con una sonrisa.

—Constantine, no me negarás que tiene reputación de promiscua —terció Margaret—. Y creo que bien merecida.

¿Qué dirían si les contara que la duquesa había sido virgen

hasta hacía poco más de una semana y que había perdido dicha virginidad con él?, se preguntó.

—¿Y temes que acabe herido y con el corazón destrozado si sucumbo a sus malas artes esta semana y tal vez la siguiente? —quiso saber—. ¿Temes que no sea rival para alguien de la... experiencia de la duquesa, aunque dicen que soy la personificación del demonio? Me conmueve tu preocupación.

La situación le hacía muchísima gracia.

—¡Ay, Dios! —exclamó Cassandra al tiempo que soltaba la taza y el platillo con más fuerza de la cuenta—. No habíamos planeado sacar el tema de esta manera, ¿verdad, Meg? Kate se va a enfadar mucho con nosotras. Por supuesto que eres capaz de manejar a Su Excelencia si se convierte en tu... esto... favorita. De hecho, estoy segura de que hay varias personas que le están aconsejando no relacionarse contigo. Lo que queríamos decir, o sugerir o insinuar, movidas por el afecto que te tenemos, no te quepa la menor duda, es que tal vez haya llegado la hora de que te dejes de coqueteos y relaciones esporádicas y te centres en el matrimonio. Eres un gran partido. Y guapísimo además, aunque no estoy segura de que sea la palabra adecuada para describirte. Te conviertes en el centro de las miradas allá donde vas... igual que la duquesa.

—Hemos metido la pata, Constantine —admitió Margaret—. Queríamos darte un sutil empujoncito para que emprendieras el camino hacia el matrimonio en vez de... En fin.

—Tal vez deberíamos hablar del tiempo que hará mañana, amor mío —sugirió Sherry—. O del que hará la semana que viene. O el mes que viene.

Margaret sonrió un instante antes de soltar una carcajada que parecía sincera.

—¿Os parece que nos olvidemos de los últimos cinco minutos y empecemos de nuevo? —preguntó.

—¡No, por Dios! —dijeron Sherry y Stephen a la par.

—Pues yo quiero saber qué ha dicho Vanessa al respecto —dijo Con.

Vanessa, la segunda de las hermanas, fue una buena amiga suya hasta que se casó con Elliott, el duque de Moreland. Poco después de la boda y en su intento por vengarse de Elliott de la forma tan estúpida y pueril con la que encaraba en aquel entonces el largo enfrentamiento que los separaba, le había hecho daño sin querer (aunque de un modo previsible) y la había humillado. Y Vanessa apenas le había dirigido la palabra desde entonces.

Aquella no fue su mejor época. De hecho, admitía que había sido una de las peores de su vida. A decir verdad, cada vez que veía a Vanessa o que pensaba en ella se sentía abrumado por la culpa y la vergüenza.

—En realidad ella estaba en la habitación infantil mientras hablábamos del tema. Fue a llevarle un regalo a Hal y también para admirar a Jonathan —comentó Margaret—. Cassandra lo llevó consigo.

Hal era el hijo de Katherine y Monty, que ya tenía cuatro años.

Stephen le había escrito una carta después del nacimiento de su propio hijo para preguntarle si le molestaría mucho que llamaran Jonathan al bebé. A Con le había molestado muchísimo, tanto que casi les respondió negándose en redondo. Pero se detuvo a pensar en lo mucho que le habría gustado a su hermano. Se imaginó sus alegres y escandalosas carcajadas con tal claridad que fue como si las escuchara. De modo que el nuevo heredero del título se llamaba Jonathan.

Por extraño que pareciera, la idea le resultó reconfortante cuando después de llegar a Londres fue a conocer al bebé.

—No deberíamos haber dicho nada —siguió Margaret—. Duncan y Stephen llevan todo este rato riéndose descaradamente, y tú no te has portado mucho mejor, Constantine. Te lo has tomado a broma.

—Mucho mejor que tomárselo a la tremenda, Maggie —comentó Sherry.

—Verás, Con, el problema es que mis hermanas esperaban hacer de casamenteras durante años conmigo —le explicó Stephen—. Pero tuve la desvergüenza de enamorarme de Cassandra el año pasado con apenas veinticinco años, casi un bebé, prácticamente. Tú eres el único pariente que les queda, aunque solo seas un primo segundo, de modo que vas a tener que soportar todo su... afecto, hasta que te cases con una mujer digna de ti y vivas feliz para siempre. Si fueras listo, te casarías este año y vivirías en paz para siempre.

—Salvo por el detalle de que estaría casado —señaló Constantine.

—¡Ya basta! —Margaret se puso en pie de un salto—. Tenemos que asistir a un baile y detestaría llegar tan tarde que los anfitriones ya no estén en la puerta para recibirnos.

Y con eso, pensó Con, se zanjaba el asunto. De momento, al menos.

Pero su familia no aprobaba a su amante primaveral. O a su favorita, para emplear el eufemismo con el que las damas podrían sentirse medianamente cómodas.

9

*L*legaron tarde al baile de los Kitteridge, aunque no fueron los últimos ni mucho menos. La duquesa de Dunbarton llegó después que ellos, aunque eso era lo normal.

Con estaba hablando con un grupo de conocidos cuando se percató de su llegada por el leve cambio en las conversaciones. El comentario de Margaret no podía ser más acertado. La duquesa atraía las miradas allá adonde iba, y esa noche no fue la excepción. Solo tuvo que pasar frente a la línea de recepción con su amiga para que todo el mundo se volviera y la mirara.

Volvía a ir de blanco resplandeciente. Encaje con hilos plateados sobre seda blanca. Llevaba el pelo rizado y recogido en un complicado moño, aunque algunos mechones le caían por las sienes y por el cuello, a fin de atraer miradas e incitar a la imaginación. El recogido estaba coronado por una pequeña tiara de relucientes diamantes. Los diamantes que adornaban sus orejas, su escote, sus muñecas y sus dedos enguantados titilaban y resplandecían a la luz de las velas. Se percató de que también llevaba diminutas escarapelas de diamantes bordadas en los laterales de sus escarpines blancos.

O tal vez no fueran diamantes...

La noche anterior había deshojado otro pétalo de la rosa, de modo que se planteó si habría más después de todo. Había vendido dos tercios de sus diamantes, sin duda alguna a cambio de una suma exorbitante, porque quería contribuir en ciertos «proyectos» de su interés.

Proyectos benéficos, si no había entendido mal. La dama tenía un corazoncito, por tanto, y conciencia social.

A su modo también había sido una revelación sorprendente, del mismo modo que lo fue su virginidad.

Porque albergaba la inquietante sospecha de que había juzgado fatal a la duquesa, de que tal vez no fuera una persona superficial después de todo. Sin embargo, no era el único que opinaba eso de ella, tal como habían demostrado las palabras de Margaret. De modo que no podía recriminárselas.

Atravesó el salón de baile en dirección a la duquesa, consciente de que su avance suscitaba el interés de los invitados. Muy pocos de los presentes ignorarían que la duquesa era su nueva amante o que él era el nuevo amante de la duquesa, según la perspectiva de cada cual. Era imposible que dos miembros de la alta sociedad mantuvieran una aventura en secreto.

Saludó a las damas con una reverencia, invitó a la duquesa a bailar uno de los valses de la noche y a la señorita Leavensworth, el primer baile. Para entonces el séquito de admiradores habituales se había reunido en torno a ella.

Acompañó a la señorita Leavensworth a la pista en cuanto vio que se formaban las filas. La había invitado a bailar porque era la amiga de la duquesa, su invitada, y también porque había charlado unos minutos con ella la noche anterior durante la velada en el teatro y había descubierto que le caía bien. Parecía una mujer sensata e inteligente.

La verdad era que no tenía ningún motivo oculto para bailar con ella, al menos no en un principio. Le preguntó por su hogar al pensar que tal vez sintiera nostalgia, sobre todo porque su prometido se encontraba en el pueblo que había dejado atrás.

—El problema de pasar la temporada social en Londres es que por mucho que uno se divierta —comentó mientras esperaban a que la música sonara—, siempre se siente nostalgia por el campo. A mí me sucede. ¿A usted también?

—Desde luego, señor Huxtable, aunque parece un tanto ingrato admitirlo —respondió ella con seriedad—. Es maravilloso estar aquí y nunca olvidaré que he asistido a bailes de la alta sociedad, al teatro y a la ópera, y que he visitado los museos y las galerías de arte más famosas durante mi estancia. Y lo mejor es que lo he hecho con Hannah, a quien veo muy poco. Hasta ir de compras ha resultado más emocionante de lo que imaginaba. Pero tiene razón, y confieso que echo mucho de menos a mi familia y a mi prometido.

—¿Y su pueblo? —preguntó.

—También echo de menos el pueblo —admitió—. Londres es tan… grande.

Y en ese momento vio la forma de satisfacer una vaga curiosidad. O quizá no fuera tan vaga. Todos sabían que la duquesa había utilizado su belleza para salir del anonimato y convertirse en la esposa de un duque que seguía soltero a los setenta años. Un cuento de hadas en toda regla, salvo por el detalle de que la enorme diferencia de edad había privado a la historia de romanticismo, convirtiéndola en cambio en algo sórdido. No obstante, nada se sabía sobre la vida anónima de la que había surgido la duquesa. Y cuando le preguntó por su familia, ella se había limitado a encogerse de hombros y a contestarle que no tenía.

Sin embargo, en algún momento de su vida debió tener familia.

—¿De qué pueblo es usted? —preguntó a la señorita Leavensworth.

—De Markle —respondió ella—, está en Lincolnshire. Nadie ha oído hablar de él, salvo los que viven a menos de veinte kilómetros a la redonda. Pero es tranquilo y muy bonito, y es mi hogar.

—¿Sus padres aún viven?

—Sí. Tengo esa suerte. Mi padre era el vicario, pero ya se ha jubilado y vivimos en una casita a las afueras del pueblo. Es más pequeña que la vicaría, pero muy acogedora. Mis padres son muy felices en ella. Y yo también, aunque me mudaré a la vicaría cuando me case en agosto.

—Y en esa ocasión será la señora de la casa —comentó Huxtable—, no la hija.

—Sí. —Sonrió—. Me parecerá raro. Aunque estoy deseando con todas mis fuerzas que llegue el momento.

—Markle... —dijo Con, ceñudo—. Me suena de algo. ¿A qué aristócrata pertenecen las tierras?

—¿Conoce a sir Colin Young? —preguntó ella a su vez al tiempo que le ofrecía la respuesta—. Vive en Elm Court, muy cerca del pueblo. Con lady Young y sus cinco hijos. De hecho, lady Young es... —Guardó silencio de repente y se ruborizó.

Con esperó un instante y enarcó las cejas, pero ella no añadió nada más.

—Creo que el baile está a punto de comenzar —dijo.

—¡Sí! —exclamó su compañera con alegre entusiasmo—. Tiene razón. ¡Mire todas esas flores! Y todas las velas que hay en las arañas. Habrá cientos. Y tantísimos invitados... Soñaré con este momento cuando vuelva a casa.

Con supuso que no era de las mujeres que se dejaban llevar por el entusiasmo. Algo la había descompuesto. Sus preguntas, posiblemente, sobre todo la última. Y las respuestas que le había ofrecido. Incluso la que había dejado a medias. ¿Se habría percatado de que en realidad intentaba sonsacarle información?

Había sido un gesto muy feo por su parte.

Pero ¿quién era lady Young? Jamás había oído hablar de Markle ni de sir Colin Young. Probablemente fuera un baronet, pero el hombre no debía de haberse relacionado mucho con la sociedad londinense.

La pieza inaugural era una elegante contradanza de pasos complicados y majestuosos. La señorita Leavensworth era una buena bailarina.

La duquesa debió de crecer también en Markle. ¿Sería allí donde conoció al duque de Dunbarton? ¿Y de quién era la boda a la que el duque había asistido? ¿De Young?

A esas alturas había logrado incomodar a la señorita Leavensworth. Y se había recriminado por ello. De modo que no tenía excusas para seguir indagando. Pero lo hizo.

—Sir Colin Young... —dijo cuando los pasos del baile los unieron al menos un minuto—. ¿No es pariente del duque de Dunbarton?

—Un primo lejano, creo —contestó ella.

El decimocuarto en la línea de sucesión, si no andaba desencaminado.

Era imposible preguntarle como si tal cosa por el apellido de soltera de la duquesa. Sin embargo, supuso que su familia debía de ocupar un puesto más bajo en la escala social que el de Young, porque de lo contrario la señorita Leavensworth la habría mencionado como la familia más importante de la zona. A menos que la duquesa fuera una hermana o una hija del tal Young. Una posibilidad que no podía descartar. De cualquier forma, habría sobrepasado todas las esperanzas depositadas en ella al cazar a un duque, aunque fuera un anciano. O tal vez precisamente por eso. Casarse con él había sido un modo muy ingenioso de ganar posición y fortuna, además de la promesa de la inminente libertad.

Por supuesto, esa era la opinión generalizada que se tenía sobre la duquesa de Dunbarton.

Sin embargo…

Sin embargo, había vendido la mayor parte de las piedras preciosas que Dunbarton le había regalado para donar ese dinero a ciertos «proyectos» de su interés. Y conservaba el resto de las joyas por su valor sentimental.

En caso de que pudiera creerla, claro estaba. Pero la creía.

¿Sería la duquesa una mujer misteriosa después de todo?

¿Por qué estaba haciéndose todas esas preguntas? ¿Qué interés podía tener él en descubrir quién era de verdad… o quién había sido? Nunca había sentido semejante compulsión con ninguna de sus amantes.

Y en ese momento cayó en la cuenta de algo. ¿Cómo le sentaría a él que la duquesa hurgara en los rincones secretos de su vida?

No debía hacer más preguntas.

Acababan de llegar a la cabeza de sus respectivas filas, y era su turno de pasar entre ambas girando para volver al final y comenzar de nuevo. La señorita Leavensworth rió a carcajadas mientras giraban, y Con le sonrió.

No obstante, fue incapaz de detener el rumbo de sus pensamientos. La duquesa y la señorita Leavensworth eran amigas desde la infancia. Un detalle al que no le había dado importancia hasta ese momento. La señorita Leavensworth era una mujer de familia y aspiraciones modestas, la hija de un vicario jubilado, la prometida de un vicario en activo. Sin embargo, la duquesa había mantenido su amistad a lo largo de los diez años del matrimonio que la había encumbrado hasta una posición infinitamente más elevada que la que ocupaba la hija del vicario.

Se le ocurrió otra pregunta.

—¿Mantienen la duquesa y usted correspondencia cuando no se ven? —preguntó en cuanto los pasos de baile le volvieron a brindar la oportunidad de hablar.

—¡Nos escribimos una vez a la semana como mínimo! —exclamó—. A veces más si hay algo interesante que contar. Hannah y yo somos unas consumadas redactoras de cartas.

—¿La duquesa no la visita?

—No —respondió.

Sin añadir más explicación.

—Pero estoy intentando convencerla de que asista a mi boda en agosto —apostilló al cabo de un momento—. Para mí significaría mucho contar con la presencia de mi mejor amiga. Me ha dicho que no, pero todavía no he perdido la esperanza.

De modo que no pensaba volver a Markle ni siquiera para la ocasión de la boda de su amiga… La duquesa de Dunbarton que él había creído conocer, la que todo el mundo creía conocer, habría estado encantada de volver a casa con un séquito de criados para presumir de título y de fortuna delante de los palurdos entre los que había crecido.

¿Sería cierto entonces que no tenía familia?

—¿No tiene familia con la que alojarse? —preguntó.

—Puede quedarse con mis padres —respondió la señorita Leavensworth—. Estarían encantados de que lo hiciera.

Lo que podía ser un sí o un no. Debía dejarlo ya. Se sentía un poco culpable. Quizá más que un poco. Estaba fisgoneando.

—¿Ya ha visitado la Torre de Londres? —preguntó cambiando de tema.

—Todavía no —contestó ella—. Pero espero hacerlo antes de regresar a casa.

—Si les parece bien, estaría encantado de acompañarlas una tarde.

—¡Oh, es muy amable, señor Huxtable! Sin embargo, no sé si a Hannah le interesará…

—Le recordaré que podrá colocarse en el mismo lugar en el que le cortaron la cabeza a Ana Bolena, entre muchas otras personas a lo largo de los años. Estoy seguro de que eso despertará su interés.

El comentario la hizo reír.

—Posiblemente tenga razón —reconoció—. Sin embargo, yo evitaré ese lugar de forma intencionada.

—Hablaré con la duquesa para organizar la visita —dijo.

Y se concentró en los pasos de baile. Una actividad que siempre le había gustado. Echó un vistazo por la fila de las damas y vio que estaban todas sus primas, Vanessa incluida, y también Averil y Jessica, las hermanas de Elliott. La única ausente era Cecily, que se encontraba en el campo esperando su tercer alumbramiento. La duquesa también bailaba, y su belleza era despampanante. A su lado se encontraba la condesa de Lanting, la hermana pequeña de Monty. Y por supuesto, también estaban todas las jovencitas que habían sido presentadas esa temporada en sociedad y lanzadas al mercado matrimonial. Algunas parecían alegres y contentas, otras fingían la expresión hastiada que estaba tan en boga, como si la situación fuera cotidiana para ellas y se aburrieran como ostras.

En la fila de la que él formaba parte se encontraban los caballeros.

La orquesta tocaba una melodía muy alegre. Los pies de los bailarines resonaban sobre el parquet, un sonido que siempre lo incitaba a seguir el ritmo con un pie aunque no se encontrara en la pista, sino observando en un lateral. El ambiente estaba cargado con el aroma de las flores, el perfume y el sudor.

Los Kitteridge debían de estar respirando aliviados. Su hija, bastante joven, estaba bailando con el vizconde de Doran, un joven candidato que no le cupo duda que había sido elegido a conciencia para la ocasión. De modo que podían considerar el baile como un gran éxito.

En ese momento tanto él como la señorita Leavensworth se acercaban de nuevo a la cabeza de la fila.

Hannah bailó la pieza inaugural con lord Netherby, la segunda con lord Hardingraye, un amigo íntimo con quien podía relajarse y hablar en confianza. Estaba nerviosa y emocionada. Porque luego bailaría un vals con Constantine. Solo bailaría esa pieza con él, pero sería suficiente. No había baile más fascinante que el vals cuando se contaba con una pareja atractiva, y nadie era más atractivo que Constantine Huxtable.

Bailaría el vals con él y después, cuando la fiesta acabara, la seguiría en su carruaje como la noche anterior y se marcharía con él para pasar la noche en su casa, o lo que quedara de noche.

Esa sería la tónica de sus días, y de sus noches, durante el resto de la primavera.

«¡Ojalá fuera para siempre!», deseó. Por primera vez en la vida no ansiaba la llegada del verano. Que se demorara todo lo que quisiera. Y tampoco se sentía culpable con respecto a Barbara. Al fin y al cabo no la iba a desatender. Pasarían todos los días juntas.

¡Qué maravilloso le parecía todo después de la tristeza del año anterior! Porque había sido muy triste. Al duque no le habría gustado que fingiera lo contrario. Lo había llorado, todavía lo hacía, pero llorarlo en soledad (literalmente hablando) y llevar luto durante un año entero había sido aburridísimo. El duque le habría aconsejado que saliera a disfrutar de la vida, estaba convencida de ello. Sin embargo, solo había salido para cabalgar y cabalgar por la propiedad y por los terrenos cercanos a Copeland Manor, y para visitar a sus amigos de El Fin del Mundo cada pocos días. Había sido una esposa fiel en vida del duque. Y había sido una viuda fiel durante el año de luto.

Y en ese momento… pues se estaba divirtiendo de lo lindo. No pensaba fingir lo contrario. Había soñado con eso, lo había planeado y estaba sucediendo. Y lo mejor de todo era que el duque la aplaudiría. Estaba segurísima.

—Excelencia, podría decirse que está usted resplandeciente

desde su regreso a Londres —le dijo lord Hardingraye—. De hecho, si resplandeciera un poco más, me vería obligado a protegerme los ojos con una pantalla y me acusarían de ser un excéntrico.

—Ya es un excéntrico —replicó ella con una sonrisa—. Todo el mundo lo dice.

Los ojos de lord Hardingraye la miraron con un brillo alegre.

Constantine estaba bailando con lady Fornwald.

Barbara estaba… Barbara no estaba en el salón de baile. Echó un vistazo por la estancia, pero no vio a su amiga por ningún lado. Ni siquiera escondida en algún rincón tranquilo. Recordaba que se había disculpado después de la pieza inaugural para ir al tocador de señoras, pero de eso hacía siglos.

La música llegó a su fin y Barbara seguía sin aparecer. Ojeó la multitud para asegurarse de que no la veía antes de ir en su busca al tocador. Era imposible que todavía estuviera allí.

Sin embargo, sí que estaba.

Sentada en un rincón de espaldas a la puerta, ignorando a un grupo de jovencitas parlanchinas que a su vez la ignoraban a ella mientras reían y hablaban a chillidos. En otro rincón vio a una silenciosa doncella que aguardaba por si alguien necesitaba ayuda con un bajo descosido o con algún tirabuzón que hubiera que devolver a su sitio.

—¿Babs? —Hannah se sentó junto a su amiga—. ¿Te encuentras mal?

Barbara ni siquiera la miró. Tenía un pañuelo en las manos que no paraba de retorcer. No había rastro de lágrimas en sus mejillas, pero parecía estar al borde del llanto.

—Vas a odiarme —aseguró—. No volverás a confiar en mí.

—¿Babs? —repitió Hannah.

—Te he traicionado —adujo Barbara—. Sé cuánto valoras la privacidad y te he traicionado.

¡Qué afirmación más rara! Esperó a que su amiga terminara de explicarse.

—Le he dicho al señor Huxtable el nombre de nuestro pueblo —siguió Barbara—. Le he hablado de s… sir Colin Young. He estado a punto de hablarle sobre… ¡sobre Dawn! Me mordí la lengua en el último momento. Y le he dicho que sir Colin era un primo lejano del duque de Dunbarton.

—¿A eso lo llamas «traición»? —preguntó Hannah tras una breve pausa—. ¿Le has dado toda esa información por iniciativa propia?

—No —reconoció su amiga—. Él me preguntó. Y yo le respondí. Lo siento muchísimo, Hannah. Sé que no podrás perdonarme. Sé que esos nombres están prohibidos incluso entre nosotras. Y de todas formas se los he soltado alegremente a tu… al señor Huxtable.

—¿Fueron preguntas a la ligera? —quiso saber—. Me refiero a las que él te hizo.

—No lo creo —respondió Barbara mientras se le llenaban los ojos de lágrimas que acabaron resbalando por sus mejillas—. No, no lo creo. Quería información, así que ha interrogado a una palurda recién llegada del campo que ignora por completo las argucias de la alta sociedad. Lo siento muchísimo.

—Qué tonta eres —le dijo al tiempo que colocaba una mano sobre su nuca, ya que su amiga había inclinado la cabeza—. Lo que le has dicho solo son datos básicos que podría haber averiguado con suma facilidad por cualquier otro medio. Ni que le hubieras dicho que soy una asesina, una bígama o una… ¿qué otra cosa podrías haber dicho que fuera una terrible revelación?

—¿Un salteador de caminos? —sugirió Barbara entre sollozos.

—Una bandolera —la corrigió—. Apenas le has dicho nada. Y la verdad es que tampoco hay mucho que decir, ¿no te parece? Un montón de tonterías bastante sórdidas. No es un terrible secreto. He protegido los detalles de mi pasado porque me apetecía. No tengo nada que ocultar. Ni de lo que ocultarme.

—Entonces, ¿por qué…? —preguntó Barbara.

—No me estoy ocultando, Babs —la interrumpió—. Ahora tengo una vida nueva que me gusta infinitamente más que la anterior. He decidido no echar la vista atrás, hacer oídos sordos a los recuerdos, evitar cualquier cosa que pueda revivirla.

—Estás enfadada —señaló Barbara, cuyo llanto se intensificó.

—Lo estoy —admitió—. Pero no contigo. —Le frotó la nuca con más fuerza—. Estoy enfadada por ti. Estoy enfadada con cierto caballero que esta noche tendrá que buscarse a otra para bailar el vals. Porque desde luego que conmigo no va a bailarlo.

Barbara se enjugó las lágrimas y se sonó la nariz.

—Debería haber vuelto antes al salón de baile con una sonrisa en los labios —dijo—. Sabes que no apruebo tu relación con el señor Huxtable, pero no me gustaría ser la causante de alguna desavenencia entre vosotros.

—Si se produce alguna desavenencia —replicó—, tú no serás la causante, Babs. ¡Madre mía! Tienes los ojos rojos. Hasta la nariz la tienes como un tomate.

—Siempre evito llorar —aseguró Barbara—. Porque al final me pasa esto. Sobre todo lo de la nariz.

Hannah soltó una súbita carcajada.

—¿Te acuerdas de cómo nos aprovechábamos de eso cuando éramos pequeñas? Como cuando rompimos la ventana del invernadero porque estábamos jugando muy cerca con la pelota y vimos que el jardinero se acercaba echando humo por las orejas.

—Recuerdo que me dijiste que llorara. —Barbara sonrió pese a las lágrimas.

—Se te puso la cara colorada casi al instante —continuó—. Todo el mundo se compadecía de ti. Así que era imposible que me castigaran mientras te consolaban y te decían que había sido un accidente y que no te preocuparas.

—¡Ay, Dios, éramos un par de sinvergüenzas!

Ambas se echaron a reír. De hecho, por unos instantes se asemejaron muchísimo al grupo de jovencitas que ya había regresado al salón de baile. La música volvía a sonar. La tercera pieza había comenzado.

Hannah se puso de pie. Había conseguido tranquilizar a Barbara, pero ella seguía enfadada. Más bien furiosa.

—Nos iremos a casa —dijo—. Estoy cansada y tú tienes la nariz como un tomate. Son motivos más que suficientes.

—Pero Hannah… —protestó Barbara con expresión contrita.

Sin embargo, ella estaba hablando con la doncella que no tardó en salir del tocador de señoras para comunicar que la duquesa requería su carruaje en la puerta principal.

—Vámonos a casa —repitió al tiempo que se volvía hacia Barbara con una sonrisa—. Nos tomaremos un té y disfrutaremos de un ratito placentero antes de irnos a la cama. No te tendré a mi lado por mucho tiempo más, a menos que quieras escribirle a tu vicario para decirle que has cambiado de opinión con respecto a convertirte en su esposa y has decidido quedarte conmigo para siempre, claro.

—¡Ay, Hannah!

—Ya —replicó ella con un suspiro teatral—. Sabía que no querrías hacerlo. Así que tengo que disfrutar de tu compañía mientras pueda.

—¿Vas a… vas a poner fin a tu relación con el señor Huxtable? —preguntó Barbara.

—Mañana me encargaré de esa relación y del señor Huxtable —contestó ella mientras salía de la estancia.

Barbara la siguió.

La duquesa de Dunbarton había vuelto a los jueguecitos, decidió Con. La vio abandonar temprano el salón de baile y cuando fue a la sala de juegos en su busca antes de que diera comienzo la cuarta pieza, el vals que le había prometido, descubrió que tampoco se encontraba allí.

Tampoco había rastro de la señorita Leavensworth.

Él se quedó hasta el final. Bailó todas las piezas, incluido el vals. Y después se fue derecho a casa y durmió durante lo que quedaba de noche.

Que jugara lo que quisiera.

Eso sí, la pelota estaba en su tejado. No pensaba ir detrás de ella.

La duquesa madrugó para hacer su siguiente movimiento. A la mañana siguiente Con encontró una nota junto al plato de su desayuno, además del extenso informe semanal de Harvey Wexford, el administrador de Ainsley Park.

Descubrió que la letra de la duquesa era grande y de trazo grueso. Y que por escrito se expresaba tal cual hablaba. El saludo de cortesía brillaba por su ausencia, lo único que había escrito era su nombre en el anverso.

Espero verlo entre mis restantes invitados al té de esta tarde. Después me llevará a dar un paseo en carruaje por el parque.

H, DUQUESA DE DUNBARTON

Frunció los labios. Aquello no era una invitación. Era una orden. ¿Habrían recibido los demás invitados notas similares a la suya? ¿La obedecerían todos?

¿La obedecería él?

Por supuesto que sí. Todavía no estaba dispuesto a renunciar a ella. Estaba disfrutando mucho de su aventura pese al sorprendente descubrimiento de la primera noche, y todavía les quedaban muchos placeres sensuales que compartir antes de seguir cada cual por su camino. Pero la razón primordial era que lo intrigaba, y eso lo había pillado por sorpresa. Quería descubrir qué escondía debajo de ese aparentemente frívolo exterior.

¿Qué sentido tenía que una mujer entregara diez años de su vida a cambio de posición y riqueza para acabar donando parte de dicha riqueza a ciertos «proyectos»? ¿Por qué se mantuvo siempre fiel si su matrimonio fue una farsa? ¿Por qué crear la impresión de que incluso se había encariñado con el viejo duque? ¿Qué había llevado a una mujer sensata como la señorita Leavensworth a mantenerse fiel a su amistad durante todos esos años? ¿Por qué le escribía la duquesa todas las semanas, manteniendo de esa forma una amistad que no le aportaba nada desde el punto de vista material?

¿Y por qué se hacía tantas preguntas?

No. No estaba listo para renunciar a ella.

Obedecería la orden e iría esa tarde a tomar el té a Dunbarton House. Y después la llevaría en su carruaje a dar un paseo por el parque.

Y por la noche… En fin, ya verían lo que hacían.

Hasta entonces se concentró en el informe de Wexford, que siempre devoraba de un tirón antes de releerlo con detenimiento, fijándose en los detalles.

10

Cuando Con llegó a Dunbarton House, descubrió que ya había varios invitados en el salón, a quienes conocía en mayor o menor profundidad. Sin embargo, solo vio realmente a dos, a Elliott y a Vanessa, los duques de Moreland.

Hannah se acercó a él con la mano derecha extendida. Esbozaba su característica sonrisa arrogante y tenía los párpados entornados.

—Señor Huxtable —lo saludó—, es un detalle que haya venido.

—Duquesa. —Le hizo una reverencia mientras aceptaba su mano, aunque ella se soltó antes de que pudiera llevársela a los labios.

—Supongo que ya conoce a todo el mundo —comentó—. Por favor, sírvase un poco de té y pastas y únase a los demás. —Señaló con gesto vago la mesa, donde una criada estaba sirviendo el té.

Y se alejó para reunirse con Elliott y Vanessa, con quienes se sentó y charló, desentendiéndose del resto de los invitados.

¿Era una actitud deliberada?, se preguntó Constantine.

Por supuesto que lo era.

Elliott, que se había tensado considerablemente al verlo entrar, se sumó con presteza a la conversación. Parecía relajado, interesado y feliz. Desde luego sonreía mucho más de lo acostumbrado. Aunque era inevitable que se encontraran con relativa frecuencia en la misma estancia durante la temporada social y que incluso se vieran obligados de vez en cuando a mantener una charla cordial, Con rara vez miraba a su primo, su antiguo amigo, de un tiempo a esa parte. Pero su impresión era cierta, ya que se había percatado mucho antes, si bien no lo había analizado. Elliott era feliz. Llevaba nueve años casado, tenía tres hijos que iban desde los ocho años hasta unos pocos meses de vida, y estaba contento.

Recordaba una época en la que Elliott consideraba el matrimonio como una tortura a evitar en la medida de lo posible. Hasta que llegara el momento se limitaba a disfrutar de la vida al máximo. Los dos lo habían hecho. Cuanto más peligrosa era una aventura, más les gustaba. La muerte del padre de Elliott lo cambió todo… y también cambió a su primo. Porque de repente se convirtió en vizconde, en el heredero a un ducado… y en el tutor legal de Jonathan, el conde de Merton. Y de un día para otro se transformó en un hombre serio y sin sentido del humor, en un hombre consumido por una devoción absoluta hacia el deber.

Con cogió un plato y una taza de té y se unió al resto de los invitados, como le habían dicho que hiciera. Se le daba bien relacionarse con los demás. Claro que ¿a qué dama o caballero bien educado no se le daba bien? La habilidad para entablar conversaciones banales era un atributo indispensable entre las clases altas.

El problema de las conversaciones banales, sin embargo, era que permitían que la mente divagara y se pusiera a pensar en cualquier cosa que le apeteciera.

Vanessa estaba envejeciendo bien. Ya habría pasado de los treinta. No era tan guapa como sus hermanas, pero siempre había sido cariñosa, vivaracha y simpática, y todas esas cualidades trascendían la belleza física. Le cayó bien desde el principio. Cuando llegó a Warren Hall con Stephen y sus hermanas poco después de la muerte de Jon, él se encontraba consumido por el odio y el resentimiento. Se quedó para recibirlos solo porque Elliott le había ordenado que se fuera. Sin embargo, sentía algo extraño con respecto a la muerte de Jon, y era que su hermano no desapareció cuando enterraron su cuerpo en el cementerio. Se trasladó a una parte de sí mismo que mucho se temía que era su corazón, de modo que le resultaba imposible mirar ciertas cosas o a ciertas personas sin verlas tal como Jon las habría visto.

A Jon le habría encantado descubrir que tenía nuevos primos. Nuevas personas a las que amar. Y a él le resultó muy fácil encariñarse de Vanessa porque era imposible odiarla.

Llevaba años intentando no pensar en ella. Le había hecho daño. Él le presentó con toda deliberación a la antigua amante de Elliott en el teatro poco después de casarse, y luego había acompañado a esa mujer a un baile en casa de Elliott y Vanessa. La alta sociedad en pleno fue testigo del momento. Lo había hecho para avergonzar a su primo, por supuesto. Pero a la postre había humillado a Vanessa y le había provocado un sufrimiento indecible. Después, Elliott le contó barbaridades sobre él, y con la misma resolución y franqueza con la que parecía abordar todos los problemas de la vida, Vanessa lo llevó a un aparte en los jardines de Vauxhall una noche y le soltó sin pelos en la lengua lo que pensaba de él, añadiendo que esperaba no volver a verlo nunca y que no volvería a dirigirle la palabra por voluntad propia en lo que le quedaba de vida. Una promesa que había mantenido.

El recuerdo de aquella conversación seguía remordiéndole la conciencia. Y no podía hacer nada en absoluto para cambiarlo. En su momento se disculpó por haberla expuesto deliberadamente a semejante humillación. Vanessa se negó a perdonarlo. No había nada más que decir al respecto.

¿Por qué había invitado la duquesa a los duques esa tarde si sabía que no se hablaban? ¿A qué estaba jugando? ¿Y durante cuánto tiempo iba a permitir él que siguiera el juego?

No mucho, decidió. Se lo dejaría bien claro más tarde, cuando la acompañara al parque. Aunque allí no podrían mantener una conversación en privado. Así que tendría que buscar la oportunidad de hacerlo.

La duquesa no pasó todo el tiempo con Elliott y Vanessa. Circuló entre el resto de sus invitados y demostró ser una anfitriona amable y acogedora. Con había asistido a algún que otro baile organizado por ella en el pasado, pero nunca había estado en una de sus reuniones más íntimas.

Lord Enderby la invitó con gran deferencia a llevarla a dar un paseo por el parque más tarde.

—Siento muchísimo rechazar su invitación, lord Enderby —rehusó ella—. Ya he aceptado la invitación del señor Huxtable.

Con se percató de que todas las miradas se clavaban en él. En el caso de que alguien hubiera descartado por imposible el rumor que debía de llevar circulando desde hacía una semana, seguramente ya no tendría dudas al respecto. Porque no la había invitado durante ese té, y todos se habían dado cuenta. De modo que quedó claro que lo habían acordado de antemano.

—Tal vez en otra ocasión —le dijo ella a Enderby.

Sus palabras actuaron a modo de señal para que los invitados se marcharan. Con se quedó junto a una de las ventanas, con la vista clavada en el exterior y las manos entrelazadas a la espalda mientras la duquesa despedía a sus invitados.

—Voy a por mi bonete y nos vemos en la acera —le dijo ella cuando se quedaron a solas.

Y se marchó antes de que él pudiera darse media vuelta.

¿Eran imaginaciones suyas o había un deje gélido en su voz?

¿Qué sentido tenía semejante actitud?

Sin embargo, lo supo de repente. O estuvo casi seguro de saberlo. Qué tonto había sido al no darse cuenta antes, de hecho... Esa misma mañana, en cuanto recibió su parca nota. O la noche anterior, en cuanto desapareció sin dirigirle la palabra.

Le había hecho unas preguntas indiscretas a su amiga durante el baile y ella lo había descubierto de alguna manera.

Además, ¿dónde estaba la señorita Leavensworth esa tarde?

Bajó las escaleras. Se percató de que su tílburi ya estaba delante de la puerta.

—¿Dónde está la señorita Leavensworth esta tarde? —preguntó Constantine mientras la ayudaba a subir al alto asiento de su tílburi, tras lo cual rodeó el carruaje para sentarse junto a ella y hacerse cargo de las riendas.

A Hannah le encantaba pasear en tílburi. Pero el paseo de esa tarde no era por diversión. Estaba de mal humor. Abrió la sombrilla y se cubrió con ella.

—Esta mañana recibió una carta de unos parientes del reverendo Newcombe, su prometido —contestó—. Van a pasar unos días en la ciudad y la han invitado a visitar los jardines de Kew con ellos y con sus hijos.

—Será una excursión agradable —replicó él—. Y el tiempo no podía ser más propicio. No hace mucho calor ni mucho viento.

—Supongo que podríamos hablar del tiempo hasta que lleguemos al parque, señor Huxtable —dijo Hannah en cuanto Constantine salió de la plaza—. Yo, en cambio, prefiero dejar constancia de lo molesta que me siento con usted.

—Sí —replicó él, que volvió la cabeza para mirarla—. Ya me había dado cuenta.

—Anoche, en mitad de la fiesta, encontré a Barbara al borde del llanto en el tocador de señoras.

—Vaya —dijo él antes de clavar la vista al frente.

—Creía haber traicionado mi confianza —explicó—. Temía que diera por terminada nuestra amistad. Pero, como es una dama de moral inquebrantable y rígida, se sentía en la obligación de confesarme lo que había hecho en vez de ocultármelo.

Constantine no le preguntó a qué se refería. Se limitó a guiar con habilidad los caballos para adelantar a una carreta que circulaba más despacio que ellos.

—Crecí en el pueblo de Markle, en Lincolnshire —siguió—. Era la hija del señor Joseph Delmont, un caballero de escasa importancia social o fortuna. Tenía una hermana, Dawn. Ahora es lady Young, la esposa de sir Colin Young, un baronet. Fue en la boda de un primo suyo, ahora fallecido, donde conocí al duque de Dunbarton, con quien me casé cinco días después. No he vuelto a Markle ni he mantenido contacto alguno con ningún miembro de mi familia desde entonces. ¿Quiere saber algo más, señor Huxtable?

Constantine seguía con la mirada fija al frente. Un enorme y antiguo carruaje avanzaba hacia ellos por el centro de la calzada pese a los improperios que le proferían los transeúntes al distraído cochero. De modo que se vio obligado a apartarse para evitar una colisión. Tenía los labios apretados.

—¿Sobre el motivo por el que nunca he vuelto a casa, por ejemplo? —sugirió. Sentía los fuertes latidos del corazón en el pecho. Le estaban atronando los oídos.

En ese momento Hannah se percató de que el carruaje pertenecía a la condesa viuda de Blackwell y de que la dama en cuestión la saludaba con un regio gesto de la cabeza desde una de las ventanillas. Le devolvió el saludo con una sonrisa y un gesto de la mano.

—Pues te diré por qué —dijo, tuteándolo de nuevo y dispuesta a responder la pregunta aunque él no la hiciera—. Durante dicha boda, descubrí que Colin Young, mi prometido, se encontraba detrás del cenador con mi hermana, en una situación que solo podría calificarse de «comprometida» si no se quiere herir la sensibilidad del interlocutor con un lenguaje más descriptivo. Y después de que se… separasen y se arreglasen, ambos se mostraron desafiantes y a la defensiva en vez de avergonzados y contritos, u horrorizados, porque los hubiera descubierto. Dawn me dijo que se había cansado de estar siempre a mi sombra, de que nunca se fijaran en ella porque todo el mundo quería mirarme a mí. Que estaba harta de sentirse fea. Quería a Colin y Colin la quería a ella, y me aseguró que yo no podía hacer nada para cambiar ese hecho. Colin me dijo que mi hermana tenía razón. Había llegado hacía relativamente poco al vecindario y mi belleza lo cegó al principio, antes de conocer a Dawn y de darse cuenta de que la personalidad era muchísimo más importante que cualquier otra cosa. Y que el amor también lo era. Añadió que lo sentía muchísimo, pero que había decidido que quería a una mujer de verdad en vez de a una simple beldad. Su intención no era la de ofenderme, claro. Porque realmente yo era guapa. Colin esperaba que comprendiera su situación y que lo liberara de una obligación que se había convertido en una carga para él.

»Como si yo no fuera real. Como si yo fuera incapaz de sentir amor o compañerismo. Como si fuera incapaz de sentirme dolida porque era guapa.

»Y, después, cuando arrastré a mi padre a la biblioteca y me arrojé a sus abrazos en busca de consuelo y apoyo, me dijo con un suspiro que mi belleza llevaba toda la vida siendo una pesada carga para él… al menos desde que mi madre murió cuando yo tenía trece años. Me dijo que siempre fui la preferida de mi madre, pero que él era muy consciente de que tenía dos hijas. Que todas las muchachas me admiraban y querían ser mis amigas, de modo que prácticamente obviaban a Dawn; y que todos los jóvenes me rondaban y se peleaban para llamar mi atención, sin reparar siquiera en mi hermana. Me preguntó que por qué debía envidiar su felicidad cuando había acabado encontrando el amor después de todo. Me aseguró que si me preocupara mínimamente por mi hermana, me habría percatado de la situación semanas atrás. Me preguntó si iba a ser egoísta, como siempre, y me iba a negar a liberar a Colin Young de una promesa que había hecho sin pensar y de la que se había arrepentido casi de inmediato; si no era capaz de pensar en otra persona que no fuera yo misma al menos una vez en la vida. Porque según él, yo encontraría otro hombre cuando quisiera.

»Sin embargo, yo llevaba toda la vida intentando parecerme a las demás. Quería a mi hermana e intentaba que los demás la quisieran también. Nunca entendí por qué la gente no la apreciaba. Además, yo no la obligaba a estar a mi sombra. De verdad que no. De vez en cuando se las apañaba para quitarme amigos y admiradores, y se regodeaba después. No siempre nos llevábamos bien. Tuvimos unas cuantas peleas memorables, y estoy segura de que fui tan hiriente como ella. Pero era mi hermana. ¡La quería! Jamás pensé que pudiera arrebatarme a mi prometido. Existía un compromiso. Los juegos se habían acabado.

»Tal vez ellos tenían razón. Tal vez todo fuera culpa mía. Tal vez…

Hannah se detuvo para tomar aire. De hecho, estaba jadeando. La puerta de entrada al parque se encontraba muy cerca.

—Duquesa —dijo Constantine.

Sin embargo, alzó una mano para silenciarlo. Todavía no había terminado.

—Le quería —afirmó—. No pensé que tuviera que proteger mi corazón. Solo tenía ojos para él. Sabía que mi belleza podía ser una desventaja en ocasiones. Sabía que a veces las demás muchachas me envidiaban cuando había jóvenes cerca. Intenté no ser guapa. Lo intenté incluso de niña porque me avergonzaba que mi madre alabara mi belleza delante de Dawn y de otras niñas, que me mirase complacida y me atusara los tirabuzones para ponerme más guapa. Cuando fui lo bastante mayor para elegir mi propia ropa, intenté llevar vestidos discretos y peinarme con sencillez. Intenté agachar la cabeza y mantenerme callada cuando estaba con más personas. Intenté demostrar que no era vanidosa. Pero con Colin me creí libre para amar y para ser yo misma por fin.

»No tengo palabras para describir cómo me sentí cuando mi padre me dejó sola y me dijo que debía poner buena cara y sonreír… El vacío, la soledad, el pánico… Y en ese momento descubrí que no estábamos solos en la biblioteca. El duque de Dunbarton estuvo presente todo el tiempo. Se había retirado a la biblioteca aburrido por la celebración y estaba sentado en un sillón orejero que había acercado a una ventana, colocándolo de espaldas a la estancia. No me percaté de su presencia hasta que estuve llorando con tanta fuerza que creí que iba a morirme. Pero a morirme de verdad.

Constantine hizo pasar el tílburi por la puerta del parque, pero había aminorado la marcha.

—Siempre recordaré las primeras palabras que me dirigió —continuó ella, cerrando los ojos—. «Mi querida señorita Delmont», me dijo con esa voz hastiada y algo ronca tan suya, «ninguna mujer puede ser demasiado guapa. Veo que voy a tener que casarme con usted y repetirle esa lección hasta que se la crea a pies juntillas. Será usted mi último proyecto en la vida». Y por extraño que parezca, por increíble que suene, me puse a reír y a llorar al mismo tiempo. La presencia del duque en la boda nos tenía a todos aterrados. Lo habíamos evitado en la medida de lo posible por miedo a que nos matara con una sola mirada si nos atrevíamos a cruzarnos en su camino o a posar los ojos en su ilustre persona. Sin embargo, allí estaba, diciéndome que iba a tener que casarse conmigo, que iba a encargarse de mi educación y que me iba a convertir en el último proyecto de su vida. Y dándome su delicado pañuelo de lino con una expresión bastante triste.

Constantine había aminorado tanto el paso que los caballos casi se habían detenido.

—¿Ya estás satisfecho? —preguntó.

—Sí —contestó él con un suspiro—. Me has puesto en mi sitio, duquesa. De hecho, no podrías haber encontrado mejor manera de castigarme que responder todas las preguntas que el tacto y la delicadeza no me dejaron hacer anoche. Y has logrado que me pese mucho la impertinencia de las preguntas que sí hice. Te pido disculpas, aunque soy consciente de que las disculpas suelen ser inadecuadas. ¿Estaría pidiéndote perdón si no me hubieran descubierto? No lo sé, aunque ya me arrepentí en su momento, cuando me di cuenta de que la señorita Leavensworth se sentía incómoda con mis preguntas y de que yo no estaba siendo muy caballeroso al hacérselas a ella en vez de a ti.

Hannah supuso que eran unas disculpas bastante decentes.

—Si me lo permites, iré a ver a la señorita Leavensworth mañana y me disculparé con ella en persona —continuó Constantine.

Pese al paso de tortuga que llevaban, pronto se encontrarían inmersos en medio de la multitud que se congregaba por la tarde en el parque.

—¿Y ahora qué? —quiso saber Constantine—. ¿Quieres que te lleve de vuelta a casa? ¿Prefieres que no sigamos con nuestra relación?

Esa última pregunta la sobresaltó. ¿Lo prefería? La noche anterior o esa misma mañana habría contestado que sí. Incluso a primera hora de esa tarde. Pero a fin de cuentas, lo único que había hecho Constantine era formular unas cuantas preguntas sobre su vida. ¿Tan distintos eran? Ella también quería saber cosas sobre Constantine. Aunque siempre había pensado sonsacárselas en persona.

—¡No! —exclamó con un giro decidido de su sombrilla—.

Necesito una aventura. No un matrimonio. Todavía no, al menos, y tal vez nunca lo necesite. No puedo librarme de la convicción de que sigo casada con el duque, aunque lleva muerto más de un año.

—Le querías —afirmó él.

Volvió la cabeza para mirarlo, en busca de un gesto irónico. Sin embargo, no encontró rastro de ironía en su expresión ni tampoco había escuchado un deje extraño en su voz.

—Le quería, sí —confesó—, con todo mi corazón. Fue mi ancla y mi seguridad durante diez años. Él me quería de forma incondicional, con toda el alma. Me adoraba, y yo lo adoraba a él. Nadie lo creerá, por supuesto, pero la verdad es que no me importa. —Se percató con horror de que le temblaba ligeramente la voz.

—Yo te creo —aseguró él en voz baja.

—Gracias —replicó—. Necesito un amante, Constantine. Es demasiado pronto para algo más… amor, matrimonio o lo que sea. Y en cierto sentido, en un sentido muy concreto, los años de mi matrimonio me han dejado famélica. Si te dejo ahora, tendré que empezar desde cero para encontrar otro amante, y eso sería muy tedioso.

—¿Eso quiere decir que me has perdonado? —quiso saber él—. No volveré a hacer preguntas, duquesa. Puedes conservar los secretos que te queden, si acaso te queda alguno. No intentaré desentrañarlos.

—¿No quieres conocerme? —preguntó Hannah—. ¿No quieres averiguar todo lo que se puede saber sobre mí?

—Al igual que tú, duquesa —contestó él—, solo quiero una amante, no una esposa. No volveré a dejarme llevar por la curiosidad.

—Pues yo quiero averiguar todo lo que se puede saber sobre ti —aseguró—. Al fin y al cabo, un amante no es un objeto inanimado. Ni solo un cuerpo, aunque definitivamente sea un cuerpo espléndido y haga el amor de forma más que satisfactoria. —Cuando lo miró, se percató de que Constantine estaba sonriendo, algo que no hacía a menudo. Esa expresión le alteró de forma muy extraña la respiración—. El perdón tiene un precio, Constantine —continuó—. Estás en deuda conmigo. Vas a responder unas cuantas preguntas esta noche después de hacerme el amor.

—Acompáñame a casa ahora. —Volvió la cabeza para mirarla.

—Barbara estará de vuelta para la cena —adujo— y no he aceptado ninguna invitación para esta noche. Vamos a pasar una maravillosa noche en casa, charlando y disfrutando de nuestra mutua compañía. La quiero más que a nadie en el mundo ahora que el duque ha muerto, ¿sabes? Envíame tu carruaje a las once.

—¿Te desobedece alguien alguna vez, duquesa?

Lo miró con una sonrisa arrogante.

—¿No quieres verme esta noche? —preguntó a su vez—. ¿Ni hacerme el amor?

Constantine sonrió de oreja a oreja.

—Enviaré mi carruaje a las once —contestó—. Estarás preparada a la hora en punto. Si no estás en mi casa a las once y cuarto, yo personalmente cerraré con llave.

Soltó una carcajada al escucharlo.

Y se vieron envueltos por la multitud.

De repente, Hannah se sintió increíblemente feliz.

Barbara estaba cansada después de su excursión a los jardines de Kew, aunque había disfrutado muchísimo y se lo describió a Hannah todo, en especial la pagoda, que era una de las estructuras más bonitas que había visto en la vida. Y también se lo había pasado de maravilla con los primos de Simon, a quienes no conocía. La habían tratado como si ya formara parte de la familia, y ella los había hecho reír buscando similitudes entre Simon y ellos. Había jugado al escondite con los niños, aunque ya tenían doce años. Eran gemelos, un niño y una niña.

Estaba ansiosa por escuchar los detalles del té que había celebrado Hannah, una idea organizada a toda prisa poco después del desayuno. Y escuchó con expresión desolada que Constantine se presentaría en casa a la mañana siguiente para disculparse por su comportamiento de la noche anterior.

—Tienes que decirle que está perdonado —dijo Barbara—, porque lo está. Estoy segura de que no tenía malas intenciones, Hannah. Solo quería saber más cosas sobre ti, y lo admiro por ello, ya que sugiere que te valora como persona. Tal vez esté enamorado de ti. Tal vez…

Sin embargo, Hannah se echó a reír.

—Aunque digas ser una solterona que se ha quedado a punto de vestir santos, a mí no me engañas. Sigues siendo la misma romántica empedernida de siempre. ¿Por qué ibas a esperar si no hasta rondar los treinta para escoger a tu compañero? Los sentimientos de Constantine Huxtable por mí no tienen nada que ver con el romanticismo, te lo aseguro. Y me parece perfecto, que lo sepas, porque los míos hacia él tampoco.

—No dejes que venga a hablar conmigo mañana —suplicó su amiga—. Me moriría de la vergüenza.

—Intentaré convencerlo de que no lo haga —prometió cariñosamente Hannah.

Barbara se acostó poco después de las diez.

El carruaje llegó a las once menos cinco. Hannah, que llevaba preparada desde las diez y media, esperó quince minutos antes de salir de la casa. Cuando el carruaje llegó a la casa de Constantine poco después de las once y cuarto, la puerta estaba cerrada con llave. Intentó abrirla ella misma al darse cuenta de que no se abría como siempre en cuanto llegaba y que la discreta llamada del cochero tampoco recibía respuesta.

—¡Vaya! —exclamó, dividida entre la risa y la mortificación.

Y, como si acabara de pronunciar la palabra mágica, la puerta se abrió de par en par. Entró en la casa y Constantine cerró la puerta tras ella. Cuando se volvió para mirarlo, lo vio sosteniendo una enorme llave con la punta de un dedo.

—¡Tirano! —le espetó.

—¡Bruja!

Los dos se echaron a reír y Hannah se acercó para echarle los brazos al cuello y besarle con pasión. Constantine la abrazó por la cintura con fuerza y le devolvió el beso, con más pasión si cabía.

Sus pies apenas tocaban el suelo cuando terminaron. O cuando terminaron con los preliminares, para ser más exactos.

—Has cometido un error táctico —dijo Hannah—. Si querías dejar firme tu postura, no deberías haber abierto la puerta.

—Y si tú querías dejar firme la tuya —replicó Constantine—, no deberías haber bajado del carruaje ni subir de puntillas los escalones para intentar abrir la puerta.

—No he subido de puntillas —protestó—. Los he subido con elegancia.

—Sea como sea, has demostrado lo desesperada que estabas por llegar hasta mí —repuso él.

—¿Y exactamente qué hacías detrás de la puerta con la llave en la mano? —preguntó—. ¿Porque no querías que llegara hasta ti? ¿Y por qué has abierto la puerta?

—Me he apiadado de ti —contestó.

—¡Ja! —Y en ese momento sus pies abandonaron el suelo cuando se volvieron a besar—. Quiero hacerte unas cuantas preguntas —dijo en cuanto pudo—. Pensé en hacer una lista, pero no he encontrado una hoja lo suficientemente grande.

—Mmm —murmuró él mientras la dejaba en el suelo—. Pregunta lo que quieras, duquesa. —Sus ojos oscuros adoptaron una expresión ligeramente suspicaz.

—Todavía no —replicó—. Pueden esperar hasta después.

—¿Después? —Enarcó las cejas.

—Después de que me hayas hecho el amor —respondió—. Después de que yo te haya hecho el amor. Después de que hayamos hecho el amor.

—¿¡Tres veces!? ¿Qué aspecto tendré mañana, duquesa? Necesito descansar.

—Estarás mucho más atractivo y guapo sin hacerlo —aseguró Hannah.

Constantine dejó la llave en la consola del vestíbulo y le tendió la mano. Una vez que la aceptó, caminaron cogidos de la mano hacia la escalera.

«¡Por Dios!», exclamó Hannah para sus adentros, seguía sintiéndose feliz. Debería alegrarse por ello. Se había pasado todo el invierno deseando esa aventura primaveral con gran emoción. Y en el plano físico superaba todas sus expectativas con creces.

Entonces, ¿por qué no se alegraba? ¿Por las pullas, las bromas y las risas que compartían? ¿Porque tenía la extraña sensación de que ese día habían traspasado la barrera que separaba a los simples amantes de las personas inmersas en una especie de relación?

¿Porque se sentía feliz?

¿Acaso no podía ser feliz y alegrarse por ello a un tiempo?

Ya lo pensaría después, decidió al entrar en el dormitorio en penumbra, mientras Constantine cerraba la puerta tras ellos.

En ocasiones había cosas mejores que hacer que pensar.

11

*L*a primera vez hicieron el amor con frenesí. La segunda, con sensual languidez, si acaso podía aplicarse el término «languidez» al acto en sí. En todo caso, ambos estaban exhaustos cuando acabaron.

Hannah se colocó de lado sobre la cama, dándole la espalda, y él se acurrucó tras ella, pasándole un brazo bajo la cabeza y el otro por la cintura. Hannah se pegó a él y se colocó su mano bajo la mejilla.

Al cabo de un momento se quedó dormida.

Con no durmió. Los remordimientos de conciencia eran la semilla perfecta para el insomnio.

Se preguntó si todo el mundo era como él. Si todo el mundo cometía terribles errores a lo largo de su vida de los que después se arrepentía. Si la vida de los demás consistía en una confusa y contradictoria mezcla de culpabilidad e inocencia, odio y amor, zozobra y tranquilidad, y demás sentimientos diametralmente opuestos. O si la mayoría de la gente se catalogaba dentro de una descripción concreta: buena o mala; alegre o irascible; generosa o tacaña; etcétera, etcétera.

En su juventud había odiado a Jon, a su hermano pequeño. A la persona a quien más había querido en la vida. Había odiado a Jon por su carácter alegre y cariñoso, por la inocencia que demostraba pese a la dificultad de su vida, porque era un niño gordo, torpe y de rasgos faciales que lo asemejaban más a los asiáticos que a los ingleses. Y porque su cerebro trabajaba más despacio. Y porque moriría pronto. Lo odiaba porque no podía hacer nada para mejorar su vida. Y porque era algo que él de todas formas nunca había ambicionado. El heredero.

¿Cómo era posible odiar de forma tan atroz y al mismo tiempo amar tan profundamente? Se marchó de casa cuando tuvo edad suficiente e hizo todas las locuras de juventud que le fue posible, la mayoría con Elliott. En aquel entonces no le gustaba cómo lo trataba la vida ni le importaban las personas que había dejado atrás. ¿Qué motivos tenía para que no fuera así? Sin embargo, sabía que Jon lo echaba mucho de menos y por eso lo odió más que nunca, pero volvió a casa porque le quería más que a su vida y sabía que no disfrutaría de él durante mucho tiempo más.

¿Sería la vida de los demás una amalgama de contradicciones como la suya? Seguro que no. De lo contrario, la cordura brillaría por su ausencia en el mundo.

Cuando su padre murió y Jon se convirtió en el conde de Merton a los trece años de edad, Con se hizo cargo del manejo de la propiedad así como del resto de sus responsabilidades; aunque su padre, haciendo gala de su cuestionable sensatez, había nombrado a su cuñado, el padre de Elliott, como tutor legal de Jon. Pero el padre de Elliott murió dos años después y Elliott heredó el título y la responsabilidad de ser el tutor de Jon. Así fue como Elliott, su primo y mejor amigo, se convirtió en su peor adversario. Porque decidió tomarse su papel con gran seriedad y lo obligó a hacerse a un lado, al contrario que su padre, que le había cedido las riendas desde el principio.

Y así comenzó la gran enemistad, el amargo distanciamiento que duraba desde entonces. Porque Elliott se negó en redondo a confiar en que él pudiera llevar las riendas de la propiedad como era debido y ocuparse adecuadamente de su propio hermano. Se entrometió y no tardó en descubrir que faltaba una enorme fortuna en joyas, aunque ninguna de ellas estuviera vinculada al título. De modo que no tuvo que reflexionar mucho para llegar a la conclusión más obvia y comenzaron a volar las acusaciones.

Con lo mandó al cuerno.

No quiso explicarle nada, no quiso confiar en su primo. Eso habría sido demasiado fácil. Además, Elliott no le había preguntado nada acerca de lo sucedido, ni le había invitado a explicarse. Se limitó a llegar a una conclusión lógica, o a lo que él pensaba que era una conclusión lógica. Y lo llamó «ladrón», un ladrón de la peor calaña. Un ladrón capaz de robarle a un hermano con retraso mental que lo quería con locura y que confiaba en él ciegamente porque el pobre no daba para más.

La verdad sea dicha, ya le guardaba rencor a Elliott antes de que hiciera el mencionado descubrimiento y la acusación. Porque su primo, que acababa de ser nombrado vizconde de Lyngate después de la muerte de su padre, era un cruel recordatorio de que él no se había convertido en el conde de Merton después de la muerte del suyo, aunque también fuera el primogénito.

En cualquier caso, mandó a Elliott al cuerno.

Y a diferencia de lo que había sucedido en otras ocasiones después de una pelea, fueron incapaces de darse de puñetazos y acabar sonriendo mientras admitían que se lo habían pasado en grande. Aunque les sangrase la nariz y se llevaran los dedos a los ojos para aliviar el dolor de la hinchazón.

Porque no era de ese tipo de disputas. Era una situación irremediable.

En vez de recurrir a los puños, Constantine decidió convertir la vida de Elliott en un infierno, al menos siempre que estuviera en Warren Hall. E iba a menudo. Utilizó a Jon para que jugara con su primo, aunque este encontraba su actitud molesta, frustrante y en más de una ocasión humillante. A Jon, por el contrario, le parecía divertidísimo. De modo que esos juegos ensancharon la brecha existente entre ellos. A veces, por ejemplo, le decía a Jon que se escondiera cuando Elliott llegaba, de modo que su primo perdía un tiempo valioso mientras lo buscaba. Él se limitaba a observar la escena cruzado de brazos y apoyado en la jamba de alguna puerta, sonriendo con desdén.

Las rencillas conseguían que aflorara lo peor de las personas. Al menos, así era en su caso.

Ni siquiera a esas alturas se arrepentía, aunque debería hacerlo, por haberse comportado de forma tan pueril. Porque Elliott, que le conocía desde que eran pequeños, le había creído (y todavía le creía) capaz de robarle a su propio hermano por la simple razón de que era fácil aprovecharse de él. Esa súbita falta de confianza le había dolido mucho. Todavía le dolería si no hubiera transformado ese dolor en odio.

Sin embargo, en muchos aspectos él era igual de malo que Elliott. A esas alturas, con el cuerpo tibio y relajado de Hannah pegado al suyo y los ojos clavados en la pared situada frente a la cama, ni siquiera intentaba negarlo. En vez de sentarse con Elliott para discutir sobre la tutela de su hermano como lo harían dos hombres (dos amigos) que habían llegado a los veinte años, se había mostrado frío, distante y sarcástico mucho antes incluso de que hubieran echado en falta las joyas. Y Elliott se había mostrado frío, distante y despótico.

En realidad, todo fue muy pueril. Por ambas partes. Quizá lo hubieran superado de no ser por las dichosas joyas. Unas joyas que evidentemente habían desaparecido, de modo que Elliott y él jamás superaron el problema.

Los dos eran culpables a partes iguales.

Pero no por ello Con odiaba menos a su primo.

Hundió la nariz en el pelo de Hannah. Era suave, fragante y tibio, como ella. Pensó en despertarla con un beso para ver si de esa forma le ponía fin a sus pensamientos, pero estaba dormida como un tronco.

La noche anterior la había alterado. Esa misma tarde seguía alterada por su comportamiento.

Y también había alterado a la señorita Leavensworth, que era del todo inocente.

De la misma forma que alteró a Vanessa poco después de que se casara con Elliott.

¿Hacía la gente ese tipo de cosas? ¿Tenían los demás esos vergonzosos e incómodos esqueletos en sus respectivos armarios?

Era un monstruo. Era la encarnación del demonio. La gente tenía razón al compararlo con él.

Tal vez uno de sus peores pecados, uno muy reciente, fuera su negativa a aceptar todo lo que sabía que era inherente a la condición humana. Las personas, todas las personas, eran un complejo producto fruto de su herencia, de su entorno, de su infancia, de su educación y del cúmulo de experiencias que confería la vida, de la misma manera que eran fruto de su carácter y de la personalidad con que se nacía. Todo el mundo poseía infinidad de pétalos superpuestos. Y todo el mundo poseía algo en lo más profundo de su interior de valor incalculable.

Nadie era superficial. No del todo.

Sin embargo, había decidido creer que la duquesa de Dunbarton era diferente del resto de los seres humanos. Había decidido creer que bajo la belleza, la vanidad y la arrogancia externas no había nada que descubrir. Que era un recipiente vacío, no del todo humana.

Eso era lo que la gente había decidido creer de ella durante toda su vida. Salvo, al parecer, el difunto duque, su esposo.

Se había comportado tan mal como los miembros de su propia familia, quienes quizá la hubieran querido a su modo, pero quienes también habían supuesto que su belleza le restaba sensibilidad, le otorgaba más autosuficiencia que a su hermana, una joven normal y corriente. El padre se había compadecido de su hija menor, suponiendo que la primogénita estaría mejor preparada para sortear por sí misma las vicisitudes de la vida. ¿Por qué suponía la gente que los más guapos solo necesitaban de su belleza para alcanzar la felicidad? ¿Por qué suponían que detrás de la belleza no había nada, salvo un recipiente vacío e insensible?

¿Por qué lo había supuesto él?

¿Se había negado a reconocer la totalidad de su persona porque era guapa?

Comenzaba a dolerle la cabeza. Y comenzaba a quedársele dormido el brazo sobre el que descansaba la cabeza de Hannah. Y necesitaba rascarse el hombro porque sentía un repentino picor. No iba a dormir nada. Era evidente. Ni tampoco iban a hacer el amor otra vez. No hasta que hubiera reflexionado a fondo.

Apartó la mano con cuidado de debajo de su mejilla e hizo lo mismo con el brazo sobre el que descansaba su cabeza. La escuchó murmurar en sueños mientras colocaba la cabeza sobre la almohada.

—Constantine… —la oyó decir, pero no se despertó.

Salió de la cama en dirección al vestidor. Se vistió, aunque no se puso chaqueta ni tampoco se molestó en meterse la camisa por los pantalones. Después se acercó a la cama para mirar a Hannah. Estaba medio despierta y parpadeó varias veces mientras lo miraba.

—Quédate aquí —dijo—. Ahora vuelvo. —Se inclinó para besarla en los labios.

Ella le devolvió el beso con languidez.

—¿Adónde vas? —preguntó.

—Ahora vuelvo —repitió, y se marchó a la cocina, para lo que tuvo que bajar dos tramos de escalera.

Encendió el fuego avivando las ascuas de la noche anterior, llenó hasta la mitad la pesada tetera de hierro y puso el agua a hervir. Hizo una incursión en la despensa en busca de algo para comer, y colocó unos cuantos bizcochos en un plato. No tardó mucho en subir de nuevo las escaleras con una bandeja en la que llevaba una enorme tetera de porcelana cubierta por un grueso cubretetera para evitar que el té se enfriara, una jarra de leche, un azucarero, tazas, platillos, cucharas y el plato con los bizcochos. Dejó la bandeja en el gabinete adyacente a su dormitorio y fue en busca de Hannah.

Seguía medio dormida. Con volvió al vestidor y salió con un largo batín de lana que solo se ponía en las noches más gélidas cuando estaba solo en casa y lo único que le apetecía era arrellanarse en un sillón con un buen libro.

—Ven —dijo solícito.

—¿Adónde? —Pese a la pregunta, se incorporó y se sentó en el borde de la cama. Al ver que él levantaba el batín se puso en pie. Metió los brazos por las mangas y la envolvió con él antes de atarle el cinturón. La prenda parecía habérsela tragado—. Mmm —murmuró mientras acercaba la nariz al cuello—. Huele a ti.

—¿Y eso es bueno?

—Mmm —murmuró de nuevo a modo de respuesta.

La culpa volvió a asaltarlo. Cogió el candelabro y la precedió al gabinete. Los sillones de la estancia eran grandes, elegidos así a conciencia. Grandes, mullidos y cómodos. Porque en esa estancia la elegancia y la pose no importaban. Era un lugar donde tumbarse a placer y arriesgarse a sufrir un daño irreparable en la espalda. Allí era donde se relajaba.

Por extraño que pareciera, jamás había invitado a nadie a ese gabinete. Ninguna de sus antiguas amantes había puesto un pie en él.

Hannah se sentó en un mullido sillón de cuero, dobló las piernas para colocarlas en el asiento, se apoyó en el respaldo y se envolvió con el batín. Mientras él servía el té, lo observó con los párpados entornados, aunque no con la expresión habitual en ella. En esa ocasión sí estaba adormilada de verdad. Era una expresión satisfecha, o lo parecía.

—¿Leche? ¿Azúcar? —preguntó.

—Ambas —contestó ella.

Colocó su taza y su platillo en la mesita que tenía al lado y le ofreció el plato de bizcochos. Hannah cogió uno para probarlo.

—Constantine, eres un anfitrión estupendo —dijo—. Viril. Y generoso. Me has llenado la taza hasta el borde. A ver si consigo no derramar nada.

Nunca le había visto el sentido a la costumbre de llenar una taza a medias. Para empezar, las tazas ya eran demasiado pequeñas de por sí.

Se sentó frente a ella, muy cerca, con un bizcocho en una mano y la taza en la otra. Se acomodó en el sillón y cruzó las piernas, colocando el tobillo encima de la rodilla contraria.

Fingía que estaba relajado.

—Bueno, duquesa —dijo—, dime qué quieres saber.

De repente pareció abrirse en su interior un agujero negro, enorme y vacío. Y sintió una inmensa vulnerabilidad.

Sin embargo, esa era la única manera de redimirse.

Hannah estaba impresionada. La mayoría de los hombres habría aplazado el tema todo lo posible. Y cuando Constantine salió de la cama, ella estaba dormida. Seguramente habría seguido durmiendo toda la noche. Sin embargo, había decidido recordarle que estaba en su derecho de preguntarle sobre sí mismo y de esperar una respuesta.

Sospechaba que era un hombre lleno de secretos y dudaba de que hubiera desvelado alguno de forma voluntaria alguna vez, ni siquiera a sus allegados o a sus seres queridos. Era un hombre muy reservado.

¿Quiénes serían sus allegados y sus seres queridos? ¿Sus primos? ¿Los que habían usurpado lo que debería haber sido suyo por derecho?

¿Sería un hombre solitario? De repente, sospechaba que lo era.

Y, al parecer, también era un hombre de palabra. Se había comportado mal con la pobre Barbara, lo sabía y se arrepentía de ello. Y en ese momento pensaba redimirse de la única forma que sabía. Contestando a todas sus preguntas.

Dadas las circunstancias sería una crueldad hacérselas, obligarlo a desvelar los secretos de una vida que con tanto celo había guardado.

En ese instante no parecía tan enigmático, elegante y peligroso como de costumbre. De hecho, estaba sentado de forma muy poco elegante… como ella. Estaba guapísimo.

Sintió algo llamando a su corazón. Pero le negó la entrada.

Apuró el bizcocho.

—Debería haber sabido que responderías con sorprendente astucia a mi oferta de contártelo todo —dijo él.

Hannah enarcó las cejas al escucharlo.

—Guardando silencio —concluyó Constantine.

Y en ese momento comprendió que si había elegido a Constantine Huxtable para que fuera su primer amante, no lo había hecho solo por su atractivo físico, por muy considerable que este fuera. Se había sentido atraída por esa reserva, que dejaba traslucir la profundidad de su carácter y que, aunque indicara una segura oscuridad en su interior, también podía ocultar un universo de luz.

Se había sentido atraída por el misterio que irradiaba, aunque careciera de evidencias de que realmente existiera algún misterio.

Había sido consciente de todo eso desde el principio, por supuesto. Antes de que se convirtieran en amantes le había asegurado que insistiría en conocer todo lo que hubiera que conocer sobre él. Sin embargo, en aquel momento no comprendía lo que decía. Porque pensaba que su principal interés en Constantine radicaba en el plano físico.

¿Ya no era así?

Carecía de la experiencia para compararlo con otro. Pero estaba segura de que no había ningún hombre que pudiera complacerla tanto como él. Una idea nada esperanzadora para los años venideros. Había comenzado con lo mejor, de modo que… ¿qué llegaría después?

¿No tenía suficiente con el plano físico?

Ese afán por conocerlo… ¿no debería haber reflexionado al respecto antes de que fuera demasiado tarde?

Demasiado tarde ¿para qué?

—Ainsley Park —lo oyó decir de repente al tiempo que soltaba la taza y el platillo en la mesa que tenía al lado—. Así se llama mi propiedad en Gloucestershire. La mansión y los terrenos circundantes no pueden compararse con Warren Hall, pero también son impresionantes. Hasta la residencia de la viuda tiene un tamaño considerable. La granja que abastece a la propiedad también es grande. Además, la he ampliado al no arrendar dos de las parcelas que habían quedado vacantes. Es una propiedad próspera, un hervidero de actividad.

—¿Era de tu padre? —quiso saber Hannah.

—No —contestó al tiempo que negaba también con la cabeza—. Todas las propiedades de mi padre estaban vinculadas al título. Son de Merton.

—¿Y pudiste permitirte comprarla?

Constantine esbozó una lenta sonrisa.

—Esa es la pregunta que todos mis conocidos quieren que responda desde que la compré —respondió—. Sobre todo Moreland, que lo sabe. O más bien cree saberlo.

—¿Y? —lo instó, al tiempo que soltaba la taza para después introducir las manos en las mangas del batín, cruzando los brazos.

—No la compré —contestó Constantine—. La gané.

—¿¡La ganaste!?

—Cuando me marché de casa, me dediqué a apostar en las mesas de juego, tal como suelen hacer los caballeros ociosos —adujo—. Siempre acababa perdiéndolo todo, salvo la ropa que llevaba puesta; sin embargo, no era tan tonto como para apostar más de lo que llevaba encima, que tampoco es que fuera mucho. Tenía una asignación mensual, pero mi padre me ataba en corto. Sin embargo, la apuesta a la que me refiero tuvo lugar después de su muerte, cuando Jon ya era conde, y esa vez busqué de forma deliberada una mesa donde las apuestas fueran altas y no se diera cuartel, por decirlo de alguna manera. Y aposté con dinero que en realidad no me pertenecía, pero que había obtenido gracias a la venta de cierta joya. Algo de lo que ambos sabemos mucho, duquesa. Dicho dinero no me pertenecía, y creo que jamás he sentido un terror semejante al que sentí cuando me senté a la mesa para jugar y aposté la cantidad que mis contrincantes esperaban de mí.

Hannah cerró los ojos.

—Al cabo de diez minutos —siguió Constantine—, había ganado Ainsley Park. No era la casa solariega vinculada al título del hombre que se la jugó y perderla por una mala mano no pareció molestarlo en exceso. Lo que sí le molestó, tanto a él como a sus amigos, fue que cogiera mis ganancias y abandonara la partida. Me amenazaron con no volver a incluirme en su venerado círculo jamás. No sé si habrían cumplido la amenaza o no. Seguramente sí. Desde entonces no he vuelto a apostar; salvo cantidades pequeñas en bailes y en fiestas privadas, supongo.

—¿Y el dinero de la venta de la joya? —preguntó ella.

—Se empleó para lo que se suponía que se debía emplear —contestó.

—¿Y nadie sabe cómo adquiriste Ainsley Park?

—Que piensen lo que quieran —respondió.

—¿Y qué es lo que suelen pensar?

—Que lo compré con dinero ilícito, supongo —contestó al tiempo que se encogía de hombros—. No andan muy desencaminados.

—¿Vives solo en la propiedad? —quiso saber. Le parecía muy triste que se hubiera apartado de su familia y de sus amigos de esa manera.

Constantine soltó una breve carcajada.

—No precisamente —respondió—. De hecho, la casa… o más bien la mansión, está tan atestada de gente que no queda ninguna habitación libre para mí. Así que vivo en la residencia de la viuda. E incluso ese remanso de paz está siendo invadido de forma lenta pero inexorable.

Hannah movió las piernas de modo que las plantas de sus pies quedaron apoyadas en el asiento. Se abrazó las piernas y colocó la barbilla sobre las rodillas.

—Constantine, vas a tener que explicármelo o me pasaré toda una semana sin dormir por la curiosidad. Además, me lo debes. ¿Quiénes son esas personas que viven en tu propiedad?

—Empecé llevando mujeres —contestó—. Mujeres cuyo carácter y reputación estaban por los suelos porque o bien aquellos para los que trabajaban o bien sus superiores desde el punto de vista social consideraban entre los derechos que Dios les otorgó el de disponer a placer de las mujeres que se les antojaban. Mujeres acompañadas por sus hijos bastardos. En Ainsley Park tienen un hogar y un trabajo honesto que desempeñar en la casa o en la granja. Además, reciben formación como costureras, sombrereras, cocineras o cualquier otra profesión que les resulte interesante, siempre y cuando encuentre a alguien que imparta esos conocimientos a cambio de un alojamiento, de un plato de comida y de un salario módico. Al final les buscamos un puesto de trabajo con personas que están dispuestas a aceptarlas. A ellas, a sus bastardos y a sus reputaciones.

—¿Por qué? —quiso saber Hannah—. ¿Por qué ese tipo de mujer en concreto?

La expresión de Constantine se tornó seria y meditabunda.

—Digamos que… —comenzó—. Digamos que conocía a algunas mujeres en esas circunstancias y al hombre que les quitó todo salvo la vida. Sabía lo que habían perdido: sus trabajos, sus familias, el respeto de todos sus conocidos. Sabía lo que habían padecido: el ostracismo. Y sabía que con el poco dinero que podía darles de vez en cuando no las ayudaba a cambiar dichas circunstancias. Tenía muy claro que no podía ofrecerles mi ayuda abiertamente porque la gente llegaría a ciertas conclusiones, y eso habría empeorado su situación. Si acaso podía empeorar, claro. Yo conocía al hombre que les ocasionó todo eso y que fue despidiéndolas una a una de sus puestos de trabajo, y olvidándolas al sustituirlas por otras que posiblemente acabaran sufriendo el mismo destino.

Hannah se abrazó las piernas con más fuerza.

«¡Dios santo!», exclamó para sus adentros. «¿Su padre?»

Abrió la boca para preguntárselo en voz alta, pero era imposible preguntar algo así.

—Elliott, el duque de Moreland, te diría que ese hombre fui yo —siguió él.

—¿Llegó a acusarte?

—Sí.

—¿Y tú no lo negaste?

—No.

«¡Por Dios!», volvió a exclamar para sí. Sacarle información era como intentar obtener sangre exprimiendo una piedra.

—¿Por qué no?

Constantine le lanzó una mirada muy seria.

—Había sido mi amigo —repuso—. Era mi primo, casi mi hermano. Nuestras madres eran hermanas. Ni siquiera tendría que habérmelo planteado. Yo jamás le habría preguntado algo así. Porque habría tenido muy claro que la respuesta era «no». Hicimos muchas salvajadas en nuestra juventud, pero jamás tomamos a una mujer en contra de su voluntad.

—Pero no lo negaste cuando te lo preguntó —señaló ella.

—No lo preguntó —precisó Constantine—. Lo afirmó. No sé cómo, pero descubrió lo que les había sucedido a esas mujeres y a sus hijos. Así que me lo echó en cara. Cuando se hace una acusación, no siempre, o más bien nunca, se pregunta de forma educada, duquesa.

—Qué tonto eres —replicó—. ¿Y ese es el motivo de vuestra rencilla?

—Entre otras cosas.

Hannah decidió no indagar más.

—Podríais haberlo aclarado todo con una simple negativa por tu parte —le recordó—, pero tu orgullo te lo impidió.

—La situación no debería haber requerido de ninguna negativa —adujo él—. Moreland era, y sigue siendo, un imbécil pomposo.

—Y tú eres un idiota testarudo —añadió Hannah—. Tú mismo usaste esas descripciones en una ocasión, y ahora veo que estabas en lo cierto.

Constantine se puso en pie, apartó el cubretetera y llenó de nuevo ambas tazas. Cuando volvió a sentarse, recordó que a Hannah le gustaba con leche y azúcar, de modo que volvió a levantarse para añadir ambas a su taza. Una taza a rebosar de té. Más incluso que la primera. Le ofreció un bizcocho, pero ella lo rehusó.

—Has dicho que empezaste llevando mujeres a Ainsley Park —le recordó.

—Un día vi a un muchacho aquí en Londres, en una carnicería —dijo Constantine—. Me detuve en la acera, fuera del establecimiento, porque el chico me recordaba muchísimo a Jon. Tenía los mismos rasgos faciales y el mismo físico, y supuse que a sus padres también les habrían dicho cuando nació que no sobrepasaría los doce años de vida. Habría seguido mi camino, pero en el minuto escaso que me detuve reparé en dos detalles: que el muchacho se esforzaba por agradar, pero que no agradaba en absoluto. En ese breve lapso de tiempo recibió dos bofetadas. Una de parte de un cliente y otra de parte del carnicero por disgustar al cliente. De modo que entré y le pagué al carnicero la suma estipulada para un aprendiz. Él a su vez había sacado al chico de un orfanato; prácticamente gratis, supongo. Unos días después, cuando volví a Ainsley Park, me llevé al chico, a Francis, conmigo. Le dimos trabajo en la cocina y en la granja, y se convirtió en objeto de adoración de todas las mujeres, sobre todo de la cocinera. Murió al cabo de un año, a los trece años de edad, más o menos, porque el pobre desconocía su fecha de nacimiento. Creo que fue un año muy feliz para él. —Guardó silencio para tomar un sorbo de té con la vista clavada en la taza.

Hannah se entretuvo con su propia taza a fin de concederle unos minutos para que recuperara la compostura. El brillo que había creído ver en sus ojos era muy real, al igual que la nota trémula de su voz.

Había llorado al chico de la carnicería, a Francis. Al chico que tanto le había recordado a su hermano.

—Descubrir a Francis me hizo comprender que para conseguir que el proyecto de Ainsley Park se financiara por sí mismo y no fuera una constante carga para mis limitados recursos económicos, debería lograr que la granja funcionara a pleno rendimiento. Los terrenos habían sufrido años de negligencia. Para ponerla en marcha y para que resultara rentable, necesitaba trabajadores, en su mayor parte hombres que realizaran las tareas más pesadas. Y puesto que debía contratar hombres, decidí que elegiría a aquellos a quienes les resultara imposible encontrar empleo en otro sitio. Duquesa, te sorprendería saber cuántos hombres hay en dichas circunstancias. Hombres con taras físicas o mentales; soldados jubilados o licenciados que han perdido algún miembro o algún ojo o incluso la cordura en la guerra y ya no son útiles para nadie en tiempos de paz, salvo para sí mismos. Son vagabundos o incluso ladrones que se ven obligados a delinquir porque no encuentran trabajo, pero que necesitan comer. Si quisiera, podría llenar veinte propiedades como Ainsley Park.

No, no se sentía sorprendida en absoluto.

—Algunos son capaces de realizar otras labores además de trabajar en las tierras de labor, y de hecho aspiran a hacer algo más. Así que se les instruye para que sean herreros, carpinteros, albañiles e incluso contables y secretarios. Y después se les busca un empleo de modo que queden vacantes en Ainsley Park. Algunos de los hombres y de las mujeres se casan, y las parejas se marchan en busca de una nueva vida.

—¿Y no le has hablado a nadie sobre esto? —preguntó ella—. ¿Solo a mí?

Constantine meneó la cabeza antes de sonreír.

—Bueno, sí —contestó—. Se lo dije al rey.

—¿¡Al rey!?

—Fue antes de que se convirtiera en rey, la verdad —matizó—. Todavía era el príncipe de Gales. Prinny. Una noche, ya de madrugada, estábamos los dos sentados en ese ostentoso palacio que tiene en Brighton, después de que los demás se acostaran. No recuerdo exactamente cómo surgió el tema. El caso es que los dos estábamos bebidos y una cosa llevó a la otra y al final acabé hablándole de Ainsley Park. Creo que… no, no creo porque lo recuerdo bien. Me abrazó con tanta fuerza que creí que me iba a partir todos los huesos y que acabaría aplastado contra su oronda figura. Estuvo a punto de ahogarme con sus lágrimas. Es un sentimental. Me declaró un santo, un mártir. Lo de creerme un mártir no me lo explicó, la verdad. Y añadió un sinfín de elogios más, a cual más exagerado. Después prometió ayudarme, recompensarme e informar a todo el reino de lo que hacía, entre otras cosas espantosas. Por suerte, tan pronto como recuperó la sobriedad, lo olvidó todo. Creo que incluso se olvidó de mi persona.

—Lo conozco bien —dijo Hannah—. El duque era su amigo aunque el príncipe, ahora el rey, lo sacaba de quicio. Es imposible que no te caiga bien, por más que haga el ridículo en ocasiones. Lo que más ansía en la vida, por encima de cualquier otra cosa, es que lo quieran. Si el antiguo rey y la reina lo hubieran querido desde el principio, hoy sería una persona distinta. Un hombre muchísimo más seguro de sí mismo.

—¿Y más delgado? —añadió él—. ¿Su necesidad de comer sería menor?

Lo miró con una sonrisa. Y acabó soltando una carcajada.

Constantine también sonrió y después enarcó las cejas.

Fue un momento raro.

Había pasado once años adquiriendo conocimientos y ejercitando la disciplina, diez de ellos a manos de un hombre que había ganado ambos atributos gracias a las experiencias de una larga vida.

Conocimiento y disciplina. Once años escondiendo su verdadera personalidad, esa valiosa criatura que era en realidad, como una crisálida en un capullo de serenidad oculta bajo miles de máscaras.

La vida misma se había convertido en un secreto. Nadie estaba al tanto de la vida que llevaba detrás de las apariencias. Porque las apariencias lo eran todo para aquellos que la rodeaban. Era lo único que conocían. Sin embargo, en su caso lo importante era la realidad oculta tras la fachada.

Pero de repente esa crisálida se veía amenazada. Había elegido a un hombre solo por los placeres sensuales que podía ofrecerle y se había... ¿Qué palabra podía emplear para definir lo que Constantine era para ella? No se había enamorado de él, pero...

Bueno, de algún modo estaban involucrados de una forma íntima. Era su amante, sí. Sin embargo, un amante se podía descartar, olvidar, sustituir. Se podía mantener a una distancia segura del corazón. Los amantes eran para el placer, para divertirse.

Constantine era más que su amante.

Desde el comienzo de ese año se había dicho que iba a entregarse al placer y que no iba a buscar el amor y la felicidad permanente. Se había dicho que despacharía a Constantine, que lo olvidaría en cuanto acabara la temporada social. Y lo haría, por supuesto. Porque no le quedaba más remedio, en realidad. Sabía muy bien que él buscaba una amante distinta cada año.

Pero...

Pero sus emociones habían acabado implicadas de alguna forma en lo que supuestamente iba a ser una experiencia solo física.

El capullo de serenidad que protegía a la crisálida, a su corazón, se había agitado.

El duque llevaba razón. Le había advertido de que algún día sucedería, de que los capullos solo servían para proteger la fragilidad de una nueva vida hasta que estaba lista para salir y florecer con todo su esplendor.

Debería habérselo pensado mejor antes de elegir a un hombre misterioso que la intrigaba.

Porque, evidentemente, su personalidad estaba oculta bajo un sinfín de capas. Una parte de dicha personalidad no era nada agradable. Como ejemplo bastaba el impertinente interrogatorio al que había sometido a Barbara en el baile de los Kitteridge. O ese ridículo orgullo que durante años había perpetuado de forma innecesaria una rencilla con su primo, que también era su mejor amigo. Pero otra parte… En fin, podría llegar a amar al hombre cuya compasión por los desafortunados era tan profunda que les había abierto su hogar, el corazón de su privacidad y de su paz. Y todo por la sencilla satisfacción de hacer lo correcto. En vez de buscar elogios, no le había hablado a nadie de su hogar ni de lo que estaba haciendo en él.

Salvo al rey, en un momento de embriaguez compartida.

Y en ese momento a ella, porque se lo debía.

¡Ay, qué cerca estaba de cometer un error absurdo del que se arrepentiría el resto de su vida! Porque Constantine Huxtable no era el hombre adecuado para algo permanente. De repente, la ausencia del duque se convirtió en un enorme vacío. Ojalá pudiera volver a casa, burlarse de él, dejar que se burlara de ella, y colocar su mano sobre esa mano anciana y artrítica que tanta seguridad le ofrecía. Y pedirle consejo. O su opinión sobre lo que le estaba sucediendo.

Sin embargo, le había enseñado a ser autosuficiente, y hasta ese momento pensaba que había aprendido bien la lección. El duque no querría que dependiera siempre de él. Ni tampoco lo querría ella.

Se estaban mirando a los ojos en silencio, Constantine y ella, y ninguno de los dos sonreía ya.

—Podrían colgarnos por traición si nos oyeran hablar así —dijo.

—O acabar con la cabeza cortada —añadió él—. Por cierto, le dije a la señorita Leavensworth que hablaría contigo para organizar una visita a la Torre de Londres porque todavía no ha estado en ella. ¿Vendrás?

—Hace años que yo tampoco voy —respondió—. ¿Pasarás unos cuantos días en Copeland Manor si organizo una breve fiesta campestre?

—¿Me estás invitando, duquesa? —preguntó Constantine a su vez—. ¿No es una orden?

—Bueno, tú me has invitado a ir a la Torre, así que yo no voy a ser menos en cuanto a amabilidad.

—No estarás pensando en invitar a Moreland y a su esposa, ¿verdad?

—No —contestó y negó también con la cabeza—. Pero ¿no deberías hablar con él de todas formas algún día?

—¿Hacer las paces y darnos la mano? —replicó Huxtable—. Creo que no.

—De modo que seguirás viviendo con esa tristeza y solo por una simple cuestión de orgullo.

—¿Me ves triste? —preguntó Constantine.

Abrió la boca para contestarle, pero volvió a cerrarla.

—Y tú, duquesa, ¿vas a volver a Markle quizá para la boda de la señorita Leavensworth y a hablar con tu padre, con tu hermana y con tu cuñado? ¿Seguirás alejada de ellos por una cuestión de orgullo?

—Son dos temas diferentes —respondió ella.

—¿Ah, sí?

Durante un instante se miraron en silencio y con seriedad, o más bien con furia, y ninguno de los dos quiso ser el primero en apartar la mirada. Al final fue Constantine quien lo hizo.

—Y así seguirás viviendo con esa tristeza y solo por una simple cuestión de orgullo —susurró.

«*Touchée*», pensó Hannah.

Sin embargo, Constantine ignoraba la magnitud de lo que le estaba pidiendo.

—Quiero irme a casa, a Dunbarton House —dijo—. Es tarde.

O temprano, según se mirara.

Constantine se puso en pie y se acercó a ella. Se apoyó en los brazos del sillón, se inclinó y la besó.

Fue un beso horrible por su ternura y su delicadeza.

Horrible porque todavía era de noche, porque había hecho el amor con él y había dormido a su lado, y porque se había sentado a hablar con él y a esas alturas no sabía dónde estaban sus defensas. Si pudiera encontrarlas, las armaría de nuevo y se envolvería con ellas para ponerse otra vez a salvo.

Pero ¿a salvo de qué?, se preguntó.

Constantine levantó la cabeza y la miró a los ojos. Los suyos parecían muy oscuros y tenían una expresión velada.

—En ese caso será mejor que te vistas —dijo—. Mi cochero podría escandalizarse si te ve de esa guisa, aunque vayas tapada desde la barbilla hasta la punta de los pies.

—Constantine, si me viera obligada a salir así —replicó—, tu cochero solo vería a la duquesa. Créeme. La gente solo ve lo que yo quiero que vea.

—¿Eso te lo enseñó Dunbarton?

—Sí, y fue un gran maestro —contestó Hannah.

—Creo que sí —reconoció Constantine—. Siempre que te he visto a lo largo de los años, he visto a la duquesa. Una duquesa bellísima y muy rica. Ahora es cuando empiezo a descubrir lo equivocado que estaba.

—¿Eso es bueno? ¿O malo?

Constantine se enderezó.

—Todavía no lo he decidido —respondió—. Te veía como una rosa pero sin múltiples pétalos. Acabo de comprender que estaba equivocado. Tienes más capas que la rosa más exuberante. Pero todavía no he llegado al corazón de la rosa. Empiezo a creer que hay un corazón. De hecho, lo sé. Ve a vestirte, duquesa. Es hora de llevarte a casa.

Y por extraño que pareciese, dado que había sido ella quien lo dijera en primer lugar, se sintió rechazada. Como si él no quisiera que se quedara. Y se sintió conmovida. La veía como a una rosa y poco a poco, pétalo a pétalo, estaba descubriendo el camino a su corazón. Si ella se lo permitía. Pero... ¿cómo iba a impedírselo?

Once años de disciplina y de tesón corrían el peligro de desmoronarse apenas unas semanas después de haber tomado su camino en solitario en la vida.

No sucedería.

Porque Constantine no podía ser él. No podía ser ese hombre

que el duque le había prometido que algún día encontraría. Cuando por fin encontrara a ese hombre, su corazón tendría que estar intacto. Tal vez no debiera haber tonteado con la sensualidad.

Se puso en pie y se acercó a la puerta.

—¿De la manita, como si fuera una niña? —replicó con altivez—. He venido sola en tu carruaje. Volveré sola en él. Asegúrate de que esté en la puerta dentro de diez minutos.

Su mutis triunfal quedó algo deslustrado por culpa de cierta risilla.

12

*D*ado que al día siguiente estuvo lloviendo, Con se pasó gran parte de la mañana escribiéndole a Harvey Wexford, el administrador de Ainsley Park. Tenía que responder a unas cuantas preguntas y decidir sobre unos detalles insignificantes. Pero lo más importante era enviar una serie de mensajes privados a varios residentes de Ainsley Park, cosa que hacía todas las semanas. Aunque dejara su gestión, su formación y su bienestar en las más que capaces y compasivas manos de Wexford, no se olvidaba de su gente cuando se iba de casa, y estaba decidido a hacérselo saber.

En esa ocasión tenía que felicitar a Megan, la hija de Phoebe Penn, por su quinto cumpleaños... y tenía que mandarle el libro que le había comprado antes del almuerzo porque tanto madre como hija estaban aprendiendo a leer. Y tenía que felicitar a Winford Jones, un antiguo ladronzuelo, a quien habían declarado apto como herrero y que había conseguido un puesto como ayudante en una herrería de Dorsetshire. Y también tenía que felicitar a Jones y a Bridget Hinds, que iban a casarse antes de marcharse con el pequeño Bernard, el hijo de Bridget. Pensaba enviar otro libro para Bernard, porque a sus siete años ya sabía leer. Además, tenía que expresarle su pesar a Robbie Atkinson, que se había caído desde el altillo donde almacenaban el heno y se había roto un tobillo. Y trasladarle sus buenos deseos a la cocinera, que había llegado al inusitado extremo de quedarse dos días en cama por culpa de un fuerte resfriado, aunque había seguido dirigiendo la cocina con mano de hierro desde su lecho.

Dado que el tiempo mejoró un poco, pasó la tarde en las carreras con algunos amigos, y la noche transcurrió en una velada en casa de lady Carling, la suegra de Margaret, en Curzon Street. Fue una de esas ocasiones en las que coincidió con Vanessa y Elliott; pero como lady Carling había habilitado más de una estancia para sus invitados, pudieron quedarse en diferentes habitaciones la mayor parte del tiempo, obviando su mutua existencia de un modo muy efectivo.

Recordó que Hannah le había aconsejado la noche anterior que hablara con Elliott... para que no estuviera tan triste. Le hizo gracia imaginarse la reacción de su primo si iba en su busca y le sugería que se sentaran para solucionar sus diferencias en ese preciso momento.

No tenían nada de que hablar. Elliott creía lo peor de él y a Con no le importaba.

Un imbécil y un idiota.

Dos caras de la misma moneda.

Era así de sencillo.

Hannah no asistió a la velada.

Con se marchó pronto, consideró la idea de pasar un rato en White's, pero al final se fue a su casa. Tener una amante podía causar ese efecto en un hombre: elegir una noche de sueño en vez de pasar una velada con los amigos cuando se presentaba la oportunidad.

A la mañana siguiente fue a Dunbarton House. Mucho se temía que las damas siguieran acostadas o que hubieran salido de compras. Sin embargo, se encontraban en casa. El mayordomo, que fue en persona a comprobar si las damas estaban disponibles, lo condujo a la biblioteca, un lugar insólito en el que encontrar a la duquesa. La descubrió con un libro abierto en el regazo mientras que su amiga estaba sentada al escritorio, escribiéndole seguramente una carta a su vicario.

La duquesa cerró el libro, lo soltó y se puso en pie.

—Constantine —lo saludó al tiempo que se acercaba a él con una mano extendida.

—Duquesa. —Hizo una reverencia y ella le permitió por primera vez que se llevara su mano a los labios—. Señorita Leavensworth.

La aludida soltó la pluma y se volvió hacia él, con las mejillas demasiado sonrosadas.

—Señor Huxtable —replicó con seriedad.

—Señorita Leavensworth, quiero que sepa que la invité a bailar en el baile de los Kitteridge porque deseaba bailar con usted —aseguró—. Mi maleducada indagación acerca de los orígenes de la duquesa fue fruto del momento y también fue una idea espantosa. Le ruego que me disculpe por haberla alterado.

—Gracias, señor Huxtable —dijo la señorita Leavensworth—. Fue un placer bailar con usted.

—Que sepa que no se me ha olvidado que desea ver la Torre de Londres antes de regresar a Markle, y que la duquesa hace siglos que no la ve. El tiempo ha mejorado muchísimo hoy. De hecho, creo que el sol está a punto de abrirse camino entre las nubes. ¿Le apetece acompañarme a visitarla esta tarde? Tal vez podríamos tomar un helado en Gunter's después.

—¿Un helado? —La señorita Leavensworth puso los ojos como platos—. Vaya, no los he probado en la vida, pero he oído que son deliciosos.

—Pues asunto arreglado, iremos a Gunter's después —sentenció y miró a Hannah.

Por supuesto, ella diría que tenían un compromiso previo esa tarde.

—Estaremos listas a las doce y media —dijo en cambio.

Lo que seguramente quería decir que estarían listas a la una menos cuarto.

—No las entretengo más, me voy para que puedan seguir con la lectura y con la carta —dijo, mientras se despedía con un gesto de la cabeza. Se marchó sin decir nada más.

Mientras dejaba la plaza atrás, Con rememoró la apariencia de la duquesa. Llevaba un sencillo vestido de algodón en color azul claro, un tono más claro que sus ojos. Sin joyas. Y con el pelo recogido en un sencillo moño en la nuca.

Sencilla y sin adornos.

Estaba arrebatadora.

La duquesa, por supuesto.

Cuando volvió a su puerta a las doce y media en punto, su aspecto era el de siempre. En esa ocasión fue en su carruaje, ya que los tres irían más cómodos que en el tílburi y había bastante distancia hasta la Torre de Londres.

Las dos damas estaban preparadas. Tal vez si la excursión fuera para ella sola, la duquesa lo habría hecho esperar por cuestión de principios; pero no era así, y la señorita Leavensworth parecía emocionada y alegre. Llegó a la conclusión de que la duquesa de Dunbarton quería a su amiga.

Había mucho que ver en la Torre de Londres. No obstante, ninguna de las damas se mostró interesada en las viejas mazmorras, ni en las cámaras de tortura ni en los instrumentos de ejecución. De hecho, la duquesa se estremeció con lo que parecía verdadero espanto cuando uno de los guardias reales los invitó a visitar la exposición.

De modo que visitaron el zoológico y pasaron mucho tiempo admirando los exóticos animales salvajes, en especial los leones.

—Son espléndidos —dijo la señorita Leavensworth—. Ahora entiendo por qué dicen que son los reyes de la selva. ¿Y tú, Hannah?

Sin embargo, la duquesa no era tan fácil de complacer.

—Pero ¿dónde está la selva? —preguntó a su vez—. Pobres criaturas. ¿Cómo pueden ser reyes cuando están encerrados en una jaula? Es preferible ser un humilde conejo, una tortuga o un topo y ser libre.

—Pero supongo que los alimentan bien —replicó la señorita Leavensworth—. Y aquí están protegidos de los elementos. Y son muy admirados.

—Y por supuesto dicha admiración compensa una multitud de pecados —repuso la duquesa.

—Pues yo me alegro de haberlos visto —declaró la señorita Leavensworth, negándose a aceptar las críticas de su amiga—. Hasta ahora solo había podido leer sobre ellos en los libros y verlos en dibujos. Y los libros nunca transmiten los olores, ¿verdad? ¡Uf!

—¿Vamos a ver las joyas de la Corona? —sugirió él.

La señorita Leavensworth se quedó fascinada al verlas. Y por casualidades de la vida, los parientes de su prometido, junto con sus hijos, aparecieron cinco minutos después de que ellos llegaran. Hubo exclamaciones de sorpresa y deleite, y también algunos abrazos, tras los cuales se produjeron las presentaciones. De modo que Con conoció al señor y a la señora Newcombe y a Pamela y a Peter, ya que la duquesa los había conocido unos días antes cuando fueron a su casa para recoger a la señorita Leavensworth de camino a los jardines de Kew.

—Necesito un poco de aire fresco —anunció la duquesa al cabo de unos minutos—. Constantine ha prometido llevarme a las almenas de la Torre Blanca, Babs, y ahora es el momento perfecto, ya que tú le tienes pánico a las alturas. Volveremos enseguida.

—Nos quedaremos con Barbara mientras usted admira las vistas, excelencia —le aseguró la señora Newcombe—. Tómese su tiempo. Solo nos quedan por ver las mazmorras, por insistencia de nuestros hijos, y no tenemos prisa.

La duquesa se cogió de su brazo y subieron juntos hasta las almenas de la Torre Blanca, el punto más alto a excepción de las cuatro torretas situadas en las esquinas.

—¿Esta noche? —preguntó en cuanto pudieron alejarse de los demás.

—Sí —contestó ella—. Me vendrá muy bien. Esta noche tengo que asistir a una cena y a una recepción en el palacio de Saint James y seguro que será un aburrimiento. Pero ya sabes que cuando se recibe una invitación real, no puedes rehusar porque te venga mal, aunque seas la duquesa de Dunbarton. Barbara va a cenar con los Park. Puedes enviarme tu carruaje a las once.

Salieron a las almenas de la Torre y descubrieron que todas las nubes habían desaparecido, dejando un cielo azul y un sol radiante.

La duquesa abrió su sombrilla y se cubrió con ella. Ese día llevaba un bonete, atado con una cinta debajo de la barbilla. Menos mal, porque el viento soplaba bastante fuerte a esa altura.

Recorrieron el perímetro de las almenas, admirando las distintas vistas de la ciudad y de la campiña que se extendía más allá de los edificios, y después se detuvieron para contemplar el Támesis.

La duquesa echó la sombrilla hacia atrás y alzó la cara hacia el cielo. Uno de los cuervos por los que era tan famosa la Torre de Londres volaba sobre ellos en ese momento.

—Constantine, ¿nunca has pensado que sería maravilloso volar? ¿Estar solo en la inmensidad, con el viento y el cielo?

—¿La única dimensión que el hombre todavía no ha conquistado? —replicó—. Sería interesante admirar el mundo desde la perspectiva de un pájaro. Claro que siempre puedes montar en un globo aerostático.

—Pero eso resta libertad —replicó Hannah—. Yo quiero tener alas. Pero da igual. De momento este lugar está lo bastante alto. ¿A que es precioso?

Con volvió la cabeza para sonreírle. No era muy habitual escuchar semejante entusiasmo por parte de la duquesa, ni ver una expresión tan emocionada en su rostro. Había apoyado los brazos en las almenas y tenía la vista clavada en el río. Su sombrilla estaba apoyada contra la muralla.

—Tal vez debería marcharme a algún lugar exótico y distante —continuó ella—. Egipto, la India, China… ¿Alguna vez has querido verlos?

—¿Escapar de mí mismo? —precisó.

—No, no de ti mismo —contestó la duquesa—. Sino contigo. Es imposible dejar tu esencia detrás, vayas a donde vayas. Es una de las primeras cosas que me enseñó el duque después de casarnos. Me dijo que nunca podría escapar de la muchacha que había sido. Que solo podía convertirla en una mujer en cuyo cuerpo y mente me sintiera feliz.

Y sin embargo, se comportaba como si hubiera escapado de su infancia. Se negaba incluso a volver a su hogar, a regresar junto a las personas que había dejado atrás cuando se casó con Dunbarton.

—Cuando era joven —confesó—, me planteé la idea de hacerme a la mar. Pero habría estado ausente durante meses, incluso años. No podía separarme tanto tiempo de Jon.

—¿El hermano a quien odiabas?

—No lo…

—No —lo interrumpió la duquesa—. Sé que no lo odiabas. Le querías más de lo que has querido a nadie en la vida. Y lo odiabas porque fuiste incapaz de mantenerlo con vida.

Se apoyó en las almenas junto a ella. Al final la duquesa no era tan superficial como parecía. ¿Cómo había llegado a ser tan intuitiva?

—Todavía tengo la impresión de que lo he abandonado —confesó—. Cuando paso un día, o más tiempo, sin pensar en él. Voy a Warren Hall de vez en cuando para visitarlo. Está enterrado junto a la capilla que hay en la propiedad. Es un lugar muy tranquilo. Me alegro de que esté allí. Voy para hablar con él.

—¿Y para escucharlo? —preguntó ella.

—Eso sería absurdo.

—No más absurdo que hablar con él —señaló la duquesa—. Creo que está vivo en tu corazón, aun cuando no pienses en él de forma consciente. Creo que siempre ocupará ese lugar. Y es una buena parte de ti.

Con se inclinó más hacia delante para ver lo que tenían justo debajo y después volvió a clavar la vista en el río.

—Esto no tiene sentido —comentó—. Nunca hablo de Jon. ¿Por qué lo hago contigo?

—¿Conocía la existencia de Ainsley Park? —quiso saber ella.

¿Qué le estaba pasando? Tampoco hablaba nunca de Ainsley Park. Soltó un profundo suspiro.

—Sí —respondió—. Fue idea suya… no lo de apostar en las mesas de juego, por supuesto, pero sí lo de comprar un hogar seguro para mujeres y niños que nadie más quería. Un lugar donde pudieran trabajar y formarse para buscar un trabajo permanente en el futuro. Estaba tan entusiasmado por la idea que había noches que ni dormía. Quería verlo con sus propios ojos. Pero murió antes de que hubiera algo tangible que ver. —En ese momento se dio cuenta de que la duquesa había movido la mano para colocarla encima de la suya... y de que se había quitado el guante.

—¿Fue una muerte dolorosa? —preguntó.

—Se durmió y no se despertó —contestó—. Fue la noche de su decimosexto cumpleaños. Habíamos jugado al escondite durante unas horas por la tarde y se había reído tanto que seguro que se le debilitó el corazón. Cuando fui a apagar su vela me dijo que me quería más que a nadie en el mundo. Me dijo que me quería mucho, mucho, muchísimo. Amén. Una tontería que siempre le hacía muchísima gracia. Y murió a las pocas horas.

—Sí, pero ese amor todavía perdura. Tu hermano te quería como el duque me quería a mí. El amor no muere con la persona. Pese al dolor que sufrimos los que seguimos viviendo.

¿Cómo demonios habían llegado a ese punto?, se preguntó Constantine. Menos mal que se encontraban en un lugar público, aunque de momento daba la sensación de que tenían las almenas para su uso exclusivo. Si hubieran estado en un lugar privado, era muy posible que la hubiera abrazado y se hubiera puesto a llorar en su hombro. Una idea alarmante, desde luego. Por no decir que humillante.

Volvió la cabeza para mirarla. Ella también lo estaba mirando, con los ojos abiertos de par en par y sin sonreír, sin rastro de sus habituales máscaras.

Y en ese instante se dio cuenta de que le gustaba.

No era una revelación trascendental... o no debería serlo. Pero lo era.

Cuando la duquesa de Dunbarton se convirtió en su amante, esperaba albergar todo tipo de sentimientos hacia ella. El hecho de que le gustase no era uno de ellos.

Le cubrió la mano con la suya.

—Estoy convencido de que la señorita Leavensworth y los parientes de su prometido se han quedado sin temas de conversación. Y también estoy convencido de que los niños están a punto de subirse por las paredes que protegen las joyas de la Corona. Será mejor que volvamos para rescatarlos... y para llevarla a tomar su primer helado en Gunter's.

—Sí —convino ella—. Sería horrible llegar y descubrir que ya han cerrado. Babs se quedaría desconsolada. Claro que nunca lo admitiría. Nos diría con una sonrisa que no le importa en absoluto, que la tarde ha sido maravillosa aunque no haya probado su primer helado. Es una mártir.

Con le ofreció el brazo después de que ella se pusiera el guante, se colocara un enorme anillo de diamantes (verdaderos o no) en el índice y recogiera su sombrilla.

Casi era medianoche cuando Hannah llegó a la casa de Constantine. Su intención no era la de llegar tarde, entre otras cosas porque había decidido que se habían acabado los juegos con él. Sin embargo, no se podía abandonar el palacio de Saint James antes de tiempo con la excusa de que se tenía una cita con el amante a las once. Mucho menos si se mantenía una conversación en privado con el rey durante diez minutos precisamente cuando el reloj marcaba esa hora.

Constantine no había cerrado con llave. Pero sí abrió la puerta en persona cuando su carruaje se detuvo delante de la casa. No había ni rastro de los criados. Probablemente los hubiera mandado a la cama. Hannah no ofreció explicación sobre su retraso… no pensaba llegar tan lejos. Se limitó a arrojarle los brazos al cuello y besarle, y él la llevó a la cama sin más dilación.

Poco más de una hora después estaban de nuevo en su gabinete. Constantine llevaba una camisa y unos pantalones, y ella, su batín. En la mesita auxiliar situada entre ellos descansaba una bandeja con té, pan, mantequilla y queso.

Podría acostumbrarse a eso, pensó ella… a ese agradable compañerismo después de la extenuación y el placer de hacer el amor.

Podría acostumbrarse a él.

El año siguiente él tendría otra amante, y tal vez ella también lo tuviera, aunque no estaba segura de querer repetir la experiencia. La idea surgió en su cabeza sin premeditación alguna. Habría otra mujer sentada en su lugar, tal vez vestida con ese mismo batín. Y él también estaría allí, mirando a esa mujer con una expresión adormilada, en una postura relajada y con el pelo alborotado.

Frunció el ceño… y en ese momento sonrió.

—El rey no se ha olvidado de Ainsley Park —comentó—, ni de ti.

—¡Por Dios! —exclamó él con una mueca—. No se te habrá ocurrido recordárselo, ¿verdad?

—Se estaba quejando del palacio de Saint James, al que dice aborrecer con todas sus fuerzas, y preguntándose si Buckingham House podría convertirse en una residencia real mucho más imponente. Le sugerí la Torre de Londres y le mencioné que la había visitado hoy mismo con mi mejor amiga y contigo como acompañantes.

—Prinny como amo y señor de la Torre de Londres —murmuró él—. La idea en sí misma provoca sudores fríos. Seguramente reabriría la Puerta del Traidor y haría que todos sus enemigos desfilaran por ella de camino a las mazmorras.

—Inglaterra se quedaría vacía —añadió ella—. No quedaría nadie para llevar las riendas del gobierno, salvo el propio rey. El Parlamento sería pasto de murciélagos y fantasmas. Y la Torre de Londres estaría llena a rebosar.

Los dos se echaron a reír al pensarlo y Hannah, que ya había dado buena cuenta de su pan con mantequilla, su queso y su té, cruzó los brazos introduciendo las manos en las mangas del batín. Ninguno de los sueños ni de los planes que había trazado durante el invierno incluía alegres bromas y carcajadas por un tema que se podría considerar como traición a la Corona.

Constantine estaba guapísimo cuando se reía, más aún con esa expresión soñolienta.

—¿Y cómo pasasteis de hablar de la Torre de Londres a hacerlo de Ainsley Park? —preguntó.

—Cuando mencioné tu nombre, el rey frunció el ceño y puso cara pensativa —contestó— y después pareció recordar quién eras. Una pena, me dijo, que no hubieras podido convertirte en conde de Merton, aunque afirmó tenerle muchísimo afecto al conde actual. Me dijo que tenía algo importante que recordar sobre ti. De hecho, estuvo haciendo memoria hasta que mencionó el nombre de Ainsley Park sin necesidad de que se lo dijeran. Estaba encantadísimo consigo mismo, como si acabara de encontrar una ciruela en el pudin de Navidad. Un hombre maravilloso, declaró… y se refería a ti, Constantine. Que sepas que tiene intención de ofrecerte su ayuda en tus proyectos benéficos y de honrarte en persona como considere más adecuado.

Constantine meneó la cabeza.

—¿Estaba borracho?

—No hasta el punto de ponerse en ridículo —contestó Hannah—. Pero sí bebió una cantidad alarmante delante de mis ojos. Y estoy segura de que bebió lo mismo, puede que más, mientras no lo miraba.

—En ese caso solo cabe esperar que se le olvide… de nuevo.

—Justo estaba acabando de decir la última frase cuando se le iluminó la mirada al ver a una mujer regordeta con un vestido pasado de moda y salió corriendo. Me olvidó por completo. Me abandonó. Era como si yo no existiera. Qué humillante, Constantine.

—El rey siempre ha tenido un gusto un poco excéntrico en cuestión de mujeres —replicó él—, por decirlo delicadamente. «Peculiares» sería un calificativo menos delicado. «Extraños» sería la verdad. ¿Todo el mundo obvió tu existencia?

—Claro que no —contestó—. Soy la duquesa de Dunbarton.

—Así me gusta, duquesa —dijo él, y esos ojos oscurísimos la miraron con una sonrisa.

Fue muy desconcertante y abrumador. Porque el resto de su cara no sonrió. Sin embargo, no tenía la sensación de que se estuviera burlando de ella. Tenía la sensación de que estaba bromeando… de que le agradaba estar con ella. ¿Le gustaba a Constantine?

¿Y él le gustaba a ella? ¿Gustarle, en el sentido contrario a desearlo?

—Si hubieras robado todas las joyas de la Corona esta tarde y se las hubieras dado a Babs, en vez de comprarle un helado en Gunter's —comentó—, no le habría hecho ni la mitad de ilusión.

—Estaba ilusionada, ¿verdad? —replicó Constantine—. ¿Has conocido a su vicario? ¿Se la merece?

—Entre otras virtudes menores —respondió Hannah—, tiene una sonrisa especial que reserva para ella. Una que le llega justo al corazón.

Se miraron por encima de la mesa.

—¿Crees en el amor? —preguntó—. Me refiero a esa clase de amor.

—Sí —contestó él—. En otro tiempo habría dicho que no. Es fácil ser un cínico, la vida nos ofrece demasiadas evidencias de que no se puede ser otra cosa y seguir siendo honesto. Pero tengo cuatro primos, primos segundos, que crecieron en el campo prácticamente en la pobreza, y que irrumpieron en la escena social después de la muerte de Jon. Unos palurdos, ni más ni menos, que esperaba que fueran maleducados, ridículos y vulgares. Los odié incluso antes de verlos, sobre todo al flamante Merton. Al final resultó que no eran nada de eso, y uno a uno contrajeron matrimonios que deberían haber sido un desastre. Sin embargo, todas las pruebas apuntan a que mis primos han convertido sus respectivos matrimonios en uniones por amor. Todos ellos. Es innegable y extraordinario.

—¿Incluso la prima que se casó con el duque de Moreland? —preguntó.

—Sí —respondió él—, incluso Vanessa. Y sí, creo en el amor.

—¿Pero no para ti?

Constantine se encogió de hombros.

—¿Hay que trabajar para encontrarlo y consolidarlo? —preguntó a su vez—. Las experiencias de mis primos parecen sugerir que así es. No estoy seguro de estar preparado para hacer el esfuerzo necesario. ¿Cómo saber que no será en vano? Si el amor llega a mis brazos completamente formado, me alegraré muchísimo. Pero no me lamentaré si no aparece. Estoy contento con mi vida tal cual es.

No obstante, Hannah tuvo la impresión de que Constantine parecía melancólico mientras hablaba. Tenía, pensó con cierta tristeza, muchísimo amor en su interior que ofrecer a la mujer adecuada. Un amor que movería montañas o universos.

—¿Y tú, duquesa? Quisiste a un hombre cuando eras muy joven y sufriste mucho por ello. Quisiste a Dunbarton, aunque no creo que se tratara de un amor romántico. ¿Crees en la clase de amor que la señorita Leavensworth ha encontrado?

—Creo que a los diecinueve años estaba enamorada del amor —respondió—. Sin embargo, no me dieron la oportunidad de descubrir cuán profundo, o superficial, habría sido dicho amor. Todas las cosas suceden por un motivo, o eso me enseñó el duque. Y yo estoy de acuerdo. Tal vez descubrir a Colin y a Dawn juntos fuera lo mejor que me pudo pasar.

Qué raro, pensó. Jamás había considerado esa idea antes. ¿Qué habría pasado si no hubiera descubierto la verdad hasta que fuera demasiado tarde? ¿Cómo habría sido su vida? ¿Y qué habría pasado si Colin no hubiera querido a Dawn? ¿Seguiría queriéndolo a esas alturas? ¿Estaría contenta a su lado? Era imposible saberlo. Sin embargo, se percató de que ya no sentía el dolor de su pérdida. Posiblemente lo hubiera superado hacía mucho tiempo. Lo único que sentía era el dolor de la traición y del rechazo. Ese aún perduraba.

—Pero aunque no contara con el ejemplo de Barbara, sabría que el verdadero amor existe —aseguró—. Me refiero a ese amor único, a esa comunión de almas, que poquísimas personas encuentran y que a la mayoría se le suele negar. El duque lo conocía de primera mano y me contó su experiencia.

—¿Dunbarton te restregó una antigua amante? —preguntó él—. Suponiendo que fuera antigua, claro.

—Llevaba un año de luto cuando lo conocí y me casé con él —contestó—. Lo peor ya debería haber pasado y tal vez fuera así. Pero nunca dejó de llorar su pérdida. Ni un solo instante. Fue un amor que sobrevivió más de cincuenta años, un amor que definió toda su vida. Le permitió quererme a mí.

Constantine cruzó los brazos y la miró fijamente durante un buen rato.

—Y pese a todo no se casó con ella —señaló—. Y la mantuvo tan en secreto que no hubo ni un solo rumor sobre su existencia entre la alta sociedad.

—Su amante era su secretario personal —dijo Hannah—, y lo

fue durante toda su vida de adulto. Por eso pudieron estar juntos y vivir bajo el mismo techo sin despertar sospechas. Aunque debieron de ser muy discretos. Ni siquiera los criados estaban al tanto de la verdad, o eran tan leales al duque que nunca hablaron fuera de casa de lo que sabían. Siguen siéndolo.

—¿Dunbarton te habló de eso?

—Sí, antes de casarnos. Mientras me explicaba que no tenía motivos ocultos para casarse conmigo salvo alejarme de allí y enseñarme a ser una duquesa y a ser una belleza orgullosa e independiente en el poco tiempo que le quedaba de vida. Me dijo que había sido incapaz de apartar los ojos de mí durante la boda, no porque despertara su lujuria, sino porque tenía un aspecto tan angelical que no alcanzaba a asimilar que fuese humana. Según sus propias palabras, un grupo de palurdos no tenía derecho a romperle el corazón a un ángel… Su historia me escandalizó profundamente. Ni siquiera sabía que podía existir algo como lo que él describía. Pero creí en su bondad. Tal vez fue una tontería… Sin duda alguna, yo era una tonta. Pero en ocasiones es bueno ser tonto. Durante los años que estuvimos juntos me habló libremente del amor de su vida. Creo que para él era un consuelo poder hacerlo después de tantos años de secretos y silencio. Y me prometió que algún día encontraría ese tipo de amor, aunque no con alguien de mi mismo sexo.

—¿Y tú lo creíste?

—Creí en la posibilidad de que eso sucediera, aunque fuera poco probable. Constantine, mi mundo es artificial. Incluida yo. Sobre todo yo. Me enseñó a ser una duquesa, a ser una fortaleza inexpugnable, a ser la guardiana de mi propio corazón. Sin embargo, admitió que no podía enseñarme ni cómo ni cuándo permitir que alguien se colara en la fortaleza ni en qué momento liberar mi corazón. Dijo que sucedería sin más. De hecho, me prometió que sucedería sin más. Pero ¿cómo va a encontrarme el amor en el supuesto de que me esté buscando? —Sonrió. ¡Qué conversación más rara para mantener con su amante! Se puso en pie y rodeó la mesa—. Pero mientras tanto no pienso esperar sentada algo que tal vez nunca suceda. Tenerte como amante es algo que deseaba que sucediera... No, algo que decidí que sucedería en cuanto finalizara el año de luto. Y lo que me ofreces es más que suficiente para esta primavera.

—¿Ya habías decidido antes de regresar a Londres que yo sería el elegido? —le preguntó Constantine, enarcando las cejas.

—Pues sí —contestó—. ¿No te sientes halagado? —Se desató el cinturón del batín, se abrió la prenda y se colocó a horcajadas sobre él en el enorme sillón mientras se inclinaba para besarle en los labios.

—Así que Dunbarton te enseñó a conseguir todo lo que quieres, ¿no? —preguntó él al tiempo que le deslizaba el batín por los hombros y los brazos, tras lo cual lo arrojó al suelo.

—Sí. Y te he conseguido a ti. —Lo miró a los ojos y esbozó una sonrisa deslumbrante.

—Como una marioneta —apostilló él.

—No. —Meneó la cabeza—. La condición era que tú también lo desearas. Y lo deseas. Dímelo.

—¿No puedo demostrártelo sin más? —preguntó, y el brillo risueño volvió a aparecer en esos ojos oscuros.

—Dímelo —ordenó.

—¿Vulnerable, duquesa? —Formuló la pregunta susurrando junto a sus labios, un gesto que le provocó a Hannah un escalofrío—. Lo deseo. Muchísimo. Te deseo. Muchísimo.

Y procedió a desabrocharse los pantalones, a cogerla de las caderas para levantarla un poco y a hundirse en ella de una sola embestida.

Hannah siempre había creído que los encuentros en su cama le provocaban un placer casi insoportable. En esa ocasión el «casi» no hizo acto de presencia. De rodillas en el sillón, a horcajadas sobre él, le hizo el amor con tanto desenfreno y pasión como él le demostraba. Lo sintió en lo más profundo de su ser, escuchó el sonido de sus cuerpos al unirse, contempló los rasgos afilados de esa cara tan morena mientras él apoyaba la cabeza en el respaldo del sillón, con los ojos cerrados y el pelo revuelto.

Sin embargo, cuando el dolor llegó a un punto casi crítico durante el cual Constantine debería haberla sujetado con fuerza para ponerle fin con su clímax, no terminó, sino que se intensificó hasta volverse insoportable… y convertirse en una gloria tan absoluta que no habría palabras para describirla aunque las hubiera buscado.

Se limitó a gritar.

Y después, temblorosa y estremecida, se desplomó sobre él, apoyó la cabeza en su hombro y sintió una irresistible necesidad de dormir.

Constantine la abrazó con fuerza mientras recuperaba el aliento y después salió de ella y la cogió en brazos, cubriéndola al mismo tiempo con el batín, para llevarla hasta su dormitorio.

La besó antes de dejarla en la cama.

—Dime que ha sido tan bueno para ti como creo que lo ha sido —dijo.

—¿Necesitas halagos? —preguntó con voz soñolienta—. Ha sido bueno. ¡Constantine, ha sido estupendo!

Lo escuchó reír entre dientes.

Se acurrucó en la cama y ya estaba casi dormida cuando él se acostó a su lado y la arropó.

Joyas, pensó Hannah antes de atravesar la barrera del sueño.

Las joyas de la Corona que le había dicho en broma que robara para Barbara.

Sus propias joyas, vendidas para financiar lo que deseaba de todo corazón.

Las joyas medio robadas y convertidas en dinero contante y sonante que Constantine apostó para ganar Ainsley Park.

¿De quién eran las joyas? ¿De Jonathan?

¿Para qué las había vendido? ¿Para financiar la idea de Jonathan de crear un hogar para madres solteras con sus hijos?

¿Habrían perseguido Jonathan y Constantine el mismo objetivo que ella? ¿No solo con la venta de una joya, sino con más?

¿Tanto se parecían Constantine y ella?

Todo sucedía por un motivo, le había dicho el duque, y ella había llegado a creerlo.

No existían las coincidencias, le había repetido muchas veces. Pero ella no había terminado de creérselo.

El amor la encontraría el día menos pensado, cuando no estuviera pendiente, le había asegurado.

No lo esperaba. Tenía miedo de esperarlo.

Sin embargo, su mente era incapaz de lidiar con lo que a primera vista parecían tantas coincidencias seguidas.

Se durmió justo cuando Constantine la abrazó y la pegó a su cuerpo.

13

$\mathscr{H}$annah era muy consciente de que la alta sociedad había llegado hacía mucho a la conclusión de que el nuevo amante de la duquesa de Dunbarton era el señor Constantine Huxtable. Habría llegado a dicha conclusión aunque no fuese cierta, tal como lo había hecho con muchos otros hombres que lo habían precedido, casi todos amigos suyos o del duque. También era consciente de que se esperaba que se hartara de él al cabo de una semana o dos a lo sumo y que lo sustituyera por otro.

Su reputación no le importaba. De hecho, se había esforzado para fomentarla a lo largo de los años de su matrimonio. Formaba parte del capullo en cuyo interior se ocultaba y nutría su verdadero ser.

En realidad, no creía que la alta sociedad le fuera por completo hostil, ni siquiera las damas. La invitaban a todas partes, y sus invitaciones eran aceptadas casi en su totalidad. En las fiestas a las que asistía la acogían en cualquier grupo que estuviera conversando y a cuya charla quisiera sumarse.

De modo que fue una sorpresa recibir el rechazo a su invitación a la breve fiesta campestre que iba a celebrar en Copeland Manor, en primer lugar de los condes de Merton, en segundo de los barones Montford y en tercero de los condes de Sheringford. Los únicos miembros de esa familia de los que no recibió una negativa fueron los duques de Moreland, y tal vez se debiera al hecho de que no habían sido invitados.

«Las coincidencias no existen», solía decir el duque.

Tendría que ser imbécil para achacar esos rechazos a una coincidencia.

Constantine había confesado sentir cariño por sus primos segundos. Ellos parecían corresponder sus sentimientos. Por eso los había invitado, aunque pensándolo mejor, tal vez no hubiera sido una buena idea aun cuando hubieran aceptado. Sobre todo si hubieran aceptado. Al fin y al cabo, Constantine no la estaba cortejando. Eran amantes.

Debía de ser precisamente ese hecho el motivo del rechazo generalizado. Casi se los imaginaba hablando en privado, con las cabezas muy juntas, decidiendo que la invitación adolecía de un terrible mal gusto. O que era ella la que adolecía de dicho mal gusto. Quizá temían que corrompiera a Constantine. O que le hiciera daño. O que lo convirtiera en un hazmerreír.

Posiblemente se debiera a la última opción.

Sin embargo, la habían enseñado, y lo había aprendido muy bien, a no darle importancia a lo que los demás pudieran opinar de ella. Salvo en el caso del duque, claro. Quizá la había mirado con expresión reprobatoria dos o tres veces durante los diez años de su matrimonio, aunque nunca le había levantado la voz, y en cada una de dichas ocasiones Hannah había sentido que el mundo se desmoronaba a su alrededor. Y salvo en el caso de la servidumbre de Dunbarton House y de sus otras propiedades campestres, los criados siempre sabían cómo eran de verdad sus señores, quiénes eran, y para ella era importante ganarse su aprecio. Creía haberlo conseguido.

Y en ese momento descubría, con gran irritación, que no le gustaba ser rechazada por tres familias que le habían importado un comino hasta que su primo segundo se convirtió en su amante.

El porqué no le gustaba era un misterio, más allá de la incomodidad de tener que invitar a otras personas en su lugar.

—La tercera negativa —dijo mientras sostenía en alto la nota de la condesa de Sheringford durante el desayuno—. Y ahora ninguno de ellos vendrá a Copeland Manor, Babs. Me hace sentir un poco como si fuera una leprosa. ¿Crees que se debe a mi costumbre de vestir siempre de blanco? ¿Me da un aspecto enfermizo?

Barbara levantó la vista con expresión distraída de la carta que estaba leyendo. Una carta muy larga. Debía de ser del reverendo Newcombe.

—¿No va a ir nadie? —preguntó—. Pero, Hannah, creía que ya habías recibido algunas respuestas aceptando la invitación.

—Ninguna de la familia de Constantine —precisó—. De la rama paterna de la familia, me refiero. Parecen ser los más allegados a él. Pero todos han rechazado la invitación.

—Es una lástima —comentó Barbara—. ¿Invitarás a otras personas en su lugar? Todavía hay tiempo, ¿no?

—¿Creerán de mal gusto ir a Copeland Manor porque Constantine y yo somos amantes? —se preguntó Hannah mientras observaba ceñuda el ofensivo trozo de papel que tenía en la mano—. Siempre ha habido habladurías sobre mis amantes, aunque no fueran ciertas, pero jamás me han dado la espalda. Ni siquiera mientras estaba casada.

Barbara soltó la carta, resignada ya a la interrupción.

—¿Estás alterada? —preguntó.

—Yo nunca me altero por nada —respondió Hannah, que soltó la carta y le regaló a su amiga una sonrisa alicaída—. Bueno, un poco sí. Tenía muchas ganas de que fueran todos.

—¿Por qué? —quiso saber Barbara—. ¿Por qué si vas a llevar a tu amante a tu fiesta campestre quieres que asista también su familia?

Era una buena pregunta y ella misma se la había hecho hacía escasos minutos.

—¿No te parece que es un poco como invitar a la familia a la luna de miel? —preguntó ella a su vez.

Ambas se echaron a reír.

—Pero nos comportaríamos con suma discreción, por supuesto —afirmó—. ¡Por Dios! ¿Cómo no íbamos a hacerlo? Tú estarás allí y otros muchos invitados igualmente respetables.

—En ese caso, los primos de Constantine se perderán unos agradables días en el campo —sentenció Barbara al tiempo que colocaba una mano sobre la carta—. Ellos se lo pierden.

—Pero deseo que asistan —replicó Hannah, consciente en el último momento de lo petulante que había sonado. De nuevo había usado esa palabra contra la que el duque le había advertido. «Desear» algo aunque no se pudiera obtener.

«En fin, no siempre puedes conseguir lo que deseas», esperaba que le dijese Barbara antes de seguir leyendo la carta de amor de su vicario. Sin embargo, su amiga dijo otra cosa.

—Hannah, no te estás comportando como el modelo que quieres imitar: la aristócrata cínica que disfruta de un nuevo amante. Te estás comportando como una mujer enamorada.

—¿¡Cómo!? —exclamó casi a voz en grito.

—¿No te parece un tanto peculiar que estés preocupada por causarle una buena impresión a la familia de tu amante? —preguntó Barbara, que de repente parecía la hija de un vicario de la cabeza a los pies.

—No me preocupa… —comenzó a protestar, pero se detuvo—. No estoy enamorada, Babs. ¡Menuda tontería! ¿Crees que porque tú lo estés yo también debo estarlo?

—Acabas de decir que siempre ha habido habladurías sobre tus amantes, aunque fueran falsas. ¿Alguna vez fue cierto, Hannah? Jamás lo habría creído de ti. La Hannah que yo conocía nunca habría deshonrado sus votos matrimoniales aunque las circunstancias de su matrimonio fueran… inusuales.

Suspiró al escucharla.

—No, por supuesto que jamás hubo un ápice de verdad en los rumores —aseguró.

—En ese caso, el señor Huxtable es tu primer amante —siguió Barbara. Era una afirmación, no una pregunta—. No creo que la Hannah que yo conocía, o la Hannah que ahora conozco, pueda asumir ese hecho a la ligera. Además, os he visto juntos en la Torre de Londres y en la heladería. Le tienes cariño.

—Bueno, por supuesto que le tengo cariño —reconoció con una nota enfurruñada en la voz. ¿Desde cuándo se permitía mostrarse enfurruñada?, se preguntó—. No podría despreciar, desdeñar, ni mostrarme distante con mi amante, fuera quien fuese, ¿no te parece?

Pero ¿por qué no mostrar un poco de distanciamiento al menos? Era lo que pensaba hacer en un principio.

—No conozco casi a ningún aristócrata y conozco muy poco al señor Huxtable —dijo Barbara—, pero descubrí que me gustaba mucho más de lo que esperaba cuando nos acompañó a la Torre de Londres. Me dio la impresión de que él también te tiene cariño, Hannah. Aunque no sé. Me asusta todo esto. Me asusta que acabes herida. Con el corazón roto.

—Babs, nunca acabo herida —aseguró—. Y nunca, jamás de los jamases, acabo con el corazón roto.

—No me gustaría nada que sucediera ninguna de esas dos cosas —replicó Barbara—. Pero me gusta mucho menos que sean un imposible. Porque eso significaría que no has entendido en absoluto el motivo por el que el duque de Dunbarton se casó contigo y te quiso tanto.

Hannah clavó los ojos en su amiga. De repente, estaba helada. Y tenía miedo de mover aunque fuera un solo músculo.

—¿El motivo? —preguntó en voz queda.

—Sí, ayudarte a que te recompusieras —contestó Barbara—. Y prepararte para el amor, para el amor verdadero, cuando apareciera. Hannah, el duque no solo vio tu belleza. Dijo que eras un ángel, ¿no? Percibió tu bondad innata, y la alegría que quedó destrozada el día que descubriste la verdad sobre Dawn y Colin. Sigues sin ver lo especial que eres, ¿verdad? El duque sí lo vio.

La figura de Barbara se volvió borrosa de repente, momento en el que comprendió que tenía los ojos cuajados de lágrimas. Se puso en pie con tanta brusquedad que estuvo a punto de volcar la silla en su afán por retirarla.

—Voy a salir —dijo—. Iré a casa de la condesa de Sheringford. Preferiría ir sola. No te importa, ¿verdad?

—Ayer solo tuve tiempo para escribirles unas cuantas líneas a papá, a mamá y a Simon —comentó su amiga—. Esta mañana tengo que escribir cartas más largas. Empiezo a sentirme como una egoísta y una descastada.

Hannah se apresuró a salir de la estancia.

¿Ir a la casa de la condesa de Sheringford? ¿Para qué?

Tobias Pennethorne, Toby, el hijo de ocho años de Sheringford y de Margaret por adopción, había desarrollado un interés insaciable por la geografía del mundo, y Con había descubierto el regalo perfecto en el escaparate de una tienda en Oxford Street, aunque su cumpleaños quedara bastante lejos. Daba igual. De todas formas compró el enorme globo terráqueo.

Y puesto que no podía demostrar el menor favoritismo hacia un niño habiendo tres, a la pequeña Sarah, que tenía tres años, le compró una colorida peonza, y añadió un estruendoso sonajero de madera para el benjamín, Alexander, que tenía un año.

Llevó sus regalos a la residencia del marqués de Claverbrook, situada en Grosvenor Square, donde Margaret y Sheringford se alojaban durante sus estancias en la capital. Sherry era el nieto del marqués y su heredero. Allí pasó una hora muy agradable en la habitación infantil, con Margaret y los niños, ya que Sherry no estaba en casa. Comenzó a albergar dudas acerca de la idoneidad del sonajero cuando Sarah se apropió de él y decidió que el juego de esa mañana consistiría en perforar los tímpanos de todos los presentes incluidos los propios. El bebé, por su parte, parecía fascinado por la peonza, aunque detenía su agradable movimiento y zumbido cada vez que alguien la hacía girar en su afán por cogerla. Cada vez que la peonza se detenía, se echaba a llorar.

Toby localizó todos los continentes, los países, los ríos, los océanos y las ciudades del mundo conocido, por no mencionar los polos, las cordilleras, los paralelos y los meridianos, e insistió en que tanto su madre como el tío Con se acercaran para observar cada uno de sus descubrimientos. El globo comenzaba a asemejarse a un instrumento de tortura.

En comparación, los tés que se celebraban en el invernadero de Ainsley Park eran la mar de tranquilos, pensó con sorna. Y dadas las circunstancias, se le antojó como una asombrosa revelación que le gustaran los niños.

Claro que ¿acaso no había jugado horas y horas al escondite con Jon, ese niño eterno?

Unos golpecitos en la puerta, que oyeron de forma milagrosa, precedieron la llegada de un criado que les anunció que Su Excelencia la duquesa de Dunbarton solicitaba ver a lady Sheringford y que Su Señoría el marqués la había invitado a pasar al salón.

«¿La duquesa? ¿En Claverbrook House?», se preguntó Con.

—¡Ay, Dios! —exclamó Margaret—. El abuelo jamás recibe a nadie. Esto es irritante.

—¿Irritante? —Enarcó las cejas y vio que Margaret se ruborizaba y que no era capaz de afrontar su mirada.

—Nos ha invitado a pasar cuatro días en su casa de Kent —explicó ella—. Y hemos rehusado su invitación, con una disculpa.

—¿Por qué? —quiso saber Constantine mientras el sonido del sonajero se alzaba en un crescendo acompañado por la expresión inocente de Sarah, por un alarido de protesta por parte de Alex que había vuelto a detener la peonza y por una emocionada invitación de Toby para que se acercaran a ver Madagascar.

—No queremos dejar a los niños durante tanto tiempo —adujo Margaret mientras hacía girar de nuevo la peonza y Sarah se acercaba a ver Madagascar armada con el sonajero.

¿La duquesa había reaccionado a esa negativa presentándose en persona en Claverbrook House? Ciertamente no toleraba bien el rechazo. Aunque no era algo que experimentara a menudo. ¿Lograría ganarse a Margaret? ¿Era ese el motivo de su visita?

Sarah estaba haciendo girar el globo terráqueo bajo la atenta mirada de Toby y el bebé había encontrado otro juguete potencial hacia el que caminaba sorteando muebles, ya olvidado el berrinche... y la peonza.

—Constantine —dijo Margaret, que por fin lo miró a los ojos—, no podemos vivir tu vida por ti, ni siquiera deseamos hacerlo. Pero podemos negarnos a aceptar tu relación con una mujer que es una despiadada... depredadora.

Con se llevó las manos a la espalda y entrelazó los dedos.

—Son unas palabras muy duras —dijo.

—Sí —reconoció ella—. Lo son.

—Recuerdo una época en la que se decían cosas así de duras

sobre Sherry —replicó—. Pero eso no impidió que te relacionaras con él, que te comprometieras con él y que acabaras siendo su esposa.

—Eso fue diferente —protestó Margaret—. No era culpable de ninguna de las acusaciones que se habían vertido en su contra.

—Tal vez la duquesa de Dunbarton tampoco lo sea —señaló Con—. Culpable de las acusaciones que se han vertido en su contra, me refiero.

—¡No me vengas con esas! —exclamó ella.

Con se percató de que estaba a punto de perder los estribos. Apartó la mirada de Margaret. El bebé había cogido uno de los libros de Toby y estaba dispuesto a comérselo. Así que atravesó la estancia a toda prisa, rescató el libro y evitó la inminente rabieta colocándose a Alex sobre los hombros.

—Debes de estar prendado de ella si piensas así —comentó Margaret—. Y veo que tenemos motivos para preocuparnos.

—Tenemos —repitió, recalcando el uso del plural—. ¿Los demás también han recibido invitaciones?

—Nessie y Elliott no —contestó Margaret—. Pero los demás sí.

—A ver si lo adivino, ¿también han rechazado sus respectivas invitaciones?

Margaret tuvo el buen tino de volver a apartar la vista.

—Sí —contestó.

Alex estaba tirándole del pelo mientras gritaba de alegría.

—Vamos a dejar un par de cosas claras —dijo mientras se zafaba de las manos del bebé y lo dejaba junto a una caja que contenía bloques de madera—: Monty era el mayor sinvergüenza de Inglaterra. Lo afirmo porque lo sé de primera mano. Katherine se casó con él. Ya hemos comentado el caso de Sherry. Te casaste con él. A Cassandra la acusaban de haber asesinado a su primer marido… con un hacha, aunque en realidad Paget murió por un disparo, no con la cabeza cortada. Stephen se casó con ella. ¿Y ahora crees a pies juntillas todo lo que se ha dicho de la duquesa de Dunbarton aunque no tengas ni una sola prueba que lo demuestre?

—¿Cómo sabes que no tenemos pruebas? —preguntó Margaret a su vez.

—Porque no hay prueba alguna —respondió—. Quería al duque de Dunbarton aunque no fuera un amor romántico. Fue fiel a sus votos matrimoniales hasta el día de la muerte de su marido, y siguió siéndole fiel durante el año de luto. Lo sé, Margaret, porque yo sí tengo la prueba. —La furia lo había hecho hablar de forma irreflexiva.

Margaret se mordió el labio superior.

—¡Ay, Constantine! —exclamó—. Te has encariñado de ella. Precisamente es eso lo que nos temíamos. Pero... ¿estás seguro de que no has caído en sus redes?

Con no contestó ni tampoco apartó la mirada de su prima.

—Tienes la prueba. —Margaret cerró los ojos y cuando los abrió había recuperado la compostura. Volvía a estar serena y al cargo de la situación. La hermana mayor que había criado prácticamente sola a sus hermanos y que había hecho un magnífico trabajo con todos ellos antes de buscar su felicidad—. Será mejor que baje a verla —dijo—. ¡Ay, Dios mío! El abuelo se la habrá comido a estas alturas. Es el tipo de mujer superficial que lo saca de quicio. ¿Eso también es una ilusión? ¿Su frivolidad?

—Prefiero dejar que seas tú quien haga ciertos descubrimientos —respondió él.

Margaret tiró del cordón de la campanilla del servicio y la niñera apareció de inmediato. Toby le pidió que se acercara para ver la India, Sarah levantó el sonajero y lo agitó con una floritura y Alex comenzó a golpear dos bloques de madera entre sí mientras se reía.

Con salió de la habitación infantil con Margaret. Estuvo a punto de marcharse, pero no pudo resistir la tentación de ver a Hannah enfrentándose a uno de los aristócratas más hoscos y gruñones de toda Inglaterra. Además de un ermitaño.

Esperaba que no se la hubiera comido viva. Aunque apostaba por ella.

¿Qué hacía exactamente en ese lugar?, se preguntó Hannah una vez que el criado la invitó a pasar a Claverbrook House y vio cómo un anciano mayordomo apartaba a su subordinado prácticamente de un codazo en el abdomen al escuchar su nombre. La saludó con una reverencia... que suscitó un crujido. Una tontería llevar corsé a esa edad, que estaría comprendida entre los setenta y los cien.

¿Para qué había ido? ¿Para rebajarse? ¿Para exigir una explicación? ¿Para tratar de convencer a lady Sheringford de que cambiara de opinión?

No la hicieron esperar mucho. El criado que había evitado por los pelos el codazo en el abdomen subió para comprobar si lady Sheringford se encontraba en casa, y realizó su cometido con gran agilidad. Apareció al cabo de unos instantes para informar al mayordomo en voz baja de que Su Excelencia debía esperar en el salón.

Hannah siguió al mayordomo a una velocidad que se asemejaría a la de una tortuga reumática.

Le alegró haberse puesto la armadura completa compuesta por un vestido de muselina blanca, una chaquetilla blanca y un bonete también blanco. Incluso llevaba algunos de sus diamantes auténticos en las orejas y en los dedos. Todo formaba parte de la fachada tras la que se ocultaba. Aunque si su objetivo era el de impresionar a la condesa, tal vez debería haber elegido un atuendo más sencillo e incluso más colorido.

Ya era tarde para albergar semejantes pensamientos.

El salón solo tenía un ocupante, según comprobó cuando la invitaron a pasar después de que el mayordomo la anunciara con su voz solemne y pomposa como si se dirigiera a una numerosa audiencia. El ocupante en cuestión no era la condesa de Sheringford.

—Sí, sí, Forbes —dijo con impaciencia el anciano caballero que ocupaba un sillón cercano a la chimenea—, ya sé quién es. Me lo ha dicho Bindle. ¿Dónde está?

Hannah había hecho acopio de su afamada dignidad y se había envuelto con ella a fin de estar preparada para su encuentro con la condesa. Sin embargo, la abandonó en cuanto escuchó la voz, ya que se apresuró a atravesar la estancia para plantarse delante del sillón del marqués de Claverbrook. Una vez allí, extendió ambas manos enguantadas y esbozó una sonrisa cariñosa.

—Aquí estoy —dijo—. Y aquí está usted. Deben de haber pasado años.

El marqués había sido uno de los amigos del duque. Hannah lo había visto en unas cuantas ocasiones antes de que el anciano se recluyera en su casa después del enorme escándalo protagonizado por su nieto. Desde entonces el marqués se convirtió en un recluso que ni salía ni recibía visitas. Siempre había sido un hombre hosco e impaciente, pero nunca con ella. Porque cada vez que la miraba y conversaba con ella, lo hacía con un brillo alegre en los ojos. Hannah siempre había creído que la apreciaba. De la misma forma que ella lo apreciaba a él.

El marqués apartó las manos del mango de plata de su bastón y aceptó las suyas. Hannah se percató de que tenía los dedos rígidos y doblados. Le dio un afectuoso apretón con mucho cuidado para no hacerle daño. Evitó incluso rozarlo con los anillos.

—Hannah —dijo él—, aquí estás, sí. Más bonita incluso que cuando eras una niña y el viejo Dunbarton te encontró en algún lugar perdido de la mano de Dios y se casó contigo. Ese viejo granuja. Ninguna otra mujer había logrado interesarlo en su vida hasta que tú apareciste cuando ya apenas podía andar.

—Algunas cosas son obra del destino —replicó ella.

El marqués refunfuñó mientras le daba un apretón a sus manos.

—Supongo que te casaste con él por su dinero. Que por cierto tenía a espuertas.

—Y también porque era un duque y así yo me convertía en duquesa —añadió ella—. Que no se le olvide.

—En ese caso supongo que yo no habría tenido la menor oportunidad aunque te hubiera visto antes —comentó el anciano—. Solo soy un marqués.

—Y seguro que no tan rico como el duque —apostilló con una sonrisa.

El marqués tenía poco pelo y lo poco que le quedaba era blanco. Al contrario que sus cejas, que aunque blancas eran muy pobladas. Tenía el ceño permanentemente fruncido, unos ojos que parecían prestos a fulminar a cualquiera y la nariz aguileña. Su aspecto era el típico de un anciano cascarrabias.

—Lo quise mucho —reconoció—. Y todavía lloro por él. Si hubiera podido conocer a mis abuelos, me habría gustado que fueran como mi duque. Pero como no tenía ninguno y tuve la inmensa suerte de conocer a mi duque, me casé con él.

El marqués refunfuñó algo de nuevo.

—Y seguro que lo hiciste bailar al son que tocabas durante sus últimos años, ¿verdad, Hannah?

—¡Ya lo creo! —reconoció—. Aunque se negó a seguir bailando después de cumplir los setenta y ocho, una decisión muy poco alegre por su parte. Sin embargo, todos los días encontrábamos algo de lo que reírnos. La risa es la mejor medicina, ¿sabe?

—¡Hum! —refunfuñó otra vez el anciano—. De todas formas murió al final.

—Según me han dicho, su medicina ha llegado de manos de su nieta política —comentó—. Me han dicho que no le consiente ninguna tontería y que se ha convertido en su persona preferida. Además, sé de buena tinta que adora a sus biznietos y me han dicho que se alojan aquí durante la temporada social. ¡Menudo ermitaño está hecho! Yo diría que eso es hacer trampas.

—Hannah, recuerdo que eras una cosita tímida cuando Dunbarton se casó contigo —repuso el marqués—. ¿Desde cuánto eres tan fresca?

—Desde que me casé con él —respondió—. Me enseñó que las personas como usted son solo gatitos fingiendo ser leones.

El comentario le arrancó una carcajada al marqués y Hannah lo miró con expresión picarona.

—Dunbarton era un tipo estupendo en su juventud —afirmó el anciano—. ¿Te habló de aquella época alguna vez? Él sí que no era un gatito, Hannah. Walsh, que hace mucho que nos dejó, le cruzó la cara con un guante una mañana en medio de la sala de lectura de White's y lo retó a duelo por haberlo hecho un cornudo con su esposa. Se encontraron en algún páramo yermo, no recuerdo el sitio con exactitud. Las cosas de la vejez… Pero recuerdo que estuve allí. A Walsh le temblaba la mano como si fuera una hoja en mitad de un vendaval, y erró el tiro por lo menos en un kilómetro. Dunbarton lo apuntó con mano firme y se tomó su tiempo, pero en el último instante dobló el brazo y disparó al aire. Habría sido una completa decepción de no ser por la elegancia del momento. El pobre Walsh se mantuvo dos o tres años oculto en el campo con el rabo entre las piernas. Le habría gustado más que Dunbarton le atravesara un hombro con una bala o que le volara la parte superior de una oreja. Y podría haberlo hecho, bien lo sabe Dios. Tenía una puntería endemoniada.

—Era demasiado compasivo como para dispararle al pobre hombre —señaló ella.

—¿¡Compasivo!? —El marqués estaba muy animado a esas alturas de la conversación—. Se decantó por la solución más cruel de todas, Hannah. Demostró el desprecio que sentía por Walsh. Lo humilló. Incluso sugirió que el cirujano lo tumbara sobre la hierba y le administrara algunas sales para reanimarlo. Fue un magnífico espectáculo. Además, todos sabíamos que quien disfrutaba de los favores de lady Walsh era Jackman, no Dunbarton. Seguro que el propio Walsh lo sabía, pero Jackman era un hombre bajito y delgaducho, y retarlo a duelo cruzándole la cara con un guante lo habría convertido en un hazmerreír. Así que esperó hasta que Dunbarton bailó una noche con su esposa y a la mañana siguiente hizo el numerito en White's. Supongo que tendría ganas de morir. O que tenía una piedra por cerebro. Posiblemente se debiera a lo último.

Hannah siguió mirándolo con una sonrisa.

—¡Ah, qué tiempos aquellos! —exclamó el marqués con un suspiro—. Dunbarton era un hombre de los pies a la cabeza. El mismísimo demonio. Todas las jovencitas le querían, y no porque fuera un duque y poseyera una fortuna descomunal, te lo aseguro. Pero él no quería saber nada de ninguna. Deberías haberlo conocido en aquel entonces.

—Me parece que mis padres ni siquiera se conocían… —replicó ella.

Y el marqués estalló de nuevo en carcajadas.

—Pero al final lo pescaste —dijo—. Lo domesticaste, Hannah. Estaba prendadito de ti.

—Sí —reconoció ella—, es cierto. ¿A partir de los ochenta se olvidan los buenos modales además del emplazamiento de los antiguos duelos? ¿No se me va a invitar a sentarme ni a tomar una taza de té?

El marqués volvió a darle un apretón en las manos.

—Puedes sentarte donde quieras —contestó—, pero si quieres té, es mejor que antes tires del cordón de la campanilla. Como tengas que esperar a que yo llegue hasta allí, en vez del té te traerán el almuerzo.

—Ya he ordenado que traigan el té, abuelo —dijo una voz desde la puerta. Lady Sheringford entró en el salón.

Constantine estaba en el vano de la puerta. Hannah ignoraba el tiempo que llevaban allí. Se sentó en un sofá.

—Siento mucho haberla hecho esperar, excelencia —se disculpó lady Sheringford, dirigiéndose a ella—. Estaba ocupada con los niños en la habitación infantil.

—Precisamente los niños son el motivo de mi visita —aseguró Hannah—. Tengo la impresión de que no fui lo bastante específica al redactar la invitación que le envié hace unos días. Sus hijos están incluidos. Al igual que los del resto de los invitados. Nada más lejos de mi intención que separar a unos padres de sus hijos, aunque solo sea durante cuatro días. Copeland Manor tiene una extensa galería en una de las plantas superiores que estoy segura que fue diseñada para el uso de los niños durante los días lluviosos. Además están los prados, los bosques y el lago, un paraíso para los niños si no llueve. Varios de mis vecinos también tienen hijos para los que sería una maravilla poder jugar con otros niños. Llevo un tiempo ocupada planeando una fiesta infantil. Será divertidísimo. No le estoy suplicando que reconsidere su respuesta. Tal vez tenga otros compromisos previos para esos días que no se siente libre de cancelar. Sin embargo, si su preocupación se debe exclusivamene a los niños, por favor, reconsidérelo.

—Copeland Manor —dijo el marqués—. No recuerdo esa propiedad, Hannah.

—Está en Kent —señaló ella—. El duque me la compró para que tuviera un hogar propio cuando él no estuviera.

—Es muy amable —dijo lady Sheringford—. ¿Le importa si lo hablo con mi marido?

—Y quizá también con Katherine y Monty, y con Stephen y Cassandra —terció Constantine al tiempo que entraba en la estancia y se sentaba en un sillón no muy lejos de Hannah—. Acabas de decirme que ellos también aborrecen la idea de separarse de los niños.

—Lo haré —aseguró la condesa—. Abuelo, conoces a Constantine, ¿verdad?

—¿Constantine Huxtable? —precisó el marqués—. ¿El nieto de Merton? Conocí a tu abuelo. Un buen hombre. Aunque él no decía lo mismo de su hijo. Tu padre, supongo. No te pareces a él, lo cual es una suerte. Debes de haber salido a tu madre. Griega, ¿verdad? ¿La hija de un embajador?

—Sí, señor —respondió Constantine.

—Estuve en Grecia cuando era joven —siguió el marqués—. Y en Italia y en todos esos sitios a los que los jóvenes se suponía que debían ir antes de que las guerras lo estropearan todo. El *Grand Tour* por Europa, como lo llamábamos. Me gustó mucho el Partenón. No recuerdo muchos detalles, salvo la inmensidad del mar azul. Y el vino, claro. Y las mujeres, aunque obviaré el tema en presencia de las damas.

La conversación se prolongó de forma amigable durante media hora, hasta que Hannah se levantó para marcharse.

—Tienes que venir a verme otra vez, Hannah —dijo el marqués—. Ver tu preciosa cara me alegra el corazón. Y no dejes que ese viejo tonto que tengo por mayordomo te diga que no estoy en casa.

—Si alguna vez se le ocurre semejante disparate —replicó ella mientras se acercaba para tomarle una mano entre las suyas—, le daré un empujón para colarme, subiré corriendo las escaleras y apareceré sin anunciarme. Y después, cuando me marche, podrá echarle un buen sermón y amenazarlo con el despido.

—No se iría —aseguró el anciano—. He intentado que se jubile ofreciéndole una generosa pensión y una casa donde vivir. Lo ha intentado Duncan. Lo ha intentado Margaret. Despedirlo no serviría de nada. Se negaría a ser despedido.

—Cuidarte y proteger tu casa de cualquier invasión es lo que lo mantiene activo y con ganas de vivir, abuelo —adujo lady Sheringford—. Excelencia, le agradezco mucho que haya venido a vernos. Le enviaré una respuesta definitiva mañana a primera hora si puedo. Todos lo haremos.

Hannah se inclinó sobre el sillón que ocupaba el marqués de Claverbrook y lo besó en la mejilla, tras lo cual se enderezó y le soltó la mano.

—Gracias —le dijo a lady Sheringford.

—Duquesa, la acompañaré a casa si me lo permite —se ofreció Constantine—. Aunque he venido a pie.

¿Qué estaba haciendo él allí?, se preguntó Hannah. La condesa acababa de abandonar la habitación infantil. ¿Constantine había estado también con ellos? ¿Con los niños?

—Gracias, yo también —dijo, y lo precedió para abandonar el salón.

Una vez en la calle, lo tomó del brazo y caminaron un rato en silencio. La mañana había resultado rara, pensó. Todavía no tenía muy claro el motivo de su visita a Claverbrook House. Eso sí, había sido estupendo volver a ver al marqués. Uno de los contemporáneos del duque.

—El marqués me ha hablado sobre un duelo en el que el duque participó hace una friolera de años —dijo a la postre—, por el honor de la esposa de otro hombre que lo acusaba de haber cometido adulterio. Gracioso, ¿verdad? El marqués me ha asegurado que mi duque era el mismísimo demonio en aquel entonces.

—Pero añadió que lo domesticaste —replicó Constantine—. Lo he escuchado.

—Eso también es gracioso —comentó ella—. Cuando decidí hacerte mi amante, me dije que iba a domesticar al demonio. Ignoraba que ya lo había hecho… con otro hombre. —Y se echó a reír.

—¿A mí también me has domesticado? —quiso saber él.

—¡Caramba, Constantine! —exclamó—. Lo más exasperante de todo esto es que al final ha resultado que no eres un demonio. Así que no puedo domesticar algo que no existe. —Volvió la cabeza para sonreírle.

—¿Te he desilusionado?

¿Lo había hecho?, se preguntó. La vida sería mucho más fácil, infinitamente más fácil, tal como había planeado que fuera, si en realidad fuese el demonio cruel, peligroso y sensual por quien lo había tomado. De esa manera se habría encontrado con el desafío que representaba una lucha de ingenios, una conquista y el disfrute en general. De esa forma dejarlo y olvidarlo cuando llegara el verano habría sido lo más fácil del mundo.

Pero ¿la había desilusionado? ¿O había encontrado otros retos inesperados? El reto de conquistarlo, al fin y al cabo. Y el reto de conquistarse a sí misma, a la persona en la que hasta ese momento creía haberse convertido.

Ya no estaba segura de quién era. No era la jovencita que una vez fue, eso seguro. Esa jovencita había desaparecido hacía mucho. Pero tampoco era la mujer en la que creía haberse convertido. Y lo había descubierto en cuanto había comenzado a vivir a solas la vida perteneciente a esa mujer.

No era tan dura como debía ser esa mujer. Ni tampoco estaba tan segura de su destino ni de la ruta exacta que debía tomar para alcanzarlo. Sin embargo, el duque no le había enseñado ni a ser dura ni a estar segura más allá de toda duda. Le había enseñado a quererse a sí misma, a hacerse cargo de su vida, a ser inmune a las envidias y a las habladurías que ciertamente la seguirían allí donde fuera, y a...

A esperar a ese hombre que le daría significado a su vida.

¿Era Constantine ese hombre?

Sin embargo, su mente detuvo, consternada, el rumbo de sus pensamientos. ¡Por el amor de Dios! ¿Después de once años seguía sin desarrollar el instinto de supervivencia?

Claro que Constantine no era el demonio.

Le daba la impresión de tener la cabeza hecha un lío.

—¿Eso es un sí? —preguntó Constantine a fin de obtener una respuesta.

A la pregunta de si se sentía desilusionada.

—En absoluto —contestó—. Me prometí el mejor amante de Inglaterra y no tengo motivos para pensar que no lo he encontrado. Durante este año, al menos.

—Bien dicho, duquesa —la elogió mientras la miraba con una expresión risueña aunque el resto de su rostro permaneció en reposo.

No era un gesto burlón, decidió, era más…

¿Afectuoso?

«¡Vaya!», exclamó.

¿Afectuoso?

Una vez más, la asaltó la sensación de tener la cabeza hecha un lío.

—Dime, ¿qué es todo eso de una fiesta infantil en Copeland Manor? —lo oyó preguntar.

¡Ah, sí! La fiesta infantil. Un plan fruto de la improvisación que debía hacer realidad.

Ella nunca recurría a la improvisación. Jamás hacía algo de forma impulsiva.

Salvo visitar a la condesa de Sheringford.

Y asegurarle que había organizado una fiesta infantil en Copeland Manor.

Constantine soltó una queda carcajada.

—Duquesa —dijo—, ojalá pudieras ver la cara que has puesto.

—Será la mejor fiesta de la historia —replicó ella con altivez.

Y Constantine rió de nuevo.

14

*H*annah se marchó a Copeland Manor con Barbara tres días antes de que comenzaran a llegar los invitados a la fiesta campestre. Aunque su presencia no era necesaria, por supuesto. El ama de llaves era una mujer muy competente que tenía un férreo control sobre la servidumbre y el manejo de la casa. Claro que contaba con la ventaja de ser una persona muy agradable y querida por todos los criados.

Mientras deambulaba nerviosa por la casa durante esos tres días, Hannah era muy consciente de que seguramente estaría molestando a todo el mundo y poniéndolos de los nervios. En realidad, fue muy irritante descubrir que su casa funcionaba tan bien, incluso con la presión de una fiesta campestre inminente, que su presencia no era necesaria. En algunos momentos tenía la impresión de que sería feliz si encontraba un trocito de suelo que poder restregar.

Menuda sorpresa se llevaría la alta sociedad, y cuántas risas se echaría a su costa, si supiera que la duquesa de Dunbarton estaba nerviosa.

Y emocionada.

El duque le había regalado Copeland Manor cuando ya era muy mayor. Habían pasado algunas temporadas en la propiedad. Incluso habían invitado a algunos vecinos a tomar el té. Hannah también había recibido invitados durante el año de luto que pasó allí, pero no fue algo frecuente ni tampoco fueron ocasiones formales. En aquel entonces estaba muy triste y muy contenta de pasar casi todo el tiempo sola.

Esa iba a ser su primera fiesta campestre en Copeland Manor. Quería que todo fuera perfecto.

Envidiaba la tranquila y alegre actitud de Barbara, aunque también la irritaba un poco. Juntas pasearon por el exterior y también por el interior durante el tercer y lluvioso día, el último antes de que llegaran los invitados. Su amiga se pasaba horas y horas bordando, leyendo o escribiendo.

—¿Y si llueve mañana? —preguntó Hannah mientras paseaban por la galería ese último día. La lluvia golpeaba los cristales de las ventanas a ambos lados de la galería.

—Pues todo el mundo se apresurará a entrar en casa nada más bajar de los carruajes —respondió Barbara con muchísimo sentido común—. Es imposible que llueva tanto como para que los caminos queden impracticables.

—Pero quiero que todos vean Copeland Manor en todo su esplendor —replicó Hannah.

—En ese caso se llevarán una agradable sorpresa cuando el sol brille al día siguiente de su llegada —repuso Barbara—. O al siguiente.

—¿Y si llueve todos los días? —insistió.

Barbara volvió la cabeza para mirarla con detenimiento y se cogió de su brazo.

—Hannah, Copeland Manor es un lugar precioso en cualquier circunstancia. Tú eres preciosa en cualquier circunstancia. Eres guapa, simpática e ingeniosa. Seguro que a estas alturas has organizado infinidad de fiestas.

—Pero nunca aquí —dijo—. Babs, ¿cómo será tener niños en Copeland Manor? Nunca he celebrado fiestas con niños.

—Serán maravillosos —aseguró Barbara—. Y en última instancia serán responsabilidad de sus padres, no tuya.

—Pero la fiesta… —refunfuñó en voz baja—. En la vida he organizado una fiesta infantil.

—Pero asististe a un buen número de ellas cuando éramos niñas —le recordó su amiga, y no por primera vez—. Y yo estuve a cargo de unas cuantas mientras mi padre seguía siendo el vicario, cuando mi madre no se encontraba bien para organizarlas. Has hecho preparativos de sobra para mantenerlos a todos ocupados y entretenidos en cada minuto de la fiesta.

—Tengo la cabeza hecha un lío —dijo.

Barbara la condujo a un banco que estaba situado cerca de una de las ventanas, la obligó a sentarse, se acomodó a su lado y le cogió la mano.

—Lamento verte tan nerviosa, Hannah —aseguró—. Pero no sé, aunque parezca extraño, también me alegra verte así. Creo que estoy presenciando cómo te conviertes en la persona que siempre debiste ser. En los días que han pasado desde que llegué a Londres tienes mejor color de cara, te brillan los ojos y tu expresión es alegre. Vas a celebrar una fiesta a la que asistirán familias, no un grupo de aristócratas privilegiados, y te has quebrado la cabeza buscando la forma de entretenerlos a todos y hacer que sean felices. Y creo que...

Hannah enarcó las cejas.

Barbara suspiró.

—No debería decirlo —añadió su amiga—. Te vas a enfadar. Ni siquiera estoy segura de querer decirlo. Creo que te estás enamorando. O que ya lo has hecho.

Hannah apartó las manos al punto.

—¡Pamplinas! —exclamó con sequedad—. ¡Mira, Babs! Mientras estábamos sentadas, ha escampado. Y mira, el sol brilla por detrás de las nubes. Mañana va a lucir el sol y la hierba, los árboles y las flores brillarán, y todo parecerá más fresco gracias a la lluvia. —Se puso en pie y se acercó a la ventana.

Estaba tentada de pasar por alto lo que Barbara había dicho acerca de los cambios que había experimentado, pero en ese momento recordó que el duque siempre había querido que llegara al punto en el que por fin podría revelar su verdadera personalidad. Y ser ella misma.

Por fin se atrevía a ser la persona que el duque quería que fuera, todavía un poco nerviosa e insegura de sí misma, pero dispuesta y ansiosa por encontrar la vida y la alegría en vez de protegerse tras la máscara de duquesa. Por fin se estaba convirtiendo en la persona que ella elegía ser.

—Babs, ¿qué me pongo mañana? —preguntó—. Me refiero al color. ¿Blanco? ¿O algo más… colorido?

¿Y por qué lo preguntaba? Era algo que debía decidir por sí misma. Era algo que llevaba debatiendo tres días, o tal vez más. Como si el rumbo del mundo dependiera de que ella tomase la decisión correcta.

Se echó a reír.

—No hace falta que me contestes —dijo—. Ya lo decidiré yo. ¿Qué vas a ponerte tú? ¿Uno de tus vestidos nuevos?

—Quiero que Simon sea el primero en verme con ellos —contestó Barbara con un deje soñador—. Aunque estoy segura de que debería estrenarlos aquí, rodeada de tantos invitados ilustres.

—Tu vicario debe ser el primero en verlos —sentenció Hannah, volviéndose para mirar a su amiga con cariño—. Tienes unos vestidos muy bonitos además de los nuevos.

No iba a pensar en lo que Barbara acababa de decir, decidió. Se negaba a pensar en ello.

Sin embargo, habían pasado tres días, con sus tres noches, desde la última vez que vio a Constantine. Y sabía que aunque quería que todo fuera perfecto para el conjunto de los invitados, aunque quería que vieran Copeland Manor en todo su esplendor cuando llegaran al día siguiente, también quería que todo fuera un poquito más perfecto para él.

La perfección no podía perfeccionarse.

Pero eso era lo que ella quería. Para él.

No se atrevió a analizar los motivos.

—Me muero de hambre —dijo—. Vamos a tomarnos un té.

Copeland Manor se encontraba a varios kilómetros al norte de Tunbridge Wells, en Kent. El carruaje atravesó campiñas, huertas, campos de cereales y pastizales con sus rebaños. Con se fijó más de lo acostumbrado en el paisaje mientras viajaba con Stephen y Cassandra. Aunque deberían haber dejado al bebé con su niñera, que viajaba en otro carruaje, les parecía demasiado pequeño y valioso como para estar alejados de él salvo cuando era estrictamente necesario.

Stephen lo llevó en brazos gran parte del camino mientras le hablaba como si fuera un adulto en miniatura. El bebé lo miraba con expresión solemne, hasta que se le cerraron los ojos y se quedó dormido. Cassandra lo arropó con la manta, le colocó bien el gorrito y miró a Stephen con una sonrisa.

La situación era un poco desconcertante. No porque fuera testigo de las evidentes y bochornosas manifestaciones de afecto entre marido y mujer, sino tal vez porque no las hubo. Stephen y Cassandra se sentían comodísimos el uno con el otro, y saltaba a la vista que el pequeño Jonathan era todo su mundo. La escena era increíblemente… doméstica. Y Stephen, según sus cálculos, tendría unos veintiséis años. Era nueve años menor que él.

Lo asaltó una vaga sensación de inquietud. Y de envidia.

Debería meditar en serio el asunto de buscar una mujer adecuada con la que casarse. Tal vez el año siguiente. Ese año estaba demasiado enredado con la duquesa. Pero si quería tener hijos (y ese año, tal vez por primera vez, sentía un ligero interés por tener hijos propios), sería mejor que comenzara con su familia antes de cumplir los cuarenta años. Ya era mayor de lo que le gustaría.

Se distrajo con un poco de conversación y con una lectura más exhaustiva del último informe sobre Ainsley Park que Harvey Wexford le había enviado y que solo había podido ojear durante el desayuno.

Uno de los corderos había muerto, ya había nacido muy débil. Los otros crecían con normalidad. Al igual que los terneros, salvo por dos que habían nacido muertos. Habría una buena cosecha, ya que había hecho calor durante un mes y la lluvia había aparecido cuando era necesaria, aunque vendría bien que lloviera un poco más en esos momentos. Roseann Thirgood, la maestra que en otra época trabajó en un burdel londinense, había comprado unos cuantos libros nuevos para el aula dado que varios de sus alumnos, tanto niños como adultos, podían leer casi de memoria los textos elementales que habían comprado el año anterior. A Kevin Hurdle le habían sacado una muela picada y desde entonces deambulaba por la casa y por la granja con un enorme pañuelo que le cubría la barbilla y llevaba atado en la cabeza, y que comenzaba a amarillear. Dotty, la hija pequeña de Winifred Baker, había recorrido todo el camino del gallinero a la cocina dando saltos con la cesta de los huevos en la mano, y de resultas el suelo de la cocina que Betty Ulmer acababa de fregar había acabado lleno de yema y clara de huevo, y la cesta quedó para tirarla. Un zorro estaba realizando visitas nocturnas a la granja, aunque de momento se había tenido que marchar con tanta hambre como llegó. Uno de los caballos de tiro había empezado a cojear, pero habían encontrado y extraído la dichosa espina de debajo de su herradura, de modo que el animal se estaba recuperando. Winford Jones y su flamante esposa agradecían enormemente el regalo de bodas que el señor Huxtable les había enviado en un paquete aparte la última vez que escribió.

Cerró los ojos y, al igual que el bebé, durmió un rato.

Y poco después llegaron. El carruaje tomó una curva pronunciada y pasó entre los pilares de piedra de la entrada, haciendo que todos se despertaran, o eso creyó él, con excepción de Stephen, que sujetaba a su hijo con gran concentración mientras mantenía el hombro quieto para que la mejilla derecha de Cassandra descansara sobre él.

El carruaje prosiguió por una avenida muy recta, flanqueada por olmos, que se alineaban como soldados en un desfile. El camino transcurría llano un buen rato antes de ascender ligeramente por la falda de una loma en cuya cima se alzaba la casa de piedra gris. Una casa, una mansión… podría llamarse de las dos maneras. Era más o menos del mismo tamaño que Ainsley Park, de planta cuadrada, con un pórtico en el centro de la fachada y una azotea delimitada por una balaustrada de piedra tallada. Las ventanas altas y estrechas iban menguando de tamaño conforme se subía de la primera a la segunda planta y de la segunda a la tercera. Era una bonita y curiosa mezcla de los estilos jacobino y georgiano. Las paredes estaban cubiertas de hiedra.

Los terrenos de la propiedad se extendían desde la casa en todas las direcciones. Prados, sembrados y tupidas arboledas. A lo lejos se veía el brillo del agua. De momento la avenida de entrada, con sus olmos, era el único toque formal que se apreciaba en Copeland Manor.

Le gustaba lo que veía.

—¡Es todo precioso! —exclamó Cassandra—. Parece un lugar muy tranquilo.

—El paraíso para un niño —comentó Stephen—. Ahora entiendo a lo que se refería la duquesa cuando se lo dijo a Meg. También es el paraíso para un adulto. Aunque Londres me gusta mucho, me agrada escapar al campo de vez en cuando. Esta fiesta campestre fue una genialidad por parte de la duquesa. ¿No te parece, Con?

—Desde luego. El aire huele a limpio —comentó él—, aunque llevemos las ventanillas cerradas.

La avenida terminaba en un patio cuadrado con gravilla situado a los pies de la amplia escalinata y de las impresionantes columnas. La señorita Leavensworth estaba en el prado que se extendía a un lado del patio con los Park y los Newcombe, a quienes Con conoció en la Torre de Londres.

Katherine y Monty se encontraban al otro lado del patio, con el pequeño Hal sentado a hombros de su padre. Sherry estaba a poca distancia de ellos, sujetando las manos de Alex por encima de su cabeza mientras el niño daba unos pasitos por la hierba con destino incierto. Margaret y algunas personas a quienes no conocía (no, una de ellas era su hija, Sarah) paseaban hacia el agua. Toby, el hijo mayor de Margaret y Sherry, estaba subido a un árbol con un niño más grande, el hijo de los Newcombe.

Su grupo era, supuso, el último en llegar.

Hannah se encontraba a mitad de la escalinata. Llevaba un vestido amarillo. Y un recogido que parecía a punto de deshacerse en cualquier momento… aunque apostaría lo que fuera a que los rizos se quedarían en su sitio. Y también tenía una sonrisa deslumbrante, las mejillas sonrosadas y los ojos relucientes.

Tomó una repentina bocanada de aire y deseó que nadie se hubiera dado cuenta.

Llevaba tres días sin verla. Se había marchado al campo con antelación para asegurarse de que todo estaba preparado para sus invitados. Sin embargo, tenía la sensación de que habían pasado tres semanas.

Parecía una muchacha. No, una dama muy joven recién salida al mundo y llena de optimismo, esperanza y alegría.

La vio bajar al patio mientras el cochero abría la portezuela del carruaje, desplegaba los escalones y ayudaba a Cassandra a descender.

—Lady Merton —la saludó Hannah—, bienvenida a Copeland Manor. Aunque estaba muy preocupada por ustedes, me tranquilicé cuando lady Montford me explicó que tenían que hacer más paradas en el camino que el resto de los invitados ya que está amamantando a su hijo. Me alegra muchísimo que mis últimos invitados hayan llegado sanos y salvos. —Le tendió la mano derecha y Cassandra la aceptó.

—Yo también me alegro muchísimo de estar aquí —replicó Cassandra—. Qué acertado elegir este sitio para construir una casa. No me imagino un lugar más maravilloso.

—Yo tampoco —convino la duquesa y se volvió hacia Stephen—. Lord Merton, bienvenido. ¡Oh, el bebé! —Se acercó al niño y lo miró con cautela—. ¡Qué guapo es! —exclamó con sinceridad, y no porque esa reacción fuera la esperada en una mujer que observara el bebé de otra.

—Es más guapo aún si se coge en brazos —aseguró Stephen con una sonrisa antes de colocarle a su hijo en brazos.

Hannah pareció sorprenderse, asustarse y…

Y de repente Con vio una expresión tan sincera y desnuda en su rostro que se quedó sin palabras. La duquesa ya no sonreía. No le hacía falta.

Y después volvió a sonreír… muy despacio.

—¡Es una ricura! —exclamó ella—. Creo que me he enamorado. ¿Cómo se llama?

—Jonathan —contestó Stephen.

—¡Oh! —La duquesa miró a su primo y luego a él.

—Con el permiso de Con —añadió el padre del pequeño, que

volvió a hacerse cargo del bebé—. Mi predecesor, el hermano de Con, también se llamaba Jon. ¿Se lo ha contado?

—Sí —contestó ella. Y por fin se volvió hacia él y le tendió ambas manos—. Constantine. Bienvenido.

—Duquesa —dijo—, gracias. —Le cogió las manos y la besó en una mejilla. Y sonrió.

Ella le devolvió la sonrisa.

Y… «¡Por Dios!», exclamó para sus adentros. «¡Por Dios!»

Le soltó las manos y echó un vistazo a su alrededor. Inspiró hondo muy despacio.

—Ahora entiendo por qué le gusta tanto Copeland Manor y por qué quiere alardear de su propiedad —comentó—. Es un lugar estupendo.

—Sí —susurró ella. ¿Con una nota ansiosa en la voz?

Sarah apareció corriendo por delante de Margaret y de su grupo, llevando un ramillete de margaritas en una mano.

—¡Tío Con! —gritó—. Para usted, excelencia. —Obligó a Hannah a aceptar las margaritas—. Tío Steve. Déjame ver al bebé.

Con miró de nuevo a Hannah, que estaba contemplando sus margaritas con una sonrisa. Una sonrisa que le sentaba mejor que los diamantes que solía lucir. Cuando levantó la vista y sus ojos volvieron a encontrarse, ambos sonrieron.

Después de todo, tal vez no fuera una buena idea, pensó él.

No se preguntó a qué se refería.

A Hannah le pareció que había pasado un siglo, una eternidad desde la última vez que vio a Constantine.

Y después, cuando por fin lo vio, se percató de lo mucho que había cambiado con el tiempo la percepción que tenía de él. Ya no era ese desconocido tan atractivo, sombrío, misterioso y posiblemente peligroso del que había sido consciente durante años; ese hombre que durante el invierno había decidido que fuera su primer amante; ese hombre distante y un tanto socarrón que había conocido en Hyde Park a principios de la primavera, cabalgando con lord Montford y el conde de Merton. Ya no era ese reto emocionante y difícil que encontró durante sus primeros escarceos, antes de que él se hiciera con el control en el tercer encuentro y la obligara a iniciar su aventura esa misma noche, muchísimo antes del plazo que ella se había fijado para la consumación.

Como en Londres lo veía todos los días, no se había percatado de lo mucho que había cambiado desde aquella noche la percepción que tenía de él. Ese día en concreto, observó la llegada del carruaje del conde de Merton a sabiendas de que Constantine se encontraba en su interior y sintió cómo se le aceleraba el corazón. Y conforme saludaba a la condesa primero y después al conde, incluso mientras sostenía en brazos el milagro que era su primogénito recién nacido, sentía la presencia de Constantine como un cálido brillo en su interior.

Y entonces, por fin, pudo volverse hacia él, mirarlo y tenderle las manos.

Y solo vio a Constantine.

No se encontraba en situación de analizar ese pensamiento tan poco profundo. De hecho, no quería analizarlo. Pero sentía una quemazón en el pecho y en la garganta, como si estuviera conteniendo el llanto.

Le dio la bienvenida, le sonrió y se alegró de no haber analizado sus sentimientos ni (¡gracias a Dios!) de haber derramado unas lágrimas cuando se apartó de ella con frialdad y alabó educadamente la propiedad.

Por un instante deseó haberse puesto un vestido blanco después de todo y haberse adornado con diamantes, para interpretar a la persona que vivía a salvo gracias a la máscara de la duquesa de Dunbarton. Pero no, en el fondo no lo deseaba. Durante esos cuatro días había elegido ser ella misma, librar a la crisálida del capullo que la protegía. Por extraño que pareciera, era importante para ella causarles una buena impresión a los familiares de Constantine. No como la duquesa de Dunbarton, sino como Hannah. Como ella misma.

Le costaba admitir que el rechazo inicial a su invitación le había dolido, sobre todo porque hacía mucho tiempo que había decidido no dejarse herir por el comportamiento o la opinión (o el rechazo) de los demás. Pero tal vez en esa ocasión hubiera escocido un poquito. No sabía muy bien por qué.

Sin embargo, habían cambiado de opinión y habían aceptado. ¿Debido a su visita a Claverbrook House? Suponía que ese era el motivo. ¿Debido al hecho de haber incluido también a los niños? ¿Habría dicho el marqués algo después de que ella se marchara? ¿Habría dicho Constantine algo? Imposible. Mucho se temía que el desagrado que sentían hacia ella se debía a sus deseos de que Constantine encontrara a una mujer menos notoria.

Fuera lo que fuese, le habían dado una segunda oportunidad y quería impresionarlos. Demostrarles que era... humana. Demostrarles que no era la advenediza arrogante, desalmada y fría que se rumoreaba que era. Demostrarles que podía ser una anfitriona cariñosa y amable.

Y justo después de saludarlo el conde de Merton le puso en brazos a su bebé. Y la hija pequeña de lord Sheringford le regaló el ramillete de margaritas que había recogido junto al lago antes de salir corriendo atraída por la presencia de su primito, como si ella no fuera nada del otro mundo.

Era maravilloso ser alguien que no era nada del otro mundo.

Alguien a quien una niña no se quedaba mirando embobada.

Pondría las margaritas en un jarrón y las colocaría en su mesilla de noche. Le parecían mucho más valiosas que las rosas... o los diamantes.

—Ordenaré que los acompañen a sus habitaciones —dijo a los condes y a Constantine—. Y después nos reuniremos en la terraza occidental para tomar el té. Hace una temperatura bastante agradable y los niños pueden comer con nosotros y jugar en el prado si lo prefieren a la habitación infantil.

Aceptó el brazo que le ofrecía Constantine y precedieron al resto del grupo por la escalinata. ¿Por qué nunca se le había ocurrido incluir niños en sus fiestas, ya fuera en la ciudad o en el campo? Además de haber llegado a los treinta años sin tener hijos, había evitado todo contacto con niños.

Hasta ese preciso momento ni siquiera se había percatado de lo mucho que había anhelado tener hijos durante todos esos años.

Claro que, ¿de qué le habría servido admitirlo? Estaba casada con un anciano que solo había tenido un amante en toda su vida... un hombre, para más inri.

—Espero que el trayecto desde Londres haya sido agradable —dijo a Constantine.

—Muy agradable, gracias, duquesa —replicó él.

Como si fueran un par de desconocidos muy educados.

¿Sería de la misma manera cuando se encontraran al año siguiente? Ya pensaría en eso cuando llegara el año siguiente. De momento viviría el presente.

—Me alegra saberlo —dijo.

La duquesa, pensó Con, parecía haber rejuvenecido diez años en los tres días que habían pasado desde la última vez que la vio.

Y haberse quitado diez capas de armaduras y máscaras.

Su vestido resplandecía con el color del sol. Sus sonrisas deslumbraban. Y al verla en ese entorno rural, descubrió con sorpresa que parecía más a gusto de lo que estaba en Londres.

Era imposible que estuviera más guapa. Pero así era.

Todos se reunieron en la terraza adyacente al salón para tomar el té, un momento donde Hannah brilló como anfitriona y después, una vez consumido el té y las pastas, Toby, el hijo de Margaret, y Thomas Finch, el hijo mediano de Hugh Finch, exigieron jugar a la pelota. Al parecer, había una pelota... que Margaret y Duncan habían llevado.

Los niños que habían llegado con sus padres, cuyas edades estaban comprendidas entre los pocos meses del hijo de Stephen y Cassandra y los doce años de los gemelos de los Newcombe, no se contentaron con jugar entre ellos como era de esperar. No cuando había un grupo de adultos ociosos sentados respetablemente en el exterior y ardiendo en deseos de hacer algo enérgico y divertido. Los padres, al menos, debían jugar con ellos.

Y dado que los padres adujeron que no debían ser los únicos en sufrir las consecuencias solo por el hecho de haber engendrado a sus vástagos sin saber lo que les esperaba, exigieron que los demás caballeros se sumaran al ejercicio: Con, sir Bradley Bentley y Lawrence Astley. Al fin y al cabo, habían estado encerrados en sus respectivos carruajes casi todo el día y allí estaban, sentados de nuevo como si no tuvieran nada mejor que hacer.

Llegados a ese punto algunas de las madres se sintieron ofendidas porque las consideraran incapaces de lanzar una pelota sin ponerse en ridículo y la señorita Julianna Bentley, la hermana de sir Bradley, señaló que ella también había pasado casi todo el día sentada en un carruaje, igual que los caballeros. La hermana de Astley, la señorita Marianne Astley, la apoyó en voz baja. La señorita Leavensworth recordó a la duquesa todos los partidos de críquet que habían jugado en el prado del pueblo cuando eran pequeñas y también que a ella siempre la colocaban en el extremo más alejado del campo de juego cuando a su equipo le tocaba atrapar la pelota, ya que se le escapaban muy pocas, y además era muy buena lanzadora. Y la duquesa apuntó que ella también era una buena lanzadora aunque aquellos odiosos niños solo le habían permitido lanzar de vez en cuando.

—Sí —convino la señorita Leavensworth—, eras capaz de lanzar la pelota con un efecto extraño de modo que no había quien la bateara. Nadie lograba darle porque todos nos pensábamos que sería una bola recta, y de repente trazaba una curva y derribaba los blancos.

—Venga, vamos a jugar —dijo al tiempo que se ponía en pie.

¿La duquesa de Dunbarton?

¿Jugando a la pelota?

Con se percató de que Katherine y Sherry la miraban con cierta sorpresa antes de desviar la mirada hacia él.

Echaron a andar por la suave pendiente que partía de la terraza hasta llegar a una zona lo bastante llana como para jugar. Toby y Thomas, que habían ido en busca de la pelota, volvieron corriendo, y salvo por aquellos que insistieron en hacer de espectadores para que el juego no desmereciera, todos formaron un enorme círculo alrededor de un centro que Toby se apresuró a ocupar porque, al fin y al cabo, la pelota era suya. Fueron tirándose la pelota los unos a los otros mientras intentaban golpear las piernas de Toby en el proceso. La persona que lo conseguía pasaba a ocupar el centro y el juego volvía a empezar.

Con pensó que posiblemente fuera uno de los juegos más tontos que se habían inventado jamás. Sin embargo, provocó muchos gritos, vítores y risas… y algún que otro llanto cuando Sarah se colocó en el centro y fue golpeada por la primera pelota que le lanzaron. Estuvo llorando hasta que Hannah corrió a socorrerla y la cogió en brazos.

—Eso ha sido trampa —exclamó con una voz muy poco adecuada para una duquesa—. Ha golpeado a Sarah en la rodilla, no por debajo de la rodilla. A ver si ahora podéis darme.

Y demostró ser bastante ágil pese a los chillidos de Sarah, que se había aferrado a su cuello como si fuera su tabla de salvación, y a pesar de que no paraba de reírse de tal forma que apenas podía respirar. Saltó y esquivó la pelota hasta que Lawrence Astley le dio en el tobillo.

De haber apostado con alguien, Con habría perdido. Un tirabuzón se escapó de las horquillas y otro más cayó sobre el hombro de la duquesa mientras esta dejaba a Sarah en el suelo en la parte externa del círculo y Astley se disponía a ocupar su lugar. La vio colocarse el mechón rebelde debajo de los otros, pero al cabo de un instante volvió a soltarse.

Tenía la cara colorada.

Como todos los demás, salvo los espectadores.

El juego terminó de forma natural cuando sir Bradley Bentley, a quien acababan de golpear, se tendió en la hierba en el centro del círculo y declaró que si alguien pronunciaba la palabra «ejercicio» en lo que quedaba de día, se retiraría a su dormitorio y no saldría hasta dos días después. ¡Como muy pronto!

El pequeño Hal, el hijo de Monty, saltó sobre él. La pequeña Valerie Finch, que tenía cinco años, lo imitó. En un abrir y cerrar de ojos Bentley había desaparecido bajo una marea de niños que gritaban y reían.

—Creo que necesitamos más té en el salón —dijo la duquesa—. O algo más fuerte. Definitivamente, algo más fuerte. Babs, ¿te importa encargarte? Voy a arreglarme un poco el pelo.

Todos subieron la cuesta hasta la casa… salvo la duquesa, que se quedó donde estaba intentando arreglarse el recogido mientras los observaba alejarse.

Y salvo él, que se quedó donde estaba, mirándola.

—Estoy hecha un desastre —comentó Hannah mientras se volvía para mirarlo.

—Pues sí —convino él.

—Eso no ha sido muy galante —replicó ella con una sonrisa.

—Era un halago.

—¡Vaya! —Hannah bajó las manos y ladeó la cabeza—. En ese caso ha sido muy galante. No creo que necesite pasar por el salón para supervisar el té. Babs se encargará de que todo el mundo beba algo y después los invitados querrán retirarse a sus habitaciones para descansar un poco antes de que llegue la hora de arreglarse para la cena. Déjame enseñarte el lago.

—Te he echado de menos —confesó Con en voz baja.

Tanto que la idea lo asustaba.

—Y yo a ti —dijo ella—. No tenía ni idea de que tener un amante sería tan… maravilloso. ¿Siempre es así?

La miró con una sonrisa.

—O quieres que te regale los oídos, duquesa, o acabas de hacerme una pregunta imposible de contestar.

—Ven a ver el lago —repitió ella y se cogió de su brazo antes incluso de que pudiera ofrecérselo.

¿Quién en su sano juicio habría pensado que la duquesa de Dunbarton, nada más y nada menos, sería una ingenua?

«No tenía ni idea de que tener un amante sería tan… maravilloso. ¿Siempre es así?»

¿Lo era?, se preguntó. ¿Era maravilloso en esa ocasión? ¿Era siempre maravilloso? No tenía por costumbre comparar amantes. Ni analizar lo que solo eran sensaciones físicas.

—¿Ves a lo que me refiero? —preguntó ella mientras caminaban entre los troncos de los vetustos árboles de camino al lago—. He dejado que los árboles señalen el camino. Debería haber mandado talar algunos para que se pudiera construir una avenida como Dios manda que uniera la casa con el lago. Flanqueada por rododendros. Para conseguir unas vistas preciosas desde la casa. Con un embarcadero en el lago para rematarla. Y barcas flotando en el agua, por supuesto. Y una bonita isla artificial en el centro del lago. También debería haber modificado la forma del lago como si fuera un riñón o un óvalo, o algo así.

—Con un templete o una cabaña ornamental en la otra orilla —añadió él—. Emplazada de tal forma que desde la mansión pareciera estar en el centro de la avenida y pudiera verse su reflejo sobre el agua.

—Sí.

—Pero no lo has hecho.

—No lo he hecho —admitió con tristeza—. Constantine, me gusta dejarme guiar por la naturaleza. ¿Por qué talar un roble que lleva creciendo en ese lugar trescientos o cuatrocientos años para lograr una vista preciosa desde la casa?

—Desde luego, ¿por qué? —convino—. Sobre todo porque la casa lleva menos tiempo aquí que el árbol, según mis cálculos.

—¿Y por qué levantar una construcción ornamental sin sentido? ¿Para qué? Nunca lo he entendido. Es un...

—¿Sinsentido? —sugirió Con cuando la vio describir círculos en el aire con la mano derecha como si fuera incapaz de encontrar la palabra que buscaba.

—Tú lo has dicho. Las construcciones ornamentales sin sentido son eso, un sinsentido. Te estás riendo de mí, Constantine.

—Pues sí —admitió cuando llegaron a la orilla del lago y se detuvieron.

La duquesa se echó a reír.

—Pero ¿tengo razón o no? —quiso saber.

—¿Te gusta Copeland Manor tal cual? —preguntó a su vez.

—Sí —contestó ella—. Rústico y natural tal cual es. Me gusta. Y aunque el terreno y el paisaje son perfectos para el trazado de un sendero agreste, me he resistido con uñas y dientes a que diseñen y construyan uno. ¿Cómo va a considerarse agreste algo hecho por el hombre? Es una contradicción.

—Y puestos a elegir entre lo agreste y el arte, te quedas con lo agreste —repuso.

—Sí —respondió—. ¿Tengo razón o no?

—Estoy desconcertado —dijo—. ¿La duquesa de Dunbarton le está preguntando a otra persona (a mí, para ser exactos) si tiene razón o no?

Hannah suspiró.

—Verás, Constantine, el caso es que necesito algo agreste y salvaje en mi vida. Así que bien puede ser mi jardín. Ya está, me he decidido. No habrá avenidas, templetes sin sentido, paisajes artificiales ni senderos nuevos en Copeland Manor. Te agradezco tu opinión y tu consejo.

La instó a girarse hacia él, la abrazó y la besó con fuerza, separando los labios. Ella le arrojó los brazos al cuello y le devolvió el beso.

Sentirla de nuevo contra él era una sensación maravillosa. Saborearla. Olerla.

—En fin —dijo cuando alzó la cabeza—, si hubiera una avenida desde la casa, ahora mismo estaríamos perfectamente enmarcados en el centro y todos tus invitados estarían pegados a las ventanas del salón admirando las vistas.

—Desde luego —replicó ella, y le regaló una de sus deslumbrantes sonrisas—. Pero como no la hay…

Volvió a besarla, introduciéndole la lengua en la boca mientras ella hundía los dedos en su pelo y arqueaba el cuerpo para amoldarse a él cuando la estrechó por la cintura.

Se preguntó qué pasaría si se enamoraba de Hannah, la duquesa de Dunbarton.

No tenía la menor idea. Tal vez su vida se convertiría en un caos.

O en un paraíso.

Por no mencionar lo que podría sucederle a su corazón.

Sin duda alguna sería más sensato no comprobarlo.

15

$\mathcal{L}$os invitados de Hannah se quedarían durante tres días completos. Había decidido no sobrecargar dichos días de actividades. Al fin y al cabo, todos llegaban desde Londres, donde la temporada social estaba en pleno apogeo y abundaban los entretenimientos. Y tenía la impresión de que todos necesitaban relajarse sin más en el tranquilo entorno rural.

De todas formas, para el primer día había programado algunas actividades. Un paseo matutino hasta el pueblo para los que quisieran ver la iglesia y hacer un poco de ejercicio; una merienda campestre en el lago; y una partida de cartas por la noche para la que había invitado a varios vecinos. Algunos miembros del grupo los entretendrían con una interpretación musical. Tuvieron la suerte de disfrutar de un día cálido y soleado.

Cuando llegó a su fin y los últimos vecinos se marcharon, Hannah pensó que el día al completo había sido un éxito. Sir Bradley Bentley, su amigo y más frecuente acompañante durante su matrimonio (el duque había sido amigo del abuelo del susodicho) se había pasado el día entero coqueteando con Marianne Astley, y Julianna Bentley había pasado gran parte de su tiempo con Lawrence Astley. Tal como ella esperaba. Aunque su intención no era la de ejercer de casamentera, se le había ocurrido invitar a sir Bradley después de que Barbara y ella tomaran un té con el caballero una mañana en Bond Street y él les contara que su hermana había debutado en sociedad el año anterior pero que aún no había encontrado un pretendiente serio. La mejor amiga de la joven era Marianne Astley, cuyo hermano rondaba los veinticinco.

De modo que decidió que su fiesta campestre necesitaba gente joven. Adultos jóvenes, solteros y sin compromiso. E invitó a los cuatro.

El resto del grupo parecía encontrarse muy cómodo entre sí, aunque algunos de los invitados ni siquiera se conocían al llegar. Se trataba de los Park, los Newcombe, el matrimonio Finch, que habían sido vecinos del duque toda la vida al igual que sus respectivos padres antes que ellos, y los jóvenes ya mencionados. Además de Barbara, por supuesto. Y de Constantine, sus primos y sus cónyuges. Y de diez niños y algún que otro bebé.

La tarde del tercer día estaba dedicada a la fiesta infantil, de modo que sería una jornada muy ajetreada. Sin embargo, el segundo día no había nada planeado a fin de que los invitados se entretuvieran como les apeteciera. Durante la mañana Hannah paseó por el jardín, que se extendía por las fachadas oriental y septentrional de la casa, con la señora Finch, con la condesa de Merton y con lady Montford, que estaba blanca como la leche. Alarmada, Hannah le preguntó por su estado de salud, y la dama soltó una carcajada no muy alegre.

—No es para preocuparse, excelencia —contestó—. No es mi estado de salud lo que me hace tener náuseas. Es mi estado en general. Estoy esperando otro bebé.

—¡Oh! —exclamó Hannah, que de repente sintió una dolorosa punzada de envidia.

—Teníamos la intención de tener otro hijo cuando Hal cumpliera los dos años —explicó lady Montford—. Pero el Señor dispuso otra cosa. Me alegro de que por fin haya cedido.

—Debe de ser de mi edad o más joven —comentó Hannah—. ¿Y se lamenta por haber tenido que esperar tanto para tener su segundo hijo? —De repente, comprendió con mortificación que había hecho la pregunta en voz alta.

La señora Finch estaba inclinada sobre una rosa, la cual sostenía con cuidado entre las manos. Lady Merton y lady Montford

se volvieron para mirarla, ambas con idénticas expresiones…
¿compasivas?, se preguntó.

—Tengo treinta años —añadió, sintiéndose todavía más tonta.

—Yo tenía veintiocho cuando me casé con Stephen el año pasado —comentó lady Montford mientras tomaba a Hannah del brazo… un gesto que la sorprendió muchísimo—. También era viuda, excelencia. Y no tenía hijos, solo cuatro bebés muertos que seguía llorando. Siempre los lloraré, pero ahora tengo a Jonathan y esperamos llenar la habitación infantil de niños antes de que llegue a los cuarenta. La esperanza sobrevive incluso a los momentos de mayor desesperación, cuando parecemos estar al borde de perderla para siempre.

La señora Finch se enderezó.

—Yo tenía diecisiete cuando me casé —dijo— y dieciocho cuando tuve a Michael. Thomas llegó dos años después y Valerie dos años después del segundo. Ahora tengo veintisiete. Adoro a mis hijos, y a mi marido, pero a veces me asalta el horrible pensamiento de que perdí mi juventud demasiado pronto. Tal vez no exista un camino fácil para sortear la vida. Cada cual debe enfilar el suyo y sacarle el máximo provecho.

—Sabias palabras —dijo lady Montford al tiempo que le daba a Hannah unas palmaditas en el brazo.

Siguieron paseando, disfrutando de la vista y del olor de las flores, para lo cual emplearon toda una hora aunque el jardín no era demasiado extenso.

Hannah se sentía… ¿cómo se sentía? ¿Bendecida? Había acabado compartiendo su tiempo con un grupo de mujeres que hablaban sobre las alegrías y las penas del matrimonio, de la maternidad y del paso del tiempo. La conversación había sido breve, pero se había sentido incluida. Durante los años que duró su matrimonio había formado parte de la sociedad, siempre rodeada de admiradores, casi siempre del género masculino. Sin embargo, no recordaba ninguna otra ocasión en la que hubiera paseado por un jardín del brazo de otra mujer que no fuera Barbara.

Y dos de esas mujeres habían rechazado su invitación en un primer momento.

—Mmm —murmuró lady Merton después de respirar hondo, justo antes de regresar al interior de la casa—. Esto es perfecto. No me imagino mejor modo de pasar unos cuantos días entre baile y baile.

—¿Se siente mejor? —preguntó Hannah a lady Montford.

—Sí —contestó la aludida—. Nada más salir pensé que había cometido un error al pasear entre las flores, por su olor. Pero el aire fresco me ha sentado bien. Estaré perfectamente durante el resto del día. Hasta mañana por la mañana. Aunque tantas molestias son por una buena causa. Las náuseas matinales remitirán en breve.

Lady Sheringford estaba bajando las escaleras cuando ellas entraban en el vestíbulo.

—Acabo de acostar a Alex para que duerma una siesta —dijo—. Se ha caído, se ha hecho un arañazo en la rodilla y se ha llevado un buen sofocón. Después del sana, sana, culito de rana con el beso correspondiente y de secarle las lágrimas a besos se ha quedado frito. Kate, tienes mejor color de cara. ¿Te encuentras mejor?

—Sí —respondió lady Montford—. Su Excelencia nos ha estado enseñando el jardín y me ha sentado de maravilla.

Lady Sheringford miró a Hannah, que en ese momento estaba pensando en lo maravilloso que sería poder besar una rodilla arañada y unas mejillas húmedas por las lágrimas.

—Debería usar colores más a menudo —dijo la recién llegada, dirigiéndose a ella—. No me refiero a que el blanco le siente mal, pero así parece más… Mmm, ¿cómo lo diría?

—¿Accesible? —sugirió la señora Finch, tal vez no con mucho tacto—. Llevo pensando lo mismo desde que la vi ayer con ese precioso vestido amarillo, excelencia.

—En fin —terció lady Sheringford—, el caso es que parece algo más. Algo bueno, me refiero. Ese tono de verde en particular le sienta muy bien a su pelo rubio.

—Hemos entrado para tomar un café —comentó Hannah con una sonrisa—. ¿Le apetece unirse a nosotras?

Se percató de que era feliz. Nunca había tenido amigas, salvo Barbara, que siempre estaba lejos. Nunca había pensado que quizá las necesitara o que las deseara siquiera. Ese día podía vivir con la ilusión de que esas mujeres eran sus amigas.

Las nubes aparecieron a última hora de la mañana y el gélido viento que arreció de repente obligó a todo el mundo a entrar en la casa antes de lo esperado. Un prolongado chaparrón los mantuvo en el interior después del almuerzo, aunque nadie parecía especialmente molesto por el contratiempo. Los niños más pequeños acabaron en la habitación infantil para dormir la siesta, mientras que los demás fueron conducidos a la galería para que se entretuvieran con un juego ideado por el señor Newcombe y el conde de Sheringford.

Unos cuantos adultos permanecieron en el salón conversando y otros se trasladaron a la biblioteca para leer o escribir cartas. De algunos no había ni rastro, y Hannah supuso que habían subido a sus habitaciones para descansar. El grupo más numeroso se encontraba en la sala de billar. Allí se dirigió en busca de Constantine.

No estaba jugando. Lo encontró de pie justo al lado de la puerta, con los brazos cruzados por delante del pecho, observando a los demás.

—Es una lástima que solo tenga una mesa de billar —comentó ella.

—No se preocupe por eso, excelencia —la tranquilizó el señor Park—. Soy muchísimo mejor jugador cuando observo a los demás que cuando juego. De hecho, jamás yerro y acabo metiendo todas las bolas.

El comentario suscitó un coro de carcajadas.

—Yo he venido para comprobar con mis propios ojos que las bolas que Jasper me asegure haber metido son ciertas y no un producto de su imaginación —adujo lady Montford.

—¡Amor mío! —exclamó el aludido a modo de protesta desde cierta distancia, ya que su esposa no se había molestado en bajar la voz—. ¿Alguna vez exagero? ¿Alguna vez me vanaglorio de algo?

—Kate —terció en ese momento el conde de Merton mientras frotaba con la tiza el extremo de su taco, tras lo cual se inclinó sobre la mesa para concentrarse—, en este tipo de momentos es cuando se aplica el refrán de que en boca cerrada no entran moscas.

—En fin, Stephen, lo tuyo es para no vanagloriarse en la vida —dijo lord Montford un tiempo después cuando vio que el conde erraba el tiro—. Si no soy capaz de superar eso, me merezco cualquier insulto que Kate decida dedicarme.

Hannah rozó levemente el brazo de Constantine.

—¿Te gustaría dar un paseo a caballo? —le preguntó en voz baja.

—¿Ahora? ¿No está lloviendo? —Enarcó las cejas al tiempo que miraba hacia la ventana y comprobó que efectivamente no llovía antes de seguirla al pasillo.

—Siempre tengo caballos preparados para montar en el establo —dijo mientras Constantine cerraba la puerta de la sala de billar—. Supongo que debería haber preguntado si a alguien le apetecía acompañarnos, pero todos parecen contentos con lo que están haciendo y me gustaría enseñarte una cosa.

—¿A mí solo? —preguntó Constantine con una mirada risueña.

—Le diré a Barbara que se encargue de servir el té más tarde —comentó Hannah sin responderle.

—Solo a mí —se respondió a sí mismo y añadió después de inclinar la cabeza hacia ella—: Qué suerte tengo.

—Subiré a cambiarme —dijo ella—. Nos vemos en el establo dentro de un cuarto de hora. —Y se volvió para subir a toda prisa.

Se puso uno de sus trajes de montar más viejos y sencillos; su preferido, de hecho. Su color original era celeste. En ese momento era un azul desvaído. Le dijo a Adèle que le recogiera el pelo con un sencillo moño en la nuca de modo que pudiera colocarse bien el sombrero. Después de ponerse los guantes, se miró satisfecha en el espejo del vestidor. No llevaba ni una sola joya.

Esa tarde era importante parecer una persona sencilla, no la duquesa de Dunbarton, ante la cual todo el mundo debía inclinarse y hacer reverencias. Comenzaba a desear volver a ser una persona sencilla, pero con todas las ventajas que le otorgaban la confianza, la disciplina y la autoestima que había aprendido del duque. O, más concretamente, del amor del duque.

Esperaba que Constantine apreciara lo que iba a enseñarle, que no se aburriera ni se sintiera incómodo. Que no lo malinterpretara y la creyera una sentimental o, peor aún, una persona superficial que gustaba de hacer grandes gestos.

Sin embargo, no creía que eso sucediera. Sabía que si acaso alguien podía entenderla era él. Pero estaba terriblemente nerviosa. Un millar de mariposas revoloteaba en su estómago mientras atravesaba la terraza y enfilaba el camino de gravilla que conducía al establo. Deseó no haber comido tanto durante el almuerzo.

Ese era justo el motivo, pensó, por el que había querido que Constantine fuera a su hogar. Ese era el motivo por el que había ideado la fiesta campestre, de modo que el hecho de invitarlo no suscitara habladurías.

Eso era importante para ella. Su reacción era importante para ella.

Cuando llegó al establo, Constantine ya estaba allí, ensillando el caballo que ella solía montar mientras que un mozo de cuadra colocaba su montura de amazona en otro. No obstante, tuvo que admitir que Jet era el único caballo lo bastante grande como para que él lo montara. Constantine se había cambiado y llevaba un pantalón de montar de color beige, una chaqueta negra, unas botas de montar negras y un sombrero de copa.

Tenía el mismo aspecto que el día que lo vio en Hyde Park por primera vez esa primavera. Pero todo era distinto. En ese momento era Constantine. Su amante. Aunque llevaran una semana sin mantener relaciones íntimas. Y seguirían sin mantenerlas hasta regresar a Londres, porque sería una falta de respeto hacia sus invitados retomar su aventura bajo su propio techo. Le parecía una eternidad tener que esperar tanto. No obstante, su menstruación había tenido el detalle de aparecer justo el día que partió de Londres. Faltaba todo un mes para que volviera a repetirse.

—¿Duquesa? —preguntó él mientras se volvía para observarla de la cabeza a los pies.

Supo que la admiración que leyó en sus ojos y en sus labios fruncidos era genuina. Le resultó raro, sobre todo porque iba muy desaliñada. Imitó su escrutinio, incluyendo el gesto de fruncir los labios, y vio como él sonreía.

—Bruja —dijo.

Al cabo de unos minutos abandonaron a caballo el patio del establo y rodearon la casa para continuar a través del prado en vez de tomar la avenida y el camino, tal como habrían hecho de haber viajado en carruaje. No parecía que fuera a llover... de momento. Las nubes se alejaban y el azul iba ganando terreno en el cielo.

—¿Adónde vamos? —preguntó Constantine—. ¿A algún sitio en concreto?

—A El Fin del Mundo —contestó—. Pero no pienses que vamos a cruzar Inglaterra al galope hasta llegar a Devon o a Cornualles, quédate tranquilo. El Fin del Mundo es el nombre que alguien sugirió para una casa en ruinas que compré hace unos años y que convertí en un lugar muy decente, con jardines tan elegantes como para satisfacer a aquellos que gustan de imponer el arte a la naturaleza. La primera sugerencia para el nombre fue El Fin de la Vida, pero nadie secundó la idea, de modo que insistí en que fuesen los primeros inquilinos de la casa los que decidieran su nombre por mayoría. Y cuando uno de ellos propuso El Fin del Mundo y explicó que más allá de la tierra firme se encontraba la paz eterna del fondo marino, todos aceptaron. Por mi parte, confieso que nunca he visto el mar de esa forma y que tampoco sé nadar. Sin embargo, como mi voto no contaba, la propiedad se quedó con el nombre de El Fin del Mundo.

—¿Es un hogar para ancianos? —preguntó Constantine.

—Sí —respondió ella.

Cabalgaron en silencio durante unos minutos.

—¿Este es el «proyecto» para el que vendiste los diamantes?

—Pues sí.

—¿Te gustan los ancianos?

Hannah sonrió.

—Sí. Quise muchísimo a un anciano. Al final de su larga vida disfrutó de todas las comodidades posibles para sentirse bien. Hay miles que no están en el mismo caso.

—Duquesa, eres un fraude —replicó él.

—¡Por supuesto que no! —exclamó, irritada—. ¿Qué eran esos diamantes para mí sino un recordatorio de lo mucho que me quisieron durante diez años? Conservo los suficientes como para que sigan recordándomelo. Aunque en el fondo no necesite de ningún recordatorio porque para eso están los recuerdos.

Habían llegado a un amplio claro, una extensa llanura a la que siempre ansiaba llegar cada vez que cabalgaba hasta El Fin del Mundo.

Se percató de que Constantine la estaba mirando. Sin embargo, no giró la cabeza para devolverle la mirada. No era una sentimental. Quería a esas personas. Durante el año anterior había ido a verlas cada pocos días, antes de marcharse a Londres una vez que pasó la Semana Santa, y dichas visitas habían aliviado su dolor. Ya había estado cinco días antes, justo después de regresar de la capital. Lo había hecho porque le apetecía, porque lo necesitaba, no porque quisiera aplausos o adulación. ¡Qué tontería pensar algo así, por Dios!

—Este tramo del camino es aburrido para ir al trote —dijo—, pero muy emocionante si se galopa. ¿Ves el pino alto allí a lo lejos? —Señaló el árbol con la fusta.

—¿El que tiene la copa torcida? —precisó él.

—Te reto a una carrera hasta allí —dijo a modo de respuesta y espoleó a su caballo al galope incluso antes de acabar de hablar.

De haber montado a Jet habría tenido una oportunidad de ganar, aun con el impedimento de la silla de amazona. Sin embargo, montaba a Clover, una yegua a la que le gustaba galopar pero que no tenía un pelo de competitiva. Perdieron la carrera de forma vergonzosa.

Cuando llegó junto a Constantine, la recibió con una sonrisa.

—Duquesa, eso te enseñará a no retarme a otra carrera —dijo—. Ni siquiera habíamos acordado el premio antes de que intentaras aprovecharte del elemento sorpresa para ganar una ventaja injusta. Eso significa según las leyes internacionales, creo, que puedo reclamar el premio que se me antoje.

—¿Existen leyes internacionales? —preguntó ella entre carcajadas—. ¿Qué elegirías si de verdad contaras con el apoyo de la ley?

—Quédate quietecita mientras me lo pienso —respondió Constantine, que instó a su caballo a acercarse a ella.

Hannah notó que le clavaba la rodilla en el muslo y en ese momento se inclinó hacia ella y la besó en los labios. Jet resopló y se alejó.

El beso quizá fuera el más breve y decepcionante de todos los que habían compartido. Pero fue precisamente el que la informó de lo que ya sabía desde hacía un tiempo y había evitado reconocer.

Estaba enamorada.

Un descuido y una imprudencia por su parte. Que tal vez le ocasionaran cierto sufrimiento al final de la temporada social si no había logrado para entonces desenamorarse de él.

No obstante, era incapaz de lamentarse. Tenía la sensación de que los últimos once años de su vida habían desaparecido y volvía a ser joven y feliz. Y volvía a estar enamorada. No enamorada del amor en esa ocasión, sino de un hombre real a quien apreciaba como persona y a quien podría amar profundamente si se decidía a hacerlo. Un amor incondicional, de los que llegaban hasta el alma.

No cometería semejante error.

Pero ¡qué maravilloso era tener un amante y estar enamorada durante la primavera! Le daban ganas de bajar de un salto de Clover para ponerse a bailar en el prado, bajo el pino, mirando al cielo con los brazos extendidos.

¡Qué maravilloso era ser joven!

—Puedes sonreír —oyó que decía Constantine—. Ha sido el premio más lamentable que ha recibido el ganador de una carrera hípica, duquesa. Y antes de que el día acabe, voy a exigirte un beso muchísimo más satisfactorio que ese.

Hannah adoptó su porte de duquesa para lanzarle su mirada más altiva.

—Señor Huxtable, tendrá que atraparme primero —dijo—. Mira. Desde aquí se puede ver El Fin del Mundo. —Señaló al frente y se pusieron en marcha a la vez, cabalgando a la par y al paso.

La propiedad se atisbaba entre los árboles. Una mansión compacta, en absoluto destacable por su diseño arquitectónico, pero que para ella era tan valiosa como Copeland Manor.

—¿Cómo costeas Ainsley Park? —preguntó.

—No vivo en la pobreza —respondió Constantine, encogiéndose de hombros—. Mi padre me dejó una cuantiosa herencia.

—Pero apostaría lo que fuera a que no lo bastante cuantiosa —replicó—. Tengo cierta idea acerca de lo que cuesta mantener un proyecto de este tipo. ¿Te ayudó tu hermano? Según dijiste, la idea fue totalmente suya.

En un primer momento creyó que no le respondería. Por un instante su apariencia volvió a ser sombría y taciturna. Pero acabó soltando una queda carcajada.

—Lo más gracioso de todo es que lo hicimos exactamente igual que tú, duquesa —dijo—. Salvo que tú lo hiciste con la bendición de Dunbarton, aunque te la diera a regañadientes. Nosotros no consultamos al tutor de Jon, con cuya bendición indudablemente no habríamos contado. Me refiero a mi tío antes de su muerte y después a Elliott, que posee un sentido del deber bastante más estricto y que es muchísimo más perspicaz.

—Hablas en plural —señaló—. Pero ¿de quién fue la idea de vender las joyas, de Jonathan o tuya?

Constantine volvió la cabeza para mirarla con seriedad.

—Las joyas de los Huxtable no eran mías como para que yo tomara esa decisión o como para sugerir que se vendieran —respondió—. Eran de Jon, y aunque yo no fuera su tutor legal, me tomaba dicha responsabilidad muy en serio. Mi hermano no era idiota ni mucho menos, pero a veces veía las cosas de una forma diferente al resto del mundo. En cuanto descubrió la verdad sobre nuestro pad... ¡Vaya por Dios! Aunque supongo que ya lo habías adivinado tú sola. En cuanto Jon descubrió la verdad sobre esa persona a la que había querido durante toda su vida y cuya muerte había llorado, perdió la alegría, las ganas de comer y pasó varios días sin dormir. Nunca lo había visto así. Y se negaba a hablarme de su sufrimiento. Lo único que hacía era exigirme una y otra vez que guardara el secreto. Porque se negaba a que los demás conocieran la verdad sobre nuestro padre. Sin embargo, no quería que el dolor que había ocasionado quedara impune. Como Jon era muy consciente de su condición de conde de Merton, llegó a la conclusión de que su deber era arreglar las cosas. Fui incapaz de pararle los pies, aunque debo añadir que yo mismo llevaba años sintiendo lo mismo, además de muchísima impotencia, por cierto.

—Ojalá lo hubiera conocido —dijo ella en voz baja—. Me refiero a Jonathan.

—Y entonces llegó una mañana a mi dormitorio dando brincos y me despertó sacudiéndome. Te aseguro que no exagero. Estaba loco de contento, rebosante de alegría, riéndose sin parar. Había tenido una idea genial. Y nada lo satisfaría hasta que hubiera dado con el modo de hacer realidad su sueño. Yo fui el elegido para ponerlo en marcha. Era imposible razonar con él cuando se le metía algo en la cabeza, duquesa. Y esto era mucho más importante para él que cualquier otra cosa en la vida. Era tan testarudo como…

—¿Como su hermano? —suplió ella—. ¿No se parecía por casualidad a su hermano mayor?

—Era diez veces peor —respondió Constantine—. Solo habría podido detenerlo si hubiera ido con el cuento a mi tío a sus espaldas. Pero, en fin, yo también quería lo mismo que Jon y mi posición era demasiado débil como para hacer lo que sin duda era lo correcto. Me había pasado años asqueado por lo que Jon acababa de descubrir. Creo que toda la vida. Veía cómo mi madre languidecía por la tristeza y por la continua pérdida de sus hijos, mientras que mi padre abusaba de cualquier cosa que llevara faldas. No era un hombre agradable, duquesa. Y odiaba a Jon, a quien llamaba imbécil, a veces en su propia cara. Perdóname. No se debe criticar a los padres delante de otras personas. En cualquier caso, ninguna de las joyas que vendí estaba vinculada al título. Claro que varias de ellas llevaban generaciones en la familia y todas estaban debidamente registradas en los archivos de la propiedad. Si se hubiera presentado una reclamación formal, Jon habría llevado las de perder, ya que en realidad no tenía derecho a disponer de dichas joyas sin el consentimiento expreso de su tutor. E incluso aunque hubiera llegado a su mayoría de edad, lo habrían declarado incompetente para tomar decisiones por sí mismo.

—¿Se estaba robando a sí mismo? —preguntó Hannah.

—Jon sabía muy bien lo que hacía —respondió él—. No era imbécil. A veces tenía la impresión de que era el único inteligente de entre todos nosotros. ¿Qué es más importante: esas joyas antiguas que estaban a buen recaudo en Warren Hall o las personas que viven en Ainsley Park?

Hannah soltó una carcajada.

—Creo que ya sabes cuál es mi respuesta, ¿verdad?

Se estaban aproximando a El Fin del Mundo. Solo les faltaba cruzar un pastizal y llegarían al prado que se extendía hasta uno de los laterales de la casa.

—¿No le has hablado de todo esto a nadie? —quiso saber ella—. ¿Solo a mí?

—Ajá —respondió él—. Ni siquiera al rey.

—De modo que todos te creen un villano que le robó a su desvalido hermano a fin de comprarse una propiedad en Gloucestershire, donde vive rodeado de lujos.

Constantine se encogió de hombros.

—Creo que Elliott ha mantenido la boca tan cerrada como yo, salvo para contárselo a Vanessa. De lo contrario, no creo que ni Stephen ni sus hermanas quisieran dirigirme la palabra, ¿no te parece?

—Ni tampoco intentarían protegerte de mí —añadió ella.

Constantine la miró y sonrió antes de inclinarse para abrir la verja que separaba el pastizal de la propiedad. Entraron a paso tranquilo y él se volvió para cerrar.

—Quizá debieras contarle al conde de Merton lo que me has

contado a mí —sugirió Hannah—. Me parece un hombre honorable y comprensivo.

Constantine enarcó una ceja con gesto burlón y la miró de reojo.

—¿Crees que me perdonaría?

—Creo que te diría que no hay nada que perdonarte —respondió ella—. En cualquier caso, a quien habría que perdonar sería a Jonathan, ¿cierto?

Su pregunta hizo que Constantine azuzara a su caballo para que apretara el paso, adelantándose de modo que ella tuvo que hacer el esfuerzo de alcanzarlo.

—¿Eso es lo que te da miedo? —quiso saber—. ¿Que nadie sea capaz de perdonar a tu hermano? Tal vez debieras tener un poco más de fe en ellos.

Constantine se volvió para mirarla a los ojos con expresión muy tensa. Sus ojos le parecieron muy negros.

—¿Le has hablado a alguien de esto? —preguntó, señalando la casa con la cabeza—. ¿Solo me lo has contado a mí?

—Solo a ti —respondió Hannah.

—¿Por qué? ¿Por qué no has invitado a los demás a venir esta tarde?

—Constantine, tengo una reputación que proteger —adujo.

—Exacto. Yo también. El demonio y la duquesa. Somos tal para cual.

¿Ante los ojos del mundo o… se refería a que estaban hechos el uno para el otro?, se preguntó en silencio.

—Si no estuviéramos tan cerca de la casa —siguió Constantine—, te enumeraría todas las razones por las que deberías volver a casa, duquesa. Me refiero a Markle.

Hannah se inclinó para darle unas palmaditas a Clover en el cuello cuando se pararon frente al establo. Un mozo de cuadra se apresuró a atenderlos.

—*Touchée* —replicó.

16

Mientras observaba a Hannah durante la siguiente hora y media, Con intentó verla como a la duquesa de Dunbarton que siempre había conocido, a la que se encontró en Hyde Park a principios de primavera, en el baile de los Merriwether, en el concierto de los Heaton y en el almuerzo en el jardín de los Fonteyn. Era muy desconcertante darse cuenta de que no podía. Era incapaz de verla como si fuera la misma persona.

No era solo porque llevara un traje de montar desgastado, casi ajado, de color azul. Ni porque tuviera el pelo recogido de forma sencilla, y un poco alborotado después de quitarse el sombrero para entrar en la casa. Tampoco era porque llevara puesto un enorme delantal, que la aguardaba colgado de un gancho detrás de la puerta del despacho de la encargada. No tenía absolutamente nada que ver con su aspecto.

Tenía que ver con la mujer que se ocultaba tras la fachada, la mujer a quien no había visto hasta después de convertirse en amantes y que solo había vislumbrado de vez en cuando desde entonces. En El Fin del Mundo esa mujer estaba a plena vista, como una mariposa que revoloteaba fuera de su capullo, hermosa, enérgica, reluciente de alegría y repartiendo dicha alegría por doquier.

Estaba, simple y llanamente, hechizado.

También, y para su consternación, estaba enamorado.

Su belleza, su energía y su alegría no estaban dedicadas a él, aunque le sonreía cada vez que lo miraba y lo incluía en su aura de magnético encanto.

Le presentó a la señora Broome, la encargada, una dama de mediana edad, presencia agradable y ademanes serenos, y juntos comenzaron el recorrido por la casa. Sin embargo, no duró mucho. Un anciano sentado en el salón de los residentes se cogió del brazo de la duquesa (la llamó «señorita Hannah», como hacían todos) y procedió a contarle las últimas trastadas de sus nietos. Eran imaginaciones suyas, le explicó la señora Broome mientras proseguía camino con él, dejando atrás a la duquesa, pero al anciano le complacía contar esas historias a quien estuviera dispuesto a escucharlas. Poco después, dos ancianas que estaban sentadas juntas en el amplio vestíbulo de la planta superior quisieron saber, tras serles presentadas, si el señor Huxtable había acompañado a la señorita Hannah, ya que habían escuchado que acababa de llegar. Cuando admitió que así era, quisieron saber si iba a casarse con ella. La señorita Hannah se merecía a alguien tan joven y tan guapo como él, decidieron las ancianas, que se echaron a reír cuando él les sonrió, les guiñó un ojo y les dijo que tendría que preguntárselo. Mientras tanto, alguien reclamó la atención de la señora Broome por una emergencia.

A partir de ese momento Con deambuló solo, quedándose en la primera planta, donde casi todas las habitaciones parecían ser comunes y estaban abiertas para el uso de todos los residentes, aunque la señora Broome le había explicado que todos tenían habitaciones propias, donde podían disfrutar de intimidad y donde no se podía entrar a menos que se llamara y se recibiera permiso. Era una de las pocas reglas de la casa.

—Es un verdadero hogar —había añadido la encargada—. No es una institución de caridad, señor Huxtable. Hay muy pocas reglas, y todas tienen que ser propuestas primero por los residentes y después sometidas a votación. Tal vez parezca un método destinado al caos, y yo tenía mis dudas cuando Su Excelencia insistió en que así fuera, pero debo confesar que por algún motivo funciona a las mil maravillas. Supongo que la gente es menos propensa a saltarse las reglas que ella misma impone, al contrario que sucede con las reglas impuestas por alguna figura despótica ajena por completo a ella.

Se detuvo en varias ocasiones para charlar con los ancianos mientras paseaba y también con algunos miembros del personal que atendía sus necesidades.

La duquesa seguía escuchando al anciano caballero con sus nietos imaginarios cuando regresó a la planta baja. Lo tenía cogido por una mano y lo miraba con mucha atención. La siguiente vez que la vio, estaba en un invernadero lleno de plantas, dando de comer con infinita paciencia a una anciana de mirada perdida, y en esa ocasión era ella quien hablaba, sonreía y gesticulaba como si la mujer pudiera entenderla y replicar. ¿Quién podría decir lo contrario? A lo mejor sí la entendía. Poco después la vio en la terraza que había junto al invernadero, paseando del brazo de un anciano muy delgado. Tenía la cabeza inclinada hacia él y se reía. El anciano se detuvo para mirarla y también se echó a reír.

A medida que uno se hacía mayor, pensó Constantine, más sencillo era creer que todas las vidas estaban trazadas desde el inicio, que todas las cosas sucedían por un motivo. No por obra del destino exactamente. Porque en ese caso no habría cabida para el libre albedrío y la vida se convertiría en una farsa. Pero sí era cierto que una fuerza invisible conducía a cada persona hacia la lección que necesitaba aprender, hacia la vida que debía llevar, hacia la plenitud que tenía que alcanzar. Y tal vez hacia la felicidad suprema. Los desastres de la vida, una vez que se echaba la vista hacia atrás, podían considerarse a menudo verdaderas bendiciones.

A Hannah le habían roto el corazón a los diecinueve años de un modo especialmente cruel. Había perdido al mismo tiempo al hombre que quería, el futuro que había planeado con él y la confianza que había depositado en su única hermana. Y su padre le había fallado, si bien el hombre se encontró de repente en una situación muy difícil. Y después se había casado con alguien lo bastante mayor como para ser su abuelo, quien murió diez años después, cuando la flor de la juventud la había abandonado.

Sin embargo, durante todo ese proceso no solo había aprendido a protegerse de aquellos que querían aprovecharse de su belleza o que la envidiaban sin ver a la persona que había tras ella, y a controlar su vida en vez de dejarla en manos de otras personas que después acabarían culpándola por ser tan guapa y tan vulnerable. También había descubierto el que quizá fuera el verdadero propósito de su vida: un profundo amor por los que eran más desvalidos que ella, en especial por los ancianos. Y ese descubrimiento había liberado esa parte de su ser que tal vez hubiera permanecido oculta tras su belleza y tras el efecto que causaba en los demás si Young se hubiera casado con ella. Una parte de su ser que, estaba segurísimo, era mucho más tierna y vital que la persona que había sido cuando se comprometió con sir Colin Young.

A lo largo de los últimos once años la vida de la duquesa había seguido un camino muy bien trazado, cosa que jamás habría imaginado ni planeado doce años antes. Esos años no habían sido un lapso en su vida, no habían significado la pérdida de su juventud. Al contrario, habían sido una parte integral de dicha vida y una juventud muy bien invertida.

No había sido una coincidencia que Hannah descubriera la verdad acerca de su prometido y de su hermana en esa boda en concreto, ni que Dunbarton hubiera asistido y se hubiera escondido en la estancia donde ella buscó el consuelo de su padre. Todo fue como una representación teatral dispuesta de antemano. Una representación orquestada por el maestro de los productores. Con un libreto que no estaba acabado.

Por supuesto, Hannah seguía teniendo miedo. Miedo de acabar escondiéndose tras la máscara de la sirena que era la duquesa de Dunbarton. Sin embargo, eso formaba parte del camino trazado. Seguía siendo frágil. Como si fuera una persona atrapada en un edificio en llamas que se aferrara a la cornisa de una de las plantas superiores, le daba miedo dar ese último salto hacia la seguridad de la manta que sujetaban a pie de calle. Necesitaba que le dieran tiempo para hacerlo a su ritmo, cuando estuviera preparada.

Pero ¿quién era él para juzgarla?

Además, sería una lástima que la duquesa de Dunbarton desapareciera por completo. Era una criatura magnífica y fascinante.

En ese momento regresó al interior con el anciano y, al verlo allí de pie, le regaló una cálida sonrisa.

—¿Quiere sentarse un rato en el invernadero para disfrutar del sol, señor Ward? —preguntó al hombre.

—Voy a retirarme a mi habitación a descansar un poco —respondió el aludido—. Me ha agotado, señorita Hannah. Creo que voy a dormir y a soñar con usted y con que vuelvo a ser un hombre joven, como este caballero.

—¿Conoce ya al señor Huxtable? —quiso saber ella—. Ha venido conmigo. Es amigo mío.

—Señor. —Con lo saludó inclinando la cabeza—. ¿Quiere que lo ayude a llegar a su habitación?

—Puedo llegar solo, joven —aseguró el señor Ward—, solo tiene que darme el bastón que está apoyado en esa silla. Le agradezco su amabilidad, pero me gusta hacer las cosas solo mientras pueda. Podría haber dado el paseo con mi bastón, pero no iba a rechazar hacerlo del brazo de una dama, ¿verdad? Mucho menos después de haber sido un humilde estibador. —Soltó una carcajada y Con sonrió.

—Es hora de irnos —dijo la duquesa mientras el anciano se alejaba despacio—. Espero que no te hayas aburrido.

—En absoluto —afirmó.

Diez minutos después volvían a caballo a Copeland Manor. No hablaron hasta que dejaron atrás el prado, cerró la verja y se internaron en el pastizal.

—Duquesa, creo que esa casa está llena de gente feliz —dijo.

Ella se volvió para mirarlo con una sonrisa.

—La señora Broome es la encargada perfecta —comentó—. Y su personal es magnífico.

Y ella era feliz cuando se encontraba en esa casa, pensó Con. El matrimonio con el anciano duque era lo que la había llevado hasta allí.

Una vida trazada.

En el caso de Jon, su vida lo había conducido hasta Ainsley Park, aunque no hubiera vivido para verlo.

¿Y en su caso? ¿Había llegado al mundo dos días antes de

tiempo, antes de que sus padres se casaran, con el fin de nacer ile-
gítimo y no poder heredar el título? ¿Había encontrado de esa
forma un propósito mucho más profundo y provechoso que si se
hubiera convertido en conde de Merton? ¿Estaba mejor, era más
feliz que si su vida hubiera sido otra?

Era una idea apabullante.

Después de todo, tal vez las circunstancias de su nacimiento
no hubieran empañado toda su vida. Tal vez la secreta relación
que mantenía con el sueño de Jon era justo lo que debía depararle
la vida.

Tal vez se había beneficiado de Ainsley Park en la misma medida que las personas que habían pasado por allí.

—Estás muy pensativo —la oyó decir.

—En absoluto. Es mi aspecto mediterráneo.

—Que es espléndido, por cierto —replicó ella, con un deje
más propio de la antigua duquesa—. Sin tu aspecto, es imposible
parecer tan pensativo.

Sus palabras le arrancaron una carcajada.

Cabalgaron sumidos en un silencio cómodo hasta que se acercaron a Copeland Manor.

—Ahora te voy a llevar por otra ruta —dijo ella—. Quiero que
veas algo.

—¿Otro proyecto? —preguntó Constantine.

—Más bien no —contestó—. Todo lo contrario. Es un capri-
cho en toda regla.

Y en vez de entrar en la propiedad y tomar la ruta más corta
hacia la casa, la rodearon por el perímetro de modo que se alejaron bastante de la mansión, según sus cálculos.

—A partir de este punto es mejor ir caminando —dijo ella después de detener su montura— y llevar a los caballos de las riendas.

Antes de que pudiera desmontar para ayudarla, Hannah ya lo
había hecho. Le dio unas palmaditas en el hocico al caballo, se en-
ganchó las riendas en una mano y procedió a internarse entre los
árboles. La siguió y pronto tuvo la sensación de encontrarse en
mitad de la nada, muy lejos de la civilización.

Hannah se detuvo a la postre y alzó la cara hacia las altas ramas que tenía por encima. Llevaban más de cinco minutos sin decir nada.

—Presta atención y dime lo que oyes —dijo ella.

—¿Silencio? —comentó al cabo de un momento.

—¡No! —exclamó ella—. Nunca hay silencio absoluto, Constantine, y la mayoría de las personas nunca lo aceptaríamos si lo hubiera. Me parece que sería aterrador, como la oscuridad absoluta. Sería una especie de vacío. Inténtalo de nuevo.

Y en esa ocasión escuchó un sinfín de sonidos: la respiración de sus caballos, los trinos de los pájaros, el zumbido de los insectos, el movimiento de las hojas mecidas por la suave brisa, el distante mugido de una vaca y otros sonidos de la naturaleza que no conseguía identificar.

—Es el sonido de la paz —susurró ella poco después.

—Creo que tienes razón.

—El sendero agreste, en caso de que hubiera alguno, pasaría por aquí —siguió Hannah—. El lugar es perfecto para ese tipo de trazado. Habría bancos, construcciones ornamentales, coloridas plantas, vistas y solo Dios sabe qué más. Sería fácil de transitar y precioso. Pero no sería un lugar sereno. No tanto como lo es ahora. Ahora mismo formamos parte de este lugar, Constantine. No somos una especie dominante. No lo controlamos. Bastante control hay ya en mi vida. Aquí vengo en busca de paz.

Con ató las riendas a una rama baja y le quitó las suyas de la mano para hacer lo mismo. Acto seguido, la cogió del brazo, la hizo girar hasta que apoyó la espalda en el tronco de un árbol y se pegó a ella. Le tomó la cara entre las manos y la besó en la boca.

¡Maldita fuera su estampa, estaba enamorado de ella!

Se había creído a salvo con ella. Más a salvo que con cualquier otra amante. La había tomado por una mujer vanidosa y superficial. A su lado solo esperaba encontrar lujuria y pasión.

Había lujuria a espuertas.

Y pasión, desde luego que sí.

Pero no estaba a salvo en absoluto.

Porque era más que lujuria.

Le daba miedo admitir que podía ser muchísimo más.

La duquesa le devolvió el beso, le echó los brazos al cuello y en cuestión de segundos ya no estaba apoyada en el árbol, sino entre sus brazos, y los besos se volvieron más urgentes y enfebrecidos. Le echó un vistazo al suelo del bosque y se dio cuenta de que como cama sería tan incómodo como cualquier otro suelo. La aferró por el trasero y la pegó a su erección. La oyó suspirar contra su boca antes de que apartara la cabeza.

—Constantine, sería una falta de respeto hacia mis invitados que hiciera el amor contigo en Copeland Manor.

—¿Hacer el amor? —repitió, mirando con elocuencia el suelo—. ¿En esta cama? Creo que no. Solo he reclamado lo que quedaba de mi premio. Y admito que ha sido un premio muy generoso. Estaré encantado de retarte a una carrera cuando te apetezca, duquesa.

—La próxima vez yo montaré a Jet y tú montarás a Clover. Y ya veremos quién gana.

—Ni en un millón de años. Y si ganas, si te permito ganar, ¿qué premio reclamarás? —La miró con una sonrisa indolente.

—¿¡Si me permites ganar!? —De repente, volvía a ser la altiva duquesa—. ¿Si me lo permites, Constantine?

—Olvida lo que he dicho —dijo—. ¿Qué premio reclamarías?

—Te obligaría a publicar una nota en la prensa londinense en la que informaras a la alta sociedad de que la duquesa de Dunbarton te ha ganado en una carrera ecuestre por sus propios méritos, no porque tú la dejaras.

—¿Me convertirías en un hazmerreír?

—Si un hombre tiene miedo de que una mujer le gane en alguna ocasión, no es digno de ella en ningún sentido. Ni siquiera como su amante.

—Acabas de ponerme en mi sitio, duquesa —comentó—. Así que te pido humildemente perdón. ¿Estoy perdonado?

Hannah se echó a reír y lo estrechó con fuerza mientras volvía a besarle.

—Me alegro de que estemos aquí —dijo—. Cada vez soy más consciente de que la vida rural me hace más feliz que la vida en la capital. Estoy disfrutando muchísimo de estos días. ¿Y tú?

—Bueno, la verdad es que están siendo unos días muy faltos de sexo, pero de todas formas me lo estoy pasando bien. —La abrazó por la cintura con más fuerza, la levantó del suelo y la hizo girar un par de veces antes de soltarla de nuevo y mirarla con una sonrisa.

Efectivamente, para su desgracia no había sexo. En ese caso, ¿por qué se sentía tan animado? Tan... feliz.

Se miraron un buen rato y de repente la tensión de las palabras que habían dejado sin pronunciar crepitó en el aire. Unas palabras que Constantine temía pronunciar por si luego descubría que se había apresurado. Unas palabras que ella podría haber pronunciado en voz alta pero que no dijo. ¿Se estaría imaginando que ella tenía algo que decirle?

¿Habría algo más que la simple euforia de estar enamorado? No lo sabía. Nunca había estado enamorado.

Y no estaba familiarizado con ese algo más, con el amor que excedía la euforia. Con ese sentimiento supuestamente eterno.

¿Cómo se sabía que había llegado?

Las dudas hicieron que no pronunciara las palabras. Al menos por su parte. Y tal vez también por la de ella.

Volvieron a coger las riendas y caminaron entre los árboles hasta salir a campo abierto en uno de los extremos del lago. Andaban codo con codo, aunque habría sido más fácil caminar en fila. Iban de la mano. Con los dedos entrelazados.

Era muchísimo más íntimo que un abrazo.

Hannah no había planeado nada en concreto para esa noche. Suponía que sus invitados agradecerían una velada tranquila en la que hacer lo que quisieran. Sin embargo, Marianne Astley sugirió jugar a las charadas después de que los caballeros se reunieran con las damas en el salón tras la cena, y todo el mundo estuvo encantado de participar.

Estuvieron jugando un par de horas hasta que algunos invitados desistieron y declararon su intención de limitarse a observar.

Lady Merton se acercó a Hannah.

—Si no le importa, voy a salir a la terraza en busca de aire fresco —dijo Cassandra al tiempo que señalaba las ventanas francesas que estaban abiertas—. ¿Me acompaña?

Hannah echó un vistazo a su alrededor. Su presencia no sería necesaria durante un buen rato. Barbara, ruborizada y sonriente, interpretaba en ese momento una frase para su equipo, cuyos miembros chillaban sus respuestas, arrancando carcajadas y algunos comentarios ingeniosos a los del equipo contrario.

—Hace un poco de calor aquí, sí —convino.

En la terraza hacía fresco, pero no era tan desagradable sobre los brazos desnudos como para hacerlas regresar al interior en busca de sus chales.

Lady Merton la tomó del brazo mientras paseaban por la terraza, incluso bajaron al prado, pero no se alejaron mucho, solo hasta donde llegaba la luz procedente del salón.

—La señorita Leavensworth es una dama encantadora —dijo Cassandra—. Antes nos ha contado que son ustedes amigas de toda la vida.

—Sí —replicó Hannah—. He tenido mucha suerte.

—Pero vive muy lejos de usted gran parte del año —continuó la condesa—. Es una pena. Mi mejor amiga fue mi institutriz durante una época de mi vida y después se convirtió en mi dama de compañía. Pero fue mi amiga en todo momento, la única persona en quien podía confiar por completo. Se casó el año pasado, justo antes de que Stephen y yo lo hiciéramos. Es un matrimonio por amor, por lo que me alegro muchísimo, y viven en Londres casi todo el año. Aun así, la echo de menos. Las amigas íntimas necesitan estar cerca.

—Yo les estaré eternamente agradecida a los inventores del papel, de la tinta, de la pluma… y de la escritura —dijo Hannah.

—Cierto —convino Cassandra—. Pero la primavera pasada me habría sentido muy sola si no hubiera contado con la compañía constante de Alice. Yo era viuda, todo el mundo creía que había asesinado a mi marido, y la familia de mi difunto esposo me había dado la espalda y mi hermano también lo hizo, aunque solo por un tiempo.

En ese momento Hannah se percató de que no era una conversación insustancial.

—Me sentía sola aun contando con la compañía de Alice —prosiguió la condesa—. Hasta que conocí a Stephen, por supuesto, y su familia me adoptó. Como se puede imaginar, no me aceptaron de buenas a primeras. Pero sus hermanas son unas mujeres únicas. Crecieron en un pueblecito muy humilde, casi en la pobreza, y parecen más aptas que el resto de la alta sociedad a la hora de analizar un asunto y reparar en lo verdaderamente importante. Y mucho más capaces de mostrar compasión, comprensión y amistad verdadera.

—Tuvo muchísima suerte, lady Merton —dijo.

—Puede llamarme Cassandra si quiere —sugirió la aludida.

—Cassandra —repitió—. Es un nombre precioso. Yo soy Hannah.

Se detuvieron y ambas miraron la luna, que acababa de salir de detrás de una nube. Estaba en cuarto menguante y parecía un poco torcida.

—Hannah —dijo Cassandra—, hemos cometido un error.

—¿Cómo dices? —preguntó, tuteándola.

—Stephen y sus hermanas ni siquiera sabían de la existencia de Constantine hasta que llegaron a Warren Hall y lo conocieron —siguió la condesa de Merton—. Lo quisieron desde el principio y se compadecieron mucho de él porque acababa de perder a su único hermano. Entendieron que para él debía de ser muy difícil ver cómo se adueñaban de su hogar y ver cómo Stephen heredaba el título que hasta hacía poco había pertenecido a su hermano. Y luego estaba todo ese asunto de haber nacido dos días antes de tiempo, de modo que no podía heredar. Constantine es un hombre muy reservado y misterioso, y mantiene una larga rencilla con Elliott, que también se extiende a Vanessa, pero los demás lo quieren muchísimo y solo desean verlo feliz.

—No tengo intención de casarme con él —aseguró Hannah sin apartar la mirada de la luna—. Ni de romperle el corazón. Tenemos una aventura, Cassandra. Estoy segura de que la familia estará al tanto, pero el corazón no tiene nada que ver. —No sabía si era del todo cierto, pero en el caso de Constantine seguramente fuera así, y eso era lo único que le importaba a su familia. Aunque esa tarde...

—Pero ese es el problema —repuso Cassandra con un suspiro—. Estábamos preocupados, Hannah. Aunque Constantine tiene más de treinta años y es más que capaz de cuidarse solo, tú eres distinta a otras mujeres. Creíamos que era muy posible que jugaras con sus sentimientos, que lo humillaras y que incluso le hicieras daño. Aunque no creímos necesario protegerlo de ti (habría sido absurdo), sí creímos necesario demostrarte nuestro rechazo siempre que fuera posible.

—Y por eso rechazasteis la invitación —señaló—. Estabais en vuestro derecho. No tenemos por qué aceptar invitaciones que no nos gustan. Yo jamás lo hago. El duque me enseñó a demostrar mi firmeza en ese tipo de situaciones. Me enseñó a no sufrir un aburrimiento innecesario y a no aguantar a tontos por obligación cuando no hay obligación alguna. No me debes una explicación sobre los motivos de vuestra negativa a venir ni tampoco sobre los que os llevaron a cambiar de opinión después.

—Hannah, la gente me juzgó muy mal cuando llegué a Londres el año pasado, me dieron la espalda —repuso Cassandra—. No hay nada peor que eso, por mucho que una se diga que no importa. En tu caso, la sociedad no te da la espalda. Todo lo contrario, de hecho. Pero sí te juzga mal.

—Tal vez me interese que la gente me juzgue mal —replicó Hannah al tiempo que llevaba a la condesa hacia un banco situado bajo un roble cercano—. Me consuela un poco saber que tengo algo de intimidad incluso en la situación más pública, que me puedo esconder a plena vista.

Se sentaron y Cassandra soltó una carcajada.

—Además de lo que ya te he contado, cuando llegué a Londres el año pasado estaba arruinada —dijo— y tenía a otras personas a mi cargo. Decidí que la única manera de sobrevivir era buscar a un hombre rico que me mantuviera. Y por eso fui a un baile para seducir a Stephen, que me parecía un ángel. Cometí el error de creer que los ángeles son por definición débiles y fáciles de manejar… pero esa es otra historia. Recuerdo que estaba en ese salón de baile rodeada por un espacio vacío. A ojos de los demás, fue un escándalo que hubiera asistido sin invitación, y ese atrevimiento me tenía tan mortificada que ardía en deseos de que me tragara la tierra. Sin embargo, saqué fuerzas del hecho de que nadie me conocía de verdad, de que nadie conocía a la persona que ocultaba tras la fachada de la asesina del hacha pelirroja que todo el mundo veía.

—Pero el conde de Merton bailó contigo —le recordó ella.

—Esa también es otra historia —dijo Cassandra—. Yo mejor que nadie debería haberme dado cuenta al verte a principios de primavera de que no estaba viendo a la verdadera duquesa de Dunbarton.

—Ahí te equivocas —replicó—. Yo soy la duquesa de Dunbarton. Me casé con el duque con diecinueve años, y aunque la gente siempre creerá que se casó conmigo por mi juventud y mi belleza y que yo me casé con él por su título y su riqueza, fui su esposa. Y ahora soy su viuda. Me enseñó a ser una duquesa, a mantener la cabeza bien alta, a controlar mi vida y a no dejar que nadie se aprovechara de mí, por mi belleza o por cualquier otro motivo. Me gusta la persona que ayudó a crear, Cassandra. Me siento cómoda como la duquesa de Dunbarton.

—Me he expresado mal —repuso la condesa—. Quería decir que al mirarte, debería haberme dado cuenta de que no estaba viéndote al completo. Aunque tengo muy presente que en el fondo no te conozco en absoluto, claro. Sin embargo, Margaret nos contó lo amable que fuiste con el abuelo de Duncan cuando fuiste a verla a Claverbrook House y que te despediste de él con un beso en la mejilla. Y también nos contó que habías invitado a nuestros hijos a la fiesta campestre a pesar de que todos habíamos rechazado la invitación. Y durante estos dos días he visto una faceta tuya que nadie puede ver cuando estás en la ciudad. Eres una persona amable, hospitalaria, generosa y cariñosa, Hannah, y quería que supieras que me apresuré al juzgarte. Todas queríamos que lo supieras.

—¿Eso quiere decir que te han elegido para mantener esta conversación conmigo? —preguntó Hannah, sin tener muy claro si la situación le hacía gracia o si se sentía algo dolida.

—En absoluto —contestó Cassandra—. Pero sí es cierto que hemos hablado del tema largo y tendido mientras Constantine y tú estabais fuera, aprovechando que los niños estaban durmiendo o jugando. Y hemos llegado a la conclusión de que debíamos encontrar el modo de decirte que estamos muy arrepentidas de haberte rechazado con tan pocas pruebas.

—No tenéis por qué sentiros obligadas a hacerlo —replicó.

—Claro que no —convino la condesa—. Pero todas queremos ofrecerte nuestra amistad, si la aceptas después de un comienzo tan accidentado.

—¿Con la condición de que no le haga daño a Constantine? —preguntó.

—Ese tema no tiene nada que ver con esto —aseguró Cassandra—. Constantine puede cuidarse solo. Y ya sabemos que no eres la clase de persona capaz de jugar con sus sentimientos o de humillarlo. Si él da por terminada la relación a final de temporada o si tú lo haces, o si os separáis de mutuo acuerdo, es un asunto que solo os concernirá a vosotros dos. Pero creo que me gustaría tenerte como amiga, Hannah, y Margaret y Katherine son de la misma opinión. Y si te sirve de algo, Vanessa nos dijo la semana pasada que siempre le has caído bien y que siempre te ha admirado, que eras demasiado buena para Constantine. —La condesa soltó otra carcajada.

Eso tendría que acabarse, esa absurda rencilla, pensó Hannah. El duque de Moreland había tenido parte de culpa al sacar conclusiones precipitadas sobre su primo, que también era su mejor amigo, y al acusarlo de delitos espantosos, por supuesto. Pero Constantine también era culpable de haberse ofendido hasta tal punto que ni siquiera intentó explicar lo mal que lo habían juzgado.

«Lo mal que lo habían juzgado.» Otra vez ese concepto.

Acababan de ofrecerle la amistad de tres mujeres que estaba convencida de que le agradarían. Tal vez de cuatro. La duquesa de Moreland había dicho que le caía bien y que la admiraba.

Y al parecer le estaban ofreciendo una amistad incondicional.

—Nos han descubierto —anunció Cassandra, de modo que Hannah alzó la vista y vio que el conde de Merton y Constantine cruzaban el prado hacia ellas—. Un ángel y un demonio. Así fue como los califiqué la primera vez que los vi durante un paseo por Hyde Park el año pasado. Y Stephen es un verdadero ángel.

Le dio un vuelco el corazón… aunque acababa de ver a Constantine en el salón hacía menos de quince minutos. La abstinencia estaba haciendo estragos con sus emociones. No solo porque ansiaba hacerle el amor, que era cierto, sino porque la obligaba a pensar en su relación. Y no le gustaba el rumbo que estaban tomando sus pensamientos.

En fin, sí le gustaba, pero…

Pero ¿qué había estado a punto de decirle en el bosque esa tarde, aunque al final él había guardado silencio? Había sido más que evidente que tenía las palabras en la punta de la lengua.

Igual que ella.

Al final acabaría destrozada. Había hecho mal al creer que podía jugar con fuego sin quemarse.

O tal vez no acabara destrozada. Tal vez…

—Hemos venido en busca de felicitaciones por haber ganado —dijo el conde cuando estuvieron lo bastante cerca para que lo escucharan—. Aunque aquí las damas presentes no hayan sido testigos de la victoria.

—Los perdedores nos han acusado de haber ganado solo porque teníamos a la señorita Leavensworth en nuestro equipo. Pero eso me suena a pura envidia.

—Yo estaba en el equipo perdedor —le recordó Cassandra—. No creo que ninguno de mis compañeros sea envidioso. Y cualquier equipo que cuente con la señorita Leavensworth en sus filas tendría una ventaja injusta.

—¡Vaya por Dios! —exclamó su marido—. Cass, no estás siendo objetiva. Así que será mejor que cambiemos de tema antes de llegar a los puños. —Colocó un pie en el banco junto a su esposa y apoyó un brazo en la pierna levantada.

Constantine apoyó un hombro en el tronco del árbol, junto a ella, y cruzó los brazos por delante del pecho.

—Qué maravilloso es este silencio —comentó el conde de Merton al cabo de un momento.

—No hay silencio, Stephen —lo contradijo Constantine—. Si prestas atención, escucharás el susurro del viento entre los árboles, el trino de un ruiseñor y las risas procedentes del salón entre otros sonidos. Todos contribuyen a la sensación de paz y bienestar. Hannah me lo ha enseñado esta tarde mientras dábamos un paseo por el bosque.

Todos aguzaron el oído.

Salvo Hannah.

Acababa de llamarla por su nombre de pila. Por primera vez.

Allí estaba ella, formando parte de un grupo relajado, disfrutando de la calidez de saberse aceptada. No se encontraba en el centro, como una reina rodeada de su corte como solía suceder. Formaba parte de él.

Si obviaba los últimos vestigios de sus defensas, hasta podía creer que formaba parte de un grupo compuesto por dos parejas.

Apretó las manos con fuerza sobre su regazo. Era incapaz de abandonar sus defensas del todo. El potencial dolor de la pérdida, y la posibilidad de acabar con el corazón destrozado, sería demasiado para ella. La otra pareja estaba casada. Su hijo recién nacido dormía en la habitación infantil. Cuando acabara la fiesta campestre, regresarían a Londres juntos. Cuando acabara la primavera, regresarían a casa juntos. Incluso esa noche dormirían abrazados.

—Tienes toda la razón del mundo, Con —dijo el conde tras unos minutos, y parecía sorprendido.

Constantine le puso una mano en un hombro.

Hannah tenía ganas de llorar.

O de ponerse en pie de un salto y empezar a bailar bajo la luz de la luna.

17

A la mañana siguiente todos los invitados parecían muy emocionados por la fiesta infantil que se celebraría por la tarde, incluso los que no tenían hijos. Después del desayuno unos cuantos caballeros, liderados por el señor Park, salieron para señalizar un campo de críquet no muy lejos del lago. Julianna Bentley y Marianne Astley se marcharon con Katherine, que no estaba demasiado pálida, para reclamar un lugar en una cuestecilla situada justo al lado del prado donde se celebrarían las carreras. Barbara Leavensworth encabezó un comité creado por ella misma con el fin de planear una caza del tesoro. Lawrence Astley y sir Bradley Bentley se ofrecieron a probar la barca, que fue pintada y reparada el año anterior, pero que en realidad nunca se había usado. Jasper, lord Montford, se llevó a los niños mayores a montar a caballo con la intención de quitarlos un poco de en medio. Unas cuantas madres, acompañadas por Stephen y por el señor Finch, se quedaron en la habitación infantil para entretener a los más pequeños.

Un total de veintidós niños de varias edades procedentes de los alrededores llegarían poco después del almuerzo. Sus padres también estaban invitados a tomar el té al aire libre, junto al lago.

Hannah estaba en la cocina consultando con la cocinera, algo innecesario en opinión de Con. Ella era la más emocionada de todos. Durante el desayuno estaba resplandeciente. Tenía las mejillas sonrojadas y los ojos brillantes.

Iba de camino a comprobar la barca con Bentley y Astley, pero tuvo que demorarse por la llegada de una carta remitida por

Harvey Wexford. El matasellos era de Londres. Podría haber pospuesto la lectura, pero dado que acababa de recibir un informe de Ainsley Park unos días antes, no esperaba recibir otra tan pronto. La curiosidad ganó la partida, así que se detuvo en la terraza para leerla.

Hannah lo encontró allí mismo cuando salió del salón por las puertas francesas. Su intención era ir al lago para ver cómo iban los preparativos.

Con la miró con una sonrisa y dobló la carta.

—¿Tu cocinera lo tiene todo bajo control? —preguntó.

—Por supuesto. Me ha ofrecido un cálido recibimiento y me ha invitado a quedarme siempre y cuando no me internara demasiado en sus dominios ni estorbara. —Soltó una carcajada y lo miró. Después miró al ajetreado grupo que se encontraba un poco alejado de la casa. Y luego clavó la vista en la carta—. ¿Ha pasado algo?

—No, nada. —Volvió a sonreír.

Hannah se sentó en el banco, a su lado.

—Constantine —dijo—, ¿qué ha pasado? Insisto en que me lo cuentes.

—¿Ah, sí, duquesa? —replicó, mirándola con los ojos entrecerrados.

Ella se limitó a mirarlo en silencio.

—Así es imposible mantener una relación —dijo a la postre.

—¿Lo nuestro es una relación? —respondió él—. Nos acostamos y nos satisfacemos el uno al otro. No creo que eso pueda catalogarse como una «relación».

Hannah lo miró con expresión inescrutable durante un buen rato.

—Nos acostábamos —puntualizó ella—. Nos satisfacíamos el uno al otro. En pasado. —Se puso en pie y echó a andar en dirección al lago sin pronunciar otra palabra más y sin mirar atrás.

Lo llevaba grabado en la médula de los huesos, ¿verdad?, se preguntó. Llevaba grabada la profunda necesidad de protegerse de cualquier daño recurriendo a la introversión. Desde su más tierna infancia, según recordaba, había sido consciente de que no cumplía las expectativas, de que no era adecuado. Había abandonado el vientre de su madre demasiado pronto, dos semanas antes de lo esperado, dos días antes de que su padre pudiera comprar una licencia especial y se casara con su madre. Su madre le había reprochado, tal vez con el convencimiento de que era demasiado pequeño como para entenderla, que si hubiera esperado un poco para nacer cuando debía, sus embarazos anuales, sus abortos y sus partos prematuros no habrían sido necesarios. Su padre le había reprochado, cuando era más que evidente que era lo bastante mayor como para entenderlo, que los fracasos de su esposa no serían tan fastidiosos si hubiera esperado unos días más para nacer como hijo legítimo. Hasta su buena salud había resultado un defecto. Porque responsabilizaba a sus padres de sus continuos fracasos para engendrar un heredero sano y legítimo.

Y luego estaba Jon, a quien había odiado porque él habría hecho mejor papel como conde de Merton a la muerte de su padre. Y el inconmensurable amor que sentía por él. Y la culpa de sentir odio cuando Jon solo quería amor. Cuando él solo daba amor.

Y luego llegó la necesidad de proteger el ambicioso plan de Jon para Ainsley Park, de asegurarse que nada ni nadie lo detenía por el simple motivo de que a los ojos del mundo era un imbécil. Y la negativa de incluir a Elliott en el secreto porque su primo, sorprendido por la precipitación con la que había heredado el título de su padre y sus responsabilidades, seguramente habría elegido proteger a Jon de él.

Y luego se produjo la terrible traición de Elliott, sus acusaciones en vez de sus preguntas.

Claro que, ¿habría respondido dichas preguntas con sinceridad si se las hubiera formulado? Tal vez no. Probablemente no. De todas formas, Elliott habría sentido la necesidad de ponerle fin al plan de Jon. Habría considerado oportuno proteger la propiedad, mantenerla intacta. En eso consistía la labor de los tutores legales. El problema no era que Elliott careciera de corazón, sino que después de la repentina muerte de su padre, había sometido dicho corazón al deber. Al menos en aquella época. Porque desde que se casó con Vanessa parecía haberlo redescubierto. Claro que el daño ya estaba hecho. Jon estaba muerto, y una amistad de toda la vida había acabado destrozada.

De modo que el secretismo y la introversión se convirtieron en parte de su naturaleza. Y en ese momento acababa de ser cruel con alguien que no se merecía su crueldad.

¡Dios santo, la amaba!

Menuda forma de demostrárselo. ¿Formarían también parte de su naturaleza la crueldad y el desapego? ¿Tanto se parecía a su padre?

Se puso en pie para seguirla. Sin embargo, no se había percatado de que Hannah había dado media vuelta y estaba casi delante de él.

—Lo siento —se disculpó.

—No solo nos acostamos, Constantine —lo corrigió ella—. No solo nos satisfacemos el uno al otro. Hay mucho más, lo quieras admitir o no. No voy a ponerle un nombre. No estoy segura de poder hacerlo. Pero hay más, y no soporto que me mantengas a ciegas cuando se trata del dolor más arraigado en tu corazón. Tú conoces el mío. Pero en caso de que no haya sido demasiado explícita al respecto, te lo aclaro ahora. Crecí odiando mi belleza porque me distanciaba de la gente a la que solo quería amar. Mi hermana me envidiaba, aunque me pasé la vida intentando no darle motivos y al final me hizo un daño terrible, tal vez porque yo se lo había hecho antes a ella. Tal vez siempre quiso a Colin. O tal vez le quería solo porque yo lo amaba y lo conseguí. Mi padre se encontraba entre las dos y no supo qué hacer después de que mi madre muriera, así que acabó defraudándome de una forma espantosa al ponerse de parte de Dawn cuando debería haberle resultado obvio que era ella la que se había comportado mal, que acababa de destrozarme el corazón. ¡Sí, lo reconozco, a lo mejor no son villanos de libro, ni siquiera Colin! A lo mejor todos creían estar haciendo y diciendo lo correcto. ¿Quién sabe? Pero deberían haber tenido en cuenta mis sentimientos, deberían haber considerado que yo era tan frágil como la muchacha más fea del mundo, porque la belleza no es un repelente contra el dolor y el sufrimiento. Le estoy agradecida a Dios, y no pronuncio su nombre en vano, por haberme dado a Barbara, que me ha apoyado y querido durante toda mi vida; y por haberme dado al duque, que fue capaz de ver más allá de mi físico y de reconocer a la niña asustada y destrozada que perturbaba la paz que había buscado en aquella biblioteca con sus indignos y escandalosos sollozos.

—Duquesa… —dijo.

—Me enseñó a rescatar, a cuidar y a fortalecer a la persona destrozada que vivía en mi interior para que volviera a ser fuerte —siguió ella—. Me ayudó a volver a valorarme y quererme, sin vanidad, sino aceptando a la persona que existía en realidad detrás de ese físico que siempre había atraído a los demás de una forma tan superficial. Me aseguró que podía volver a amar, y de hecho lo amé, y que podía confiar en el amor, como acabé confiando en el suyo. Aún soy un poco frágil, pero estoy lista para extender otra vez las alas. Ese era mi dolor, Constantine. Sigue siendo mi dolor. Detrás de la invulnerable armadura de la duquesa de Dunbarton, hay una persona que aletea con inseguridad.

Con tragó saliva para deshacer el nudo que tenía en la garganta.

—El sueño de Jon está a punto de convertirse en una pesadilla —dijo al tiempo que sostenía en alto la carta, que aún tenía en la mano—. Jess Barnes, uno de los trabajadores de Ainsley Park que sufre un retraso mental, dejó abierta una noche la puerta del gallinero con la mala suerte de que entró un zorro y mató diez o doce gallinas. Mi administrador asegura que la reprimenda no fue demasiado dura; Jess se esfuerza todo lo que puede para hacer las cosas bien y es uno de los trabajadores más diligentes de la granja. Pero Wexford le dijo que me llevaría una decepción al enterarme de su descuido. De modo que a la noche siguiente Jess entró en el gallinero de mi vecino más cercano y robó catorce gallinas. Y ahora está consumiéndose en la cárcel, a pesar de que las gallinas se han devuelto sanas y salvas, junto con su valor monetario a modo de compensación, y a pesar de que Jess se ha disculpado entre lágrimas. Ese vecino en particular no nos ha visto nunca con buenos ojos ni a mi proyecto ni a mí. Jamás pierde la oportunidad de quejarse por algo. Y ahora tiene las pruebas que necesita para demostrar que el proyecto supone un gran riesgo y que está condenado al fracaso.

Hannah le quitó la carta y la dejó en la mesa, tras lo cual le cogió las manos. No se había dado cuenta de lo frías que las tenía hasta que notó el calor de las suyas.

—¿Qué le pasará al pobre muchacho? —preguntó.

—El pobre muchacho tiene cuarenta años más o menos —señaló él—. Wexford lo arreglará. Está claro que Jess no quiso robar, sino que su intención era la de complacerme enmendando el error que había cometido. Además, Kincaid ha sido generosamente recompensado, aunque no lo culpo por enfadarse. El mayor temor de mis vecinos siempre ha sido la inseguridad de tener tan cerca a gente de mala reputación. De todas formas, no soporto pensar que el pobre Jess está en la cárcel, sin saber siquiera muy bien por qué está allí. Será mejor que me vaya a Ainsley Park cuando volvamos a Londres la semana que viene.

—¿Quieres irte hoy? —sugirió ella.

—Eso suscitaría muchas preguntas —respondió mirándola a los ojos—. Y quiero pasar el resto del día contigo aunque insistas en que nos abstengamos de… satisfacernos el uno al otro.

Le sonrió.

Pero Hannah no le devolvió la sonrisa.

—Gracias, Constantine —dijo en cambio—. Gracias por contármelo.

¡Maldita fuera su estampa! ¡Acababan de llenársele los ojos de lágrimas, por Dios! Alejó las manos de las de Hannah con brusquedad y se volvió para coger la carta de Wexford. Esperaba que ella no se hubiera dado cuenta. Eso era lo que pasaba cuando uno se abría un poco y se desahogaba con alguien.

No debería haberla agobiado con sus problemas. Mucho menos cuando estaba preparando una fiesta.

—Te quiero —la oyó decir.

Con volvió la cabeza con rapidez, olvidadas repentinamente las lágrimas, y la miró, perplejo.

—Es cierto —susurró Hannah—. No te lo tomes como algo

amenazador. El amor no impone cadenas al ser amado. Está ahí sin más. —Y con esas palabras se dio media vuelta y atravesó el prado de nuevo. En esa ocasión no volvió.

¡Maldita fuera su estampa!

Hasta qué punto no sería idiota que estaba asustado y todo. ¿No sería fascinante para la alta sociedad la noticia de que al mismísimo demonio le daba miedo el amor? Aunque tal vez tuviera cierto sentido, desde el punto de vista teológico, reflexionó con sarcasmo.

«Te quiero, Con. Te quiero más que a nadie en el mundo. Te quiero mucho, mucho, muchísimo. Amén.»

Esas habían sido las palabras de Jon la noche de su decimosexto cumpleaños.

A la mañana siguiente lo encontró muerto.

«Te quiero», acababa de decirle Hannah.

Cerró los ojos. Y le suplicó a Dios que Wexford hubiera logrado sacar a Jess de la cárcel a esas alturas. Y fue una oración de verdad. La primera que rezaba en mucho, muchísimo tiempo.

La fiesta infantil fue larga, caótica y espantosamente ruidosa. Los niños se divirtieron de lo lindo, salvo quizá el bebé de Cassandra y otro más que aún no sabía andar. Ambos se pasaron la mayor parte del tiempo durmiendo como si lo que estaba sucediendo no tuviera nada de especial.

Los adultos parecían un poquitín cansados cuando los vecinos por fin se llevaron a sus hijos a casa, y después de recoger todos los juguetes y los trastos para volver a la casa con sus propios hijos.

—Si después de una fiesta infantil —dijo la señora Finch— se acaba tan cansado que es imposible poner un pie delante de otro sin hacer un gran esfuerzo, es que la fiesta ha sido un gran éxito. Su fiesta ha sido magnífica, excelencia.

Todos rieron, exhaustos, para darle la razón.

Hannah estaba feliz y orgullosa de sí misma mientras se arreglaba para la cena alrededor de una hora más tarde. Se había involucrado en los juegos con los niños durante toda la tarde en vez de mantenerse en un segundo plano, como podría haber hecho si hubiera ejercido el papel de anfitriona elegante. Incluso había participado en una carrera de tres piernas acompañando a una niña de diez años que no había parado de chillar en ningún momento, dejándola un pelín sorda del oído más cercano a ella y un tanto dolorida en más de un sitio por las numerosas caídas que habían sufrido.

Estaba feliz.

Le había confesado a Constantine que le quería y no se arrepentía. Le quería y era algo que tenía que decirle. No esperaba nada a cambio, o al menos intentaba convencerse de ello. Porque a lo largo de la vida se dejaban muchas cosas en el tintero que, si se dijeran, podrían suponer un antes y un después.

Le había dicho que le quería.

Apenas se habían hablado durante la tarde. Y no porque quisieran evitarse. Más bien porque habían pasado todo el rato jugando con los niños y hablando con los vecinos, de modo que apenas se habían cruzado.

Claro que Hannah tampoco se había esforzado por cruzarse con él. Se sentía un poco avergonzada, la verdad. Sabía que Constantine no se burlaría de ella por confesar algo así, pero…

¿Y si se reía?, se preguntó.

No pensaba darle más vueltas al asunto. Era la última noche de su fiesta campestre, y aunque seguro que todos estaban cansados, tenía la impresión de que les encantaría pasar una relajante velada en el salón. Estaba deseando relajarse con todos ellos.

Además, tenía la impresión de que contaba con unas amigas que seguirían siéndolo una vez que todos volvieran a Londres. Amigas además de Barbara, claro. Había percibido dicha amistad esa tarde. Con Cassandra y sus dos cuñadas, e incluso con la señora Park y la señora Finch. Tanto lady Montford como la condesa de Sheringford habían encontrado un momento para invitarla a que las tuteara. A partir de entonces serían Katherine y Margaret.

Ojalá en Londres pudiera encontrar el valor para ser quien

realmente era, además de mostrarse como la duquesa de Dunbarton.

La vida era complicada. Y emocionante. E incierta. Y…

En fin, que merecía la pena vivirla.

—Adèle, así está perfecto —dijo al tiempo que volvía la cabeza a un lado y al otro para verse en el espejo. Llevaba el pelo rizado y recogido de forma muy sencilla. Había elegido un vestido de color rosa oscuro. En un principio pensó en descartar las joyas, pero el pronunciado escote del corpiño necesitaba algo para no parecer demasiado desnuda. Se decidió por un sencillo diamante, auténtico en ese caso, que colgaba de una cadena de plata. En la mano izquierda se puso su anillo más preciado, su regalo de boda, junto con su alianza—. Eso es todo, gracias —añadió y siguió mirándose en el espejo después de que su doncella se marchara.

Tal como acostumbraba a hacer de vez en cuando, intentó verse como la veían otros. En Londres, por supuesto, se aseguraba de que los demás la vieran de cierto modo. Pero ¿en Copeland Manor? Había percibido amistad durante los últimos días. Aparte del hecho de ser la anfitriona, se había sentido como si nadie la viera como alguien más especial que el resto de las damas.

¿Sería por la ropa? No se había vestido de blanco ni una sola vez. ¿O tal vez era el pelo? Esa noche llevaba un peinado más sofisticado que en las anteriores veladas, pero no era tan elegante como los que solía llevar en Londres. ¿O se debía más bien a la relativa escasez de joyas? ¿Sería otra cosa? ¿Habrían visto sus invitados a lo largo de esos días lo mismo que ella veía en ese instante? ¿A ella misma?

¿Sería capaz de inspirar amor, o al menos simpatía y respeto, como ella misma?

Al fin y al cabo, no era la única mujer guapa del mundo. Ni siquiera en esos momentos. Cassandra y sus cuñadas eran despampanantes. La señora Finch era bonita. Al igual que Marianne Astley y Julianna Bentley. Barbara era preciosa.

Suspiró y se puso en pie. Se alegraba muchísimo de haber organizado la fiesta campestre. Había disfrutado como no recordaba haber disfrutado con nada en mucho tiempo. Además, todavía quedaba una noche. Al día siguiente volvería a Londres. Constantine y ella podrían pasar la noche juntos. A menos, claro estaba, que él sintiera la necesidad de trasladarse de inmediato a Ainsley Park para comprobar que el asunto de su trabajador se había arreglado.

Esperaba por el bien de ambos, del hombre y de Constantine, que la situación se resolviera pronto.

—Mañana por la noche —dijo Con mientras contemplaba las estrellas, tan numerosas que sería imposible contarlas—. Mi carruaje te esperará a las once en punto. Te espero en mi casa a las once y cuarto. Ni un minuto después. Y te quiero en mi cama a las once y veinte. No precisamente para dormir. Prepárate para una orgía como ninguna otra.

Hannah rió por lo bajo, con la cabeza apoyada en su brazo.

Estaban tendidos a la orilla del lago. Todos estaban agradablemente cansados después de la fiesta infantil y de la merienda al aire libre, así que recibieron con agrado la idea de pasar la velada sentados en el salón, conversando o escuchando a cualquiera que tuviera la pretensión de tocar el piano o de cantar. La duquesa por su parte no había tenido el menor reparo en dejar a sus invitados a su aire cuando Constantine la invitó a dar un paseo. De hecho, sus primos habían intercambiado unas cuantas sonrisillas indulgentes.

Sus primas, para más señas, la llamaban «Hannah» y además la tuteaban, según se había percatado a lo largo del día.

—No pienso protestar en absoluto —replicó ella—. Pero te advierto que después de semejante bravuconada, tendrás que estar a la altura. Exijo que lo estés.

—Me iré a Ainsley Park a la mañana siguiente —le informó—. Debo ir. Posiblemente todo esté solucionado a estas alturas, pero debo ir en persona para calmar los ánimos de Kincaid y de los demás vecinos. Y para agradecerle a Wexford que se haya hecho cargo del asunto en mi nombre. Y para asegurarle a Jess que no me ha decepcionado en absoluto. Tal vez no nos veamos en una semana.

—Será muy aburrido —repuso Hannah—. Pero supongo que sobreviviré. Y supongo que tú también lo harás. Debes ir.

De repente, el final de la temporada social parecía muy próximo. De hecho, si no hubiera sido por su aventura con la duquesa, posiblemente hubiera decidido que no merecía la pena volver a Londres. Sin embargo, de momento era incapaz de plantearse la posibilidad de acabar con la aventura. Porque a lo mejor...

En fin, ya concluiría el pensamiento en otra ocasión, decidió.

Esa mañana le había confesado que le quería. ¿Qué había querido decir exactamente? No era una pregunta que pudiera formular en voz alta, aunque le encantaría conocer la respuesta.

—Entretanto... —dijo mientras apartaba el brazo sobre el que descansaba la cabeza de Hannah. Se incorporó apoyándose en el codo y la miró a los ojos—. No sé, pero creo que falta mucho para que llegue mañana. —Inclinó la cabeza y la besó.

Fue una exploración lánguida, primero con los labios y luego con la lengua, que introdujo en su boca.

—Pues sí —convino ella con un suspiro cuando se apartó de sus labios.

Con le frotó la nariz con la suya.

—Respetaré tus deseos, duquesa —aseguró—, aunque es posible que tus invitados tengan ciertas ideas con respecto a lo que estamos haciendo aquí fuera. Permíteme amarte sin deshonrar tus deseos.

—¿Cómo? —Hannah levantó una mano y le colocó el índice en el punto donde su nariz se torcía.

—No habrá penetración —contestó—. Te lo prometo.

—Y de esa forma preservaremos la respetabilidad —replicó ella—. Cualquier cosa menos la penetración, y nuestros invitados pensando lo peor. Es la historia de mi vida...

Con se puso de rodillas y se colocó a horcajadas sobre ella. Le bajó el vestido por los hombros, dejando al descubierto sus pechos que procedió a acariciar con delicadeza antes de capturar sus pezones con el índice y el pulgar. Al cabo de un momento se inclinó para llevárselos a la boca, primero uno y luego otro. Volvió a besarla en la boca mientras le hundía las manos en el pelo, le introdujo la lengua para que se la succionara y la incitó a hacer lo mismo.

Hannah le metió las manos bajo la camisa, y las fue bajando hasta dejarlas por debajo de los calzones.

Ella ardía de pasión.

Y él palpitaba de deseo.

Descubrió que no había sido una buena idea después de todo. Además, ¿qué diferencia habría si la penetraba y ambos alcanzaban el clímax? Era lo que ambos deseaban. Llevaban añorándolo demasiados días con sus correspondientes noches.

Se movió para tumbarse a su lado sin apartarse de sus labios, e introdujo una mano por debajo de su falda. Dejó atrás la suavidad de la media de seda, la ardiente piel de la cara interna de sus muslos y llegó…

—No.

Por sorprendente que fuera, esa voz era la suya.

Retiró la mano, le bajó la falda y levantó la cabeza.

—¡Maldito seas, Constantine! —la escuchó exclamar con gran sorpresa. Y luego añadió—: Pero gracias. —Acto seguido, le echó los brazos al cuello y tiró de él para besarle.

Fue un beso delicado y tierno. Con sentía cómo le latía el corazón en el pecho, percibía el ardor de su pasión, el gran esfuerzo que estaba realizando para mantener el beso dentro de los límites del decoro.

—Gracias —repitió ella al cabo de unos minutos, estrechándolo con fuerza—. Gracias, Constantine. No sé si habría sido capaz de contenerme. Eres tan irresistible… Acerté contigo desde el principio.

¿Quería decir eso que de haber insistido habrían acabado…?

Le alegraba no haberlo hecho.

Pero ¡maldita fuera su estampa! Se merecía una medalla de honor o algo parecido.

Seguro que no había ni una sola persona en el salón que no lo imaginara disfrutando de todo lo que había que disfrutar con Hannah.

La duquesa poseía un extraño, aunque entrañablemente maravilloso, sentido del honor.

Regresaron a la casa cogidos del brazo, mientras rememoraba las palabras que ella le había dicho esa mañana. Y que no le había repetido desde entonces. ¿Quizá porque no las había correspondido? ¿Podría corresponderlas? ¿Lo haría?

Eran las dos palabras más peligrosas que existían si se unían en la misma frase. Porque eran irrevocables.

Tendría que reflexionar sobre la posibilidad de decírselas.

Tal vez durante la noche siguiente.

O cuando volviera de Ainsley Park.

O nunca.

Una cobardía.

Una muestra de inteligencia.

—Tendré que subir a mi dormitorio antes de regresar al salón, así ordenaré que lleven la bandeja del té —dijo—. Seguro que tengo briznas de hierba desde la cabeza a los pies. Y mi pelo debe de parecerse a un nido. Como si me hubiera dado un buen revolcón.

—Ojalá —replicó él con un sentido suspiro.

Hannah soltó una carcajada.

—Mañana por la noche —dijo—. No olvidaré la orgía prometida.

La acompañó hasta su dormitorio y siguió hasta el suyo a fin de peinarse y de asegurarse que él tampoco parecía recién salido de un pajar.

Hannah se sacudió el vestido, se colocó bien el corpiño, se lavó las manos y se arregló el pelo lo mejor que pudo sin deshacerse antes el recogido. Una vez lista, se miró con ciertas dudas en el espejo de su tocador. ¿Tendría las mejillas tan coloradas como le parecía? ¿Le brillaban demasiado los ojos?

Era horrible, pero desearía que Constantine no se hubiera mantenido fiel a su promesa. De esa forma habría disfrutado del placer sin tener que aceptar su parte de culpa. Incluso podría haberlo regañado después.

Un pensamiento horrible, la verdad. Se alegraba mucho, muchísimo, de que Constantine hubiera mantenido su promesa.

¡Cómo lo amaba!

Cruzó a la carrera el vestidor y estaba a punto de aferrar el picaporte cuando alguien llamó a la puerta y la abrió antes de que ella pudiera hacerlo.

¡Qué hombre más impaciente!

Sonrió antes de reparar en dos detalles. Constantine estaba blanco como la leche. Y desde que la dejó en la puerta de su dormitorio se había cambiado de ropa. Llevaba un gabán largo y botas de montar. En su mano vio un sombrero de copa.

—Duquesa, debo pedirte un favor —dijo al tiempo que entraba en el vestidor y cerraba la puerta tras él—. No he venido en mi carruaje. Vine con Stephen y Cassandra. Debo pedirte prestado un caballo. Jet, si no te importa, para volver a Londres. Desde allí seguiré en mi carruaje.

—¿A Gloucestershire? —preguntó—. ¿Ya? ¿Ahora?

Por absurdo que pareciera, solo podía pensar en la posibilidad de que Constantine no deseara después de todo la orgía que le había prometido.

—Tenía una carta esperándome en el dormitorio —contestó él—. Van a ahorcarlo.

—¿Cómo? —replicó, boquiabierta.

—Por robo. Para dar ejemplo a otros posibles ladrones —siguió Constantine—. Tengo que irme.

—¿Qué vas a hacer?

—Salvarlo. Hacer que cualquiera de los responsables entren en razón. ¡Por el amor de Dios, Hannah! No sé lo que voy a hacer. Tengo que irme. ¿Puedo llevarme a Jet? —Sus ojos parecían muy negros mientras la miraba con desesperación y se pasaba una mano por el pelo.

—Iré contigo —se ofreció ella.

—Ni hablar —rehusó—. ¿Me prestas el caballo?

—El carruaje —lo contradijo antes de abrir la puerta y salir al pasillo, dejándolo atrás—. Voy a dar las órdenes precisas. Vete en mi carruaje directamente a Ainsley Park. Eso te ahorrará al menos medio día de viaje. —Ella misma fue hasta el establo y la cochera, como si su presencia pudiera contribuir a acelerar todo el proceso.

Tanto los caballos como el carruaje tardaron muy poco en estar listos, aunque para ella fue un proceso agónicamente lento, al igual que para Constantine, que no cesaba de pasearse de un lado para otro como un animal enjaulado.

Volvió a cogerlo de las manos cuando vio que el carruaje casi estaba listo, y que el cochero ya se acercaba, ataviado con su librea.

Sin embargo, no se le ocurrió nada que decirle. ¿Qué se decía en esas circunstancias?

¿«Que tengas un buen viaje» o «Espero que llegues a tiempo»? A tiempo ¿de qué?

«Ojalá los convenzas de que no ahorquen a Jess.»

«Es improbable que lo consigas.»

Se llevó sus manos a la cara y las dejó sobre sus mejillas. Volvió la cabeza y le besó las palmas, primero una y luego la otra. Sentía un doloroso nudo en la garganta, pero no pensaba llorar.

Lo miró a los ojos. Él la miró con expresión inescrutable. Ni siquiera estaba segura de que la estuviera viendo.

—Te quiero —susurró Hannah.

Eso hizo que Constantine le prestara atención.

—Hannah… —dijo.

Otra vez su nombre. Era casi una declaración de amor, aunque no estuviera pensando en semejantes trivialidades de forma consciente, por supuesto.

Constantine se volvió, subió al carruaje y en cuanto cerró la portezuela el vehículo se puso en marcha y se alejó.

Hannah levantó una mano, pero él no se asomó.

La presencia de Constantine en Ainsley Park no supondría ningún cambio, reflexionaba Hannah con el alma en los pies mientras el carruaje desaparecía a gran velocidad por la recta avenida.

Ese pobre hombre moriría ahorcado por haber robado. Y

Constantine jamás se perdonaría por haberlo llevado a vivir a Ainsley Park y después fallar de algún modo a la hora de evitarle cualquier mal. Probablemente jamás se recuperaría de ello aunque, por supuesto, no fuera el responsable.

Tenía que haber un modo de salvar a Jess Barnes. Se había llevado catorce gallinas del gallinero de un vecino, pero las había devuelto y se había disculpado. El administrador de Constantine había pagado el valor de dichas gallinas aun cuando habían sido devueltas. Y por eso un hombre estaba a punto de perder la vida... para dar ejemplo a los demás.

En ocasiones el sistema judicial parecía capaz de las decisiones más disparatadas y aterradoras.

De repente, recordó un antiguo refrán: «Si te van a colgar por robar un cordero, mejor roba una oveja». Al final también ahorcaban a las personas por robar gallinas.

Seguro que había alguien que pudiera ser de ayuda. Alguien con influencia. A pesar de su linaje, Constantine era un plebeyo. Pero seguro que había alguien...

Miró hacia la casa y echó a andar casi a la carrera, alzándose las faldas. Habría llegado antes si la hubiera rodeado y hubiera entrado en el salón por las puertas francesas, pensó mientras subía a toda prisa los escalones del pórtico y atravesaba la puerta principal.

¡Dios santo, debía de ser tardísimo! Todos estarían preguntándose por ella y por la bandeja del té. Todos estaban cansados.

Todos seguían en el salón, comprobó nada más entrar, en cuanto un criado que se había apresurado a cumplir su cometido al verla le abrió la puerta. Todos se volvieron a mirarla con curiosidad. Comprendió demasiado tarde que debía de presentar un aspecto desaliñado y que estaría sonrojada... otra vez. Algunos de los presentes se pusieron en pie. Barbara se acercó corriendo a ella.

—¿Hannah? —dijo—. ¿Qué ha pasado? Hemos oído un carruaje. —La cogió de las manos.

Hannah le dio un fuerte apretón mientras buscaba al conde de Merton con la mirada.

—Lord Merton —dijo—, me gustaría hablar en privado con usted, si no le importa. Por favor. ¡Por favor, dese prisa!

Por suerte había una silla tras ella, porque se desplomó de repente soltando las manos de Barbara. La asaltó un temblor incontrolable. Le castañeteaban los dientes. Su cabeza era un hervidero de pensamientos. Comprendió, con cierta mortificación, que había perdido la compostura.

En ese momento se percató de que el conde de Merton estaba frente a ella, con una rodilla hincada en el suelo y tomándola de las manos con firmeza.

—Excelencia —lo oyó decir—, dígame qué ha pasado. ¿Se trata de Con? ¿Ha tenido algún accidente?

—Se ha… se-se ha ido —respondió. Cerró los ojos un instante a fin de recuperar un poco de autocontrol—. Siento mucho que no hayan podido tomar el té todavía. Babs, por favor, ¿te importa ordenar que lo traigan? Lord Merton, ¿podemos hablar fuera? —preguntó al tiempo que le daba un apretón en las manos.

Nadie se movió.

—Hannah —dijo Barbara—, dinos qué ha pasado. Todos estamos preocupados. ¿Has discutido con el señor Huxtable? No, debe de ser algo mucho peor.

Las manos del conde seguían siendo cálidas y firmes. Hannah miró esos ojos azules.

—¿En qué puedo ayudarla? —preguntó él.

El conde no sabía nada. Ninguno de ellos sabía nada. ¡Ay, qué error más tonto el de Constantine por haberlo mantenido todo en secreto durante tantos años!

No le correspondía a ella divulgarlo.

Pero ya no era momento para guardar secretos.

—Se ha ido a Ainsley Park —dijo—, su residencia en Gloucestershire. Y la residencia de un buen número de madres solteras, de personas impedidas, de criminales reformados y de otros muchos rechazados por la sociedad. Uno de los impedidos, creo que debe de sufrir un retraso mental similar al del hermano de Constantine, dejó abierta la puerta del gallinero y cuando descubrió que el zorro había matado a unas cuantas gallinas, intentó remediar la pérdida robando las de un vecino para reemplazarlas y así evitar que Constantine se sintiera decepcionado con él. Después las devolvió con una disculpa, y además el administrador de Ainsley Park indemnizó al dueño con el valor de las mismas, pero de todas formas han sentenciado al pobre Jess a la horca. —Jadeó en busca de aire. No estaba segura de haber respirado en absoluto durante su explicación.

Algunos de los presentes imitaron su gesto. Unas cuantas damas se llevaron las manos a la boca y cerraron los ojos. Hannah no fue consciente de mucho más, sin embargo, porque estaba concentrada en los penetrantes ojos del conde de Merton.

—Así que eso es lo que Constantine ha estado haciendo en Gloucestershire —susurró lady Sheringford.

Hannah se inclinó un poco hacia el conde.

—Se ha llevado mi carruaje —dijo—. Cree que puede salvar al pobre hombre, pero es muy probable que no sea capaz de hacerlo. ¿Me permite usar su carruaje? ¿Me acompañará a Londres?

—Yo mismo iré a Ainsley Park siempre y cuando alguien me diga en qué parte de Gloucestershire se encuentra —contestó el conde—. Haré todo lo que esté en mi mano…

—Había pensado en el duque de Moreland… —lo interrumpió Hannah.

—¿En Elliott? —La expresión del conde se tornó más intensa.

—¡Por Dios! —exclamó ella, aunque más bien pareció un lamento—. Ojalá mi duque siguiera vivo. Salvaría a Jess con una simple mirada en la dirección correcta. Pero está muerto. La palabra del duque de Moreland tendrá mucho peso.

—Elliott y Con han sido enemigos acérrimos desde antes de que los conociera —señaló el conde.

—Porque Constantine vendió las joyas de Merton para financiar el proyecto por orden de su hermano —reveló Hannah—. Todo fue idea de su hermano, aunque él lo apoyaba por completo. Sin embargo, el duque de Moreland lo acusó de robarle a su propio hermano y de ser un depravado que se había aprovechado de muchas mujeres, que en esos momentos eran madres solteras. Constantine no lo contradijo, en parte porque temía que el duque acabara con el sueño de su hermano, pero principalmente por orgullo. El duque lo acusó en vez de preguntarle.

El conde de Merton respiró hondo, retuvo el aire unos instantes y lo soltó lentamente.

—Excelencia, no estoy seguro de que Elliott se muestre dispuesto a ayudar —replicó—. Permítame...

Sin embargo, lady Sheringford se puso en pie y atravesó el salón mientras lo interrumpía.

—Por supuesto que ayudará, Stephen —aseguró con brusquedad—. ¡Por supuesto que lo hará! No se habría pasado tantos años enfadado con él si no le quisiera. Y en caso de que titubee, Nessie lo convencerá de que ayude. A ella será más fácil convencerla. Siempre está dispuesta a creer lo mejor de los demás. Llevo años sospechando que sería capaz de perdonar a Con en un abrir y cerrar de ojos si él le pidiera perdón por lo que sea que le haya hecho.

—Debo irme —dijo Hannah, que se puso en pie y apartó las manos de las del conde—. Tal vez ya sea demasiado tarde. —Se llevó las manos a las mejillas—. ¡Pero tengo invitados en casa!

De repente, el problema se disolvió como por arte de magia. Los invitados se marcharían todos juntos, unos a Londres y otros a Ainsley Park, si seguían el impulso inicial, declaró alguien. Tal vez fuera lord Montford. Sin embargo, supondrían un estorbo. De modo que se quedarían en Copeland Manor y Stephen se marcharía con la duquesa. La condesa de Sheringford afirmó que gracias a su cuidadosa planificación todo iría muy bien en Copeland Manor y que su presencia no sería necesaria hasta que se marcharan, cosa que planeaban hacer al día siguiente por la mañana. Además, añadió que la señorita Leavensworth la había sustituido perfectamente como anfitriona durante el té del día anterior y que volvería a hacerlo durante el desayuno a la mañana siguiente. Según aseguró lady Montford, sería maravilloso que la señorita Leavensworth volviera con ellos a Londres al día siguiente. Una invitación que la señora Newcombe tildó de generosa, aunque ellos mismos habrían estado encantados de llevarse a Barbara, si bien la pobre hubiera viajado la mar de apretujada entre ellos y los gemelos. Barbara añadió que podía marcharse muy tranquila. Y la instó a hacerlo sin pérdida de tiempo.

A la postre resultó que el señor Newcombe conocía el emplazamiento de Ainsley Park. Aunque nunca había estado en la propiedad, apenas distaba treinta kilómetros de su hogar. Incluso había oído hablar muy bien de los aprendices que salían de sus talleres. Lo que ignoraba era que el dueño y el señor Huxtable, con el que había coincidido en la fiesta campestre, fueran la misma persona. De lo contrario, le habría encantado hablar con él largo y tendido sobre el tema.

Cassandra se había marchado del salón a toda prisa. Ella iba a acompañarlos y debía subir para avisar a la niñera de que preparara al bebé para la inminente partida.

—Vamos, Hannah —dijo Barbara, tan serena y eficiente como de costumbre—. Debes cambiarte de ropa y ordenar que te preparen una bolsa de viaje. Yo me encargaré de todo lo demás.

Lord Sheringford había salido para ordenar que prepararan el carruaje de lord Merton.

Una hora más tarde Hannah iba de camino a Londres, sentada enfrente del conde de Merton y de Cassandra. Su Señoría llevaba en brazos al bebé, que estaba dormido. Al parecer, Cassandra lo había amamantado antes de partir.

¿Dónde estaría Constantine en esos momentos? ¿Cuánto camino habría recorrido?

¿Llegaría a tiempo?

¿Influiría en algo que lo hiciera?

¿Iría el duque de Moreland?

¿Llegaría a tiempo?

¿Sería su influencia tan poderosa como para ponerle fin a la locura de ahorcar a un retrasado mental cuyo único delito había sido intentar reparar un error producido por un descuido?

Ojalá su duque estuviera vivo. Porque nadie habría osado llevarle la contraria. Hannah no conocía a nadie que ostentara tanto poder como había ostentado el anciano duque de Dunbarton. Salvo el rey, quizá.

El rey.

¡El rey!

Se dejó caer en el rincón del asiento y cerró los ojos con fuerza.

¿Se atrevería a hacerlo?

¿Se atrevería a hacerlo? Era la duquesa de Dunbarton, ¿no?

18

El duque de Moreland estaba desayunando en su residencia londinense de Cavendish Square cuando le informaron de que Su Excelencia, la duquesa de Dunbarton, y el conde de Merton se encontraban en el salón recibidor y solicitaban verlo para tratar con él un asunto urgente. Su esposa acababa de sentarse a la mesa.

Era temprano. El duque tenía que ir a la Cámara de los Lores y le gustaba pasar siempre una hora con su secretario para discutir los asuntos del día antes de acudir a la cita. La duquesa todavía tenía que abandonar la cama a una hora indecente reclamada por su voraz hijo de ocho meses, que aún no había aprendido a esperar a una hora más civilizada para pedir su desayuno.

Los dos aparecieron en el salón recibidor antes de que Hannah estableciera una ruta satisfactoria para pasearse por la estancia. Se había cambiado de ropa al llegar a Londres hacía unas horas, pero no había dormido. Habría ido a llamar a la puerta del duque mucho antes si no se hubiera impuesto el sentido común. El conde de Merton había tenido la amabilidad de llegar a Dunbarton House diez minutos antes de lo que le había prometido.

—Stephen —saludó la duquesa a su hermano al tiempo que lo abrazaba. Cuando se separó, lo miró a la cara y después la miró a ella con cierta curiosidad.

—¿Duquesa? ¿Stephen? Buenos días. —El duque los miró con expresión penetrante.

Hannah no esperó a que terminasen las formalidades.

—Tiene que ayudar a Constantine —lo urgió, dando unos pasos hacia él—. Por favor. Tiene que hacerlo.

—¿A Con? —Los ojos del duque se posaron en ella… unos ojos azules que brillaban en esa cara morena de facciones austeras y expresión despótica. Tan parecida a la de Constantine y tan distinta—. ¿Tengo que ayudarlo, señora?

—¿Constantine? —preguntó la duquesa de Moreland al mismo tiempo—. ¿Está en un apuro?

—Van a colgar a un hombre en Gloucestershire —explicó Hannah, casi sin aliento, como si hubiera realizado el trayecto hasta allí corriendo en vez de en el carruaje del conde—. Y Constantine ha ido para salvarlo. Pero no podrá hacerlo. No tiene autoridad alguna. Usted sí. Usted es el duque de Moreland. Tiene que ir allí sin demora y ayudarlo. Por favor. —Para ella la explicación tenía muchísimo sentido.

—Elliott… —dijo el conde de Merton, pero el duque alzó una mano para silenciarlo.

—Vanessa, ¿tendrías la amabilidad de pedir que nos traigan un poco de café para la duquesa? —preguntó a su esposa sin apartar los ojos de Hannah—. Y también para Stephen, amor mío. Los dos parecen recién llegados de Kent y creo que no han desayunado.

—Diré que traigan algunas tostadas también —añadió la duquesa antes de marcharse.

El duque aferró a Hannah por un codo y le indicó una silla cercana. Ella se dejó caer sobre el asiento.

—Hábleme sobre el hombre a quien van a colgar —dijo—. Y sobre su relación con mi primo.

¿Qué había dicho hasta ese momento?, se preguntó. Seguramente no lo suficiente. Había querido ser lo más concisa posible para que el duque partiera hacia Ainsley Park sin pérdida de tiempo.

—Robó unas gallinas —explicó—, porque temía decepcionar a Constantine. Resulta que se dejó la puerta del gallinero abierta y se coló un zorro, pero no entendía que estaba robando hasta que se lo explicaron, y después se disculpó y devolvió las gallinas;

además, también compensaron al dueño con el valor de los animales, pero un estúpido juez pensó que debía dar ejemplo con su caso y lo sentenció a morir ahorcado. Por favor, ¿irá a impedirlo? —¿Dónde estaba la controlada y locuaz duquesa de Dunbarton cuando más la necesitaba?, se preguntó.

Los ojos del duque se desviaron hacia el conde justo cuando Hannah se llevaba la enorme sorpresa de sentir que la tomaba de la mano y le daba un apretón.

—¿Stephen? —lo oyó preguntar.

La duquesa regresó en ese instante.

—Elliott, parece que Con compró esa propiedad en Gloucestershire a instancias de Jon —explicó el conde de Merton—, para dar cobijo a madres solteras y a sus hijos. Desde que se puso en marcha, ha expandido su alcance a personas con retraso mental o con problemas físicos, y a otros desahuciados por la sociedad. Tengo entendido que los forman para encontrar un trabajo decente en otra parte. El hombre en cuestión sufre un retraso mental y le tiene muchísimo cariño a Con, por lo que me han contado. Fue el responsable de que el zorro se comiera las gallinas, de modo que buscó otras gallinas en el gallinero de un vecino para reemplazarlas. Seguramente a él le pareciera lógico. Pero lo arrestaron y ni siquiera la devolución de las gallinas ni la compensación económica, además de una disculpa, le han evitado la condena a muerte.

—¿Es posible? —preguntó la duquesa de Moreland con los ojos abiertos de par en par—. ¿Pueden colgar a un hombre por algo tan insignificante?

—La ley no suele aplicarse de forma tan estricta a como podría hacerse —contestó el duque—. Pero en ocasiones sí se hace, y el juez está en todo su derecho.

¿Por qué estaban perdiendo el tiempo hablando?, se preguntó Hannah. Echó mano de la escasa dignidad que le quedaba, deseando no estar tan cansada ni tan desconcertada.

—Constantine quiere a esas personas —dijo—. Les ha dedicado gran parte de su vida de adulto. Si cuelgan a ese hombre, se quedará destrozado. Encontrará la manera de culparse. Sé que lo hará. Aunque estoy segura de que le diría que él no es lo importante ahora mismo, que lo que importa es ese pobre desdichado. Excelencia, sé que mantienen una rencilla. Pero las rencillas son absurdas en situaciones como esta. La vida de un hombre está en juego. Su influencia puede salvarlo. Estoy convencida de que es así. Sé que la influencia de mi duque lo habría salvado, y en muchos aspectos usted me recuerda a él. Tiene un porte parecido al suyo. Por favor, ¿irá a Ainsley Park?

El duque la miró fijamente.

—No puedo inventarme ni cambiar la ley, señora —dijo.

—Pero la sentencia para este tipo de delito es desproporcionada —insistió Hannah—. Usted mismo lo ha dicho, aunque no con las mismas palabras. La sentencia podría cambiar. No tiene que morir por haber robado unas gallinas, sobre todo cuando ni siquiera era plenamente consciente de que estaba robando.

—Es muy posible que cualquier juez argumente que un hombre capaz de robar sin ser consciente de lo que hace es un hombre peligroso, con muchas probabilidades de reincidir, incluso de herir a alguien en el proceso.

—Lo hizo porque quiere a Constantine —adujo Hannah—, porque no soportaba la idea de decepcionarlo por el incidente del zorro. ¿Va a decirme que merece morir?

—Estoy seguro de que no lo merece, señora —contestó—. Pero…

—¿No irá ni siquiera por Constantine? —Hannah decidió no echarse atrás—. Es su primo. Fue su amigo hasta que, y cito textualmente, usted se comportó como un imbécil pomposo y él se comportó como un idiota testarudo.

El duque enarcó las cejas.

—Supongo que debo agradecer que se haya descrito de forma tan peyorativa como me ha descrito a mí.

—Elliott —dijo su esposa, que cruzó la estancia para colocarle una mano en el brazo—, tienes que ir. Sé que tienes que hacerlo. Si tú no vas, iré yo. Y sabes muy bien que allá donde yo voy, Richard se viene conmigo para que el pobre no se muera de hambre, y que Belle y Sam tendrán que venir también para que no se sientan abandonados por su propia madre. Sin embargo, mi influencia no será mayor que la de la duquesa de Dunbarton. Mucho menor, de hecho. Ella tiene una personalidad mucho más resolutiva que yo.

—Amor mío, acabas de decir una sarta de tonterías —repuso el duque, que se llevó la mano de su esposa a los labios—. Pero has dejado clara tu postura. Con por fin me necesita e iré a ayudarlo. Seguramente me dará un puñetazo en la nariz por las molestias y así nos pareceremos todavía más.

—Yo te acompañaré, Elliott —terció el conde de Merton.

Hannah lo miró sorprendida.

—Cass insistió en que lo acompañara antes de que pudiera preguntarle si le molestaría mucho que lo hiciera —explicó.

Hannah se puso en pie de un salto cuando un criado entró en la estancia con una enorme bandeja en las manos.

«¡Dios, que no se sienten a desayunar ahora mismo!», pensó.

—Me voy a casa a preparar el equipaje —dijo el conde.

—Pasaré a recogerte en una hora —comentó el duque.

Y ambos abandonaron la estancia.

—Desayunar posiblemente sea lo último que quiere hacer ahora —comentó la duquesa de Moreland—. Pero tómese una tostada al menos. Yo voy a hacerlo. Acababa de sentarme cuando han llegado —dijo mientras servía dos tazas de café.

—Siento muchísimo haberlos importunado con mis problemas —se disculpó Hannah.

—No sabía que fuera la culpable de los problemas —replicó la duquesa, mientras dejaba la taza y su platillo frente a ella, tras lo cual fue en busca del plato donde había colocado una tostada con mantequilla, cortada por la mitad—. ¿Quiere usted a Constantine?

—Yo...

—Ha sido una pregunta muy indiscreta —la interrumpió la duquesa con una sonrisa—. Permítame expresarlo de otra manera. Quiere a Constantine. Lo estaba viendo venir desde el principio de la temporada social. Incluso he llegado a compadecerme un poco de usted.

Hannah la miró mientras le daba un mordisco a su tostada.

—Le quiero —admitió a la postre—. Lamento que usted no lo haga. Me ha dicho que poco después de que se conocieran hizo algo que la lastimó.

—Sí —corroboró la duquesa—. Y fue algo muy cruel. Algo pensado para avergonzar a Elliott, pero que acabó por humillarme a mí. La verdad es que fue algo muy infantil, pero los hombres pueden ser muy infantiles en ocasiones. Claro que las mujeres también. Me negué a aceptar sus disculpas. Decidí que era imperdonable, y es algo que me apena desde entonces. Pero cuando se disculpó, lo creía responsable de algo muchísimo peor que la travesura que había cometido. Elliott se equivocaba a ese respecto, ¿verdad?

—Sí —contestó—. Pero porque Constantine fue demasiado orgulloso y demasiado arrogante como para explicarse.

—Los hombres rara vez toman el camino más sencillo —comentó la duquesa—. Aunque en ocasiones recurren a los puños, rompiéndose la nariz y poniéndose los ojos morados en vez de hablar como personas civilizadas. A veces creo que el poder de la palabra es un desperdicio en los hombres. ¡Ay, por Dios! No piense que tengo tan mala opinión de ellos, por favor. ¿Le sirvo más café?

Su taza estaba vacía, se percató Hannah. Tenía el regusto del café en la boca, pero no se acordaba de habérselo bebido.

—No —contestó al tiempo que se ponía en pie—. Se lo agradezco, pero debo irme. Tengo que atender otro asunto urgente esta mañana y tampoco quiero impedir que pase un poco de tiempo con su marido antes de que se vaya. ¡Ojalá pudiera ir con él y con el conde de Merton! Pero mi presencia solo serviría para retrasarlos.

—Cierto. —La duquesa sonrió—. Y no sería apropiado, ni siquiera para la duquesa de Dunbarton. Elliott puede ser muy despótico cuando se lo propone, duquesa. No aceptará un no por respuesta en Gloucestershire así como así. Ni Stephen. A veces da la errónea impresión de que es un hombre apocado, incluso un pusilánime, porque es muy amigable y tiene la apariencia de un ángel, pero puede ser un ángel vengador cuando se lo propone. Se lo propondrá por el bien de Constantine.

—Gracias —replicó Hannah.

La duquesa la acompañó a la puerta, momento en el que se dio cuenta de que su hermano se había ido en el carruaje. Sin embargo, Hannah no le permitió que mandara preparar otro vehículo.

—Iré andando —insistió—. El aire fresco me sentará bien y corre una brisa agradable.

La duquesa la sorprendió al abrazarla con fuerza antes de que se fuera.

—Tiene que venir una tarde a tomar el té —dijo—. Le mandaré una invitación. ¿La aceptará? Siempre he deseado conocerla mejor.

—Gracias —contestó—. Será un placer.

¿Dónde estaba Constantine en ese momento?, se preguntó mientras volvía a casa a toda prisa. Estaba segurísima de que habría viajado toda la noche, deteniéndose únicamente para pagar en los fielatos y para cambiar de caballos. Le había advertido a su cochero que esperase un viaje sin paradas. ¿Habrían llegado ya? ¿O seguiría en el camino, preguntándose si llegaría a tiempo, preguntándose si podría salvar a su protegido?

¿Y a qué hora podría presentarse en el palacio de Saint James sin ofender a nadie para pedir una audiencia con el rey?

¿La recibiría?

¿Llegarían a decirle que había ido a verlo?

Pero por supuesto que la recibiría. Era la duquesa de Dunbarton, la viuda del duque de Dunbarton.

«Cuenta con algo», le había enseñado el duque, «y será tuyo».

De modo que contó con hablar personalmente con el rey en breve. Pero primero tenía que llegar a casa para ponerse su mejor armadura.

Ni un diamante falso vería la luz esa mañana. Y no habría más color que el blanco.

Con llegó a Ainsley Park en mitad de una tarde lluviosa, exhausto y sin afeitar. Encontró a todo el mundo con muy mala cara y desconsolado, desde Harvey Wexford hasta Millie Carver, la ayudante de la cocinera a quien había rescatado a los diez años de un burdel londinense a punto de ser vendida al mejor postor para desvirgarla. Habían pasado dos años desde entonces.

A Jess Barnes le quedaba una semana de vida.

Se bañó, se afeitó y se cambió de ropa (pero no durmió) antes de marcharse a caballo a la prisión, emplazada en el pueblo a unos seis kilómetros de distancia. Jess estaba sucio, pero salvo por eso parecía que lo cuidaban bien. Se echó a llorar nada más verlo pero no porque fuera a morir, sino porque le había fallado a su benefactor y esperaba que le echara una buena reprimenda.

Con lo abrazó, sin importarle la suciedad y los piojos, y le dijo que le quería por encima de todo y de todos.

Después de escucharlo, Jess lo miró con una sonrisa deslumbrante y se tranquilizó.

—Todo el mundo te manda recuerdos —dijo—. La cocinera te ha enviado casi todos tus platos preferidos, así que te pondrás como un tonel si te los comes todos. Voy a sacarte de aquí, Jess, y a llevarte a casa. Pero hoy no. Tienes que ser paciente. ¿Puedes hacerlo?

Al parecer Jess podía hacerlo si el señor Huxtable decía que tenía que hacerlo.

Aunque tampoco le quedaba otro remedio.

Con pasó el día siguiente intentando inútilmente que retirasen los cargos contra Jess, que la condena se suspendiera, que conmutaran la pena, que admitieran la locura en su defensa… cualquier cosa que salvara su vida y que, de ser posible, lo devolviera a Ainsley Park.

Kincaid, el agraviado vecino que había logrado recuperar sus gallinas y su valor en dinero contante y sonante, se negó a mirarlo a la cara, pero se reafirmó en que la dureza del castigo era necesaria tanto para erradicar el mal del vecindario como para evitar que otros residentes de Ainsley Park se convirtieran en futuras amenazas para la paz y la seguridad de la zona. Añadió que si podía encontrar la manera de demandarlo personalmente por haber puesto en peligro de forma tan temeraria a sus vecinos o algo similar, lo haría. Y por último dijo que estaba consultando el tema con sus abogados.

La mayoría de los vecinos le recibieron con amabilidad, incluso con compasión, pero ninguno estaba dispuesto a enfrentarse a Kincaid. Sospechaba que unos pocos incluso aplaudían al hombre en secreto.

Un abogado le advirtió de que esgrimir la locura como defensa no serviría de nada, ya que Jess Barnes no mostraba signos de locura, solamente de padecer un retraso mental. No había negado el robo. Había admitido que sabía que robar estaba mal. En realidad, no tenía defensa, solo podían pedir clemencia.

El propio juez lo recibió con cortesía, incluso con cierto buen humor. Pero se negó a cambiar de opinión en el caso de Jess Barnes. Según él, era una amenaza para la sociedad. El condado, todo el país de hecho, se alegraría de librarse de él cuando lo colgaran. Señaló que podría haberlo condenado a varios años de trabajos forzados de estar en su sano juicio, pero que dadas las circunstancias… Y concluyó diciéndole que había sido muy listo al llenar sus campos y su casa con mano de obra barata y mujeres ligeras de cascos para mantener a todos los hombres contentos, incluido él, y que debía esperar que de vez en cuando sucedieran algunos incidentes de ese tipo. Como dos hombres de mundo que eran, añadió, a ninguno podía pillarlos por sorpresa.

En casa, Wexford era incapaz de hacer nada productivo. Le dijo a Con que si pudiera cambiarse por Jess, lo haría sin vacilar. Que todo era culpa suya. Porque le había dicho a Jess que el señor Huxtable se sentiría decepcionado creyendo que eso lo enseñaría a no volver a ser descuidado. En cambio, había provocado todo ese lío… y ni siquiera era verdad. Porque el señor Huxtable nunca se sentía decepcionado con ninguno de los habitantes de Ainsley Park, salvo con aquellos que se marchaban por propia voluntad, renuentes a trabajar a cambio de su manutención y a respetar las pocas reglas necesarias para que la comunidad fuera feliz y productiva.

Con le había dado un apretón en el brazo, pero era el único consuelo que podía ofrecerle.

Los demás estaban prácticamente igual de desanimados. Jess era el preferido de la mayoría.

A la mañana siguiente Con estaba desesperado. Ni siquiera recordaba la última vez que había dormido… o comido. Fue a ver de nuevo a Jess y después volvió a casa. Ya no sabía qué hacer. No recordaba haberse sentido tan impotente en la vida.

Seguro que había algo que pudiera hacer.

Se quedó en el establo para cepillar a su caballo. Escuchó el carruaje antes de verlo. Una dolorosa esperanza hizo que le diera un vuelco el estómago. ¿Sería Kincaid? ¿Habría cambiado de idea después de todo? ¿Serviría para que el juez también cambiara de opinión?

Se acercó a la puerta del establo y miró hacia el camino cuando el carruaje estuvo cerca. Intentó no hacerse ilusiones.

Era un carruaje imposible de confundir con otro. Llevaba un blasón ducal a ambos lados. El cochero y el lacayo que ocupaban el pescante lucían las libreas ducales. El carruaje debió de causar sensación mientras cruzaba Inglaterra… y mientras cruzaba el pueblo de camino a Ainsley Park.

Era el carruaje del duque de Moreland.

El carruaje de Elliott.

Con estaba demasiado cansado como para sorprenderse. La furia lo invadió, si bien fue un sentimiento moderado.

Elliott había ido para regodearse.

Ni siquiera intentó analizar el motivo que lo había llevado a hacer semejante trayecto solo para ese fin.

Echó a andar hacia la casa, siguiendo al carruaje cuyas ruedas crujían sobre la gravilla hasta que se detuvo delante de la puerta principal.

El lacayo saltó del pescante con agilidad y se dispuso a subir los escalones para llamar a la puerta.

—No hace falta —dijo Con—. Estoy aquí.

El hombre se volvió, le hizo una reverencia y regresó junto al carruaje para abrir la portezuela y desplegar los escalones.

Elliott salió del carruaje y la furia de Con se desató.

—Te has perdido —dijo con sequedad—. Tu cochero se ha equivocado con las direcciones. Debería preguntar en la posada del pueblo el camino correcto.

Elliott permaneció inmóvil y se miraron un rato en silencio.

—Estoy buscando a Con Huxtable —replicó su primo—. Tú pareces una versión sucia y desaliñada de él.

Alguien más se apeó del carruaje.

Stephen.

Con lo miró.

—No ha podido mantener la boca cerrada, ¿verdad? —preguntó con amargura.

—¿Te refieres a la duquesa de Dunbarton? —replicó Stephen—. Estaba muerta de la preocupación, Con, no solo por ti, sino también por ese pobre hombre al que han condenado. Me suplicó que la acompañara a Londres para poder hablar con Elliott. Creía que él podría ayudar. ¿Seguimos haciendo falta? ¿Has podido ponerle fin a esta locura sin nosotros?

—No —respondió Constantine—. Pero no necesito ayuda, Stephen. Ni la tuya ni la de Moreland. La casa está llena. No quedan habitaciones libres. Y os sugiero que no os quedéis en la posada del pueblo, es mejor que sigáis camino hasta una casa de postas más respetable.

Se estaba comportando fatal. Lo sabía, pero era incapaz de remediarlo. Estaba exhausto. Y furioso. Y aterrado.

—Un idiota testarudo —comentó Elliott—. Se describió bien, Stephen, ¿no te parece? Pero este imbécil pomposo no ha venido desde Londres solo para que lo manden a la casa de postas más cercana. Va a poner en práctica toda su influencia… valga lo que valga.

«Idiota testarudo. Imbécil pomposo.» Hannah había estado hablando, no cabía duda.

—No te necesito, Moreland —aseguró—. Y estás en mi propiedad. Lárgate.

—Sé que tú no me necesitas —replicó Elliott—. Pero tal vez Jess Barnes sí. No puedo prometerte que le seré de ayuda. Pero he venido a intentarlo y pienso quedarme hasta que lo haya hecho, aunque para ello tenga que dormir en el carruaje al otro lado de las puertas de tu propiedad.

—Con —dijo Stephen—, a nosotros nos importa. Y a muchas otras personas también. ¿Por qué no nos hablaste de este lugar cuando llegamos a Warren Hall? ¿Por qué convertirlo en un asunto tan secreto?

—Stephen, este lugar se levantó gracias a tus joyas, o a las que se habrían convertido en tus joyas —confesó Constantine—. Si dichas joyas no se hubieran usado para otros menesteres, ahora mismo serías muchísimo más rico de lo que eres.

—¿Crees que eso me habría importado? —repuso Stephen—. ¿De verdad, Con? ¿Crees que a Meg le habría importado? ¿O a Nessie o a Kate? ¿No crees que deberías habérnoslo contado en honor al recuerdo de tu hermano?

—No —respondió—. Jon no hizo esto para impresionar a nadie. Lo hizo porque quería, porque era lo correcto. Y si te lo hubiera dicho a ti, Elliott se habría enterado y habría hecho todo lo que estuviera en su mano para deshacer lo conseguido. En aquel entonces, este proyecto estaba en su primera etapa y era muy frágil.

—No creo que hubiera reaccionado de esa forma si se lo hubieras explicado —lo contradijo Stephen—. ¿Lo habrías hecho, Elliott?

Ambos miraron a su primo, que tenía la vista clavada en el suelo y una expresión tensa. Se produjo un largo silencio.

Su primo, pensó Con. Su mejor amigo durante gran parte de su vida. Su compañero de correrías cuando se mudaron a Londres para disfrutar de la vida.

Pero después el padre de Elliott murió de repente, apenas meses después de que Jon hiciera el espantoso descubrimiento sobre las actividades de su difunto padre y decidiera hacer realidad su sueño en Ainsley Park, para lo cual le hizo prometer que no se lo diría a nadie. Se habían vendido unas joyas, Elliott se había percatado de su desaparición y al mismo tiempo se había enterado de la existencia de esas mujeres y de sus respectivos hijos en la zona. De modo que el sórdido escándalo les había estallado en la cara.

Un imbécil pomposo y un idiota testarudo.

Con sintió una opresión en el pecho mientras esperaba a que Elliott contestase la pregunta de Stephen.

—Quería a Jonathan —dijo su primo a la postre, sin levantar la vista—. Era un amor un poco doloroso. Y después mi padre murió, haciéndome responsable de él. Sabía que eras más que capaz de cuidar de él y de atender sus asuntos, Con. Pero era joven y estaba abrumado por el deber, y me sentía obligado a hacerlo todo como era debido, a entender bien los asuntos económicos de Jon antes de desentenderme de ellos y dejarlo todo en tus manos tal como mi padre había hecho. Y entonces fue cuando descubrí que faltaban muchas joyas y tú te negaste a explicarme por qué y me mandaste al cuerno cuando te lo pregunté…

—No me preguntaste —lo interrumpió con voz seca.

Su primo alzó la vista y lo miró con el ceño fruncido y expresión impaciente.

—Claro que te pregunté —insistió—. Con, era imposible que pasara por alto algo así.

—No me preguntaste —repitió—. Me dijiste que era un ladrón.

—Yo no dije eso —protestó Elliott.

—Sí que lo dijiste. —Sonrió con amargura—. Lo dije, no lo dijiste, lo hice, no lo hiciste… ¿Te suena de algo, Elliott? Debimos de pasarnos la mitad de la niñez diciéndonos eso. Solíamos terminar a puñetazos y luego nos echábamos unas risas. Pero esta vez no fue así. Pero da igual. Aunque me hubieras preguntado, yo te hubiera respondido y tú me hubieras creído, no habrías permitido que el proyecto continuara. Habrías detenido a Jon y habrías arruinado lo que resultó ser el trabajo de su vida. Su legado.

—No creo que… —terció Stephen.

Sin embargo, Elliott lo estaba mirando con una expresión inescrutable.

—Es muy probable que lo hubiera hecho —admitió el aludido—. Mi instinto era proteger a Jonathan, incluso de sí mismo. Siempre me asombró que lo trataras como a una persona normal y que te relacionaras con él poniéndote a su nivel. Me asombraba que jugaras horas y horas con él aun cuando ya no era un niño. Pensé que mis responsabilidades hacia él debían llevarse a cabo con gran seriedad. Pero tú lo convertías todo en un juego y eso me enfurecía. Y lo hacías adrede. No tienes ni idea de lo mucho que... —Se interrumpió de repente y meneó la cabeza, apretando y aflojando los puños a los costados—. Tienes razón, lo habría detenido. Habría supuesto que no tenía ni idea de lo que estaba haciendo. Pero Jon era muy consciente de lo que hacía, ¿verdad? Con, siempre decías que Jon era amor. No que quería a las personas, sino que era amor en estado puro. También tenías razón en ese sentido. Y estabas en tu derecho a no responder a mis preguntas... si es que te las hice tal como estoy convencido de que sucedió. Tenías derecho a conservar tus secretos. Tenías derecho a comportarte como un idiota testarudo.

—No nos eches, Con —dijo Stephen—. Tal vez Elliott pueda ayudar. A lo mejor yo también puedo ayudar. O no. Pero no nos eches. Somos tu familia y nos necesitas aunque no te des cuenta. Además, la duquesa de Dunbarton nos ha enviado y creo que se le romperá el corazón si nos echas sin permitirnos siquiera que intentemos ayudar.

Con lo miró con expresión pensativa.

Hannah los había enviado.

Hannah.

La opresión que sentía en el pecho se intensificó.

—Hay habitaciones libres en la residencia de la viuda —dijo al tiempo que señalaba hacia el este, donde se atisbaba una casa situada entre los árboles no muy lejos del lago artificial que el anterior propietario había construido—. Es donde vivo. Si no es demasiado humilde para vuestros gustos, podéis quedaros.

Hizo la invitación a regañadientes. No sabía si se alegraba de verlos o no. Aunque tal vez no importaba cómo se sintiera. Él no era importante en ese asunto. Jess sí. ¿Podría ayudar Elliott? ¿Elliott, con su puñetero ducado y sus aristocráticos aires de grandeza?

¿Elliott, con su honestidad?

—Quedaos conmigo, por favor —añadió antes de que sus primos pudieran contestar—. Antes de nada necesitáis un baño, descansar un poco y comer. Por aquí.

—¿Cuándo...? —comenzó Elliott.

—Cuatro días —contestó Constantine con sequedad—. Tenemos todo el tiempo del mundo. —Y echó a andar por el camino de gravilla que conducía a la residencia de la viuda.

Cuatro días.

Los escuchó caminar tras él.

19

$\mathcal{E}$lliott y Stephen fueron a visitar al juez a la mañana siguiente, ambos vestidos con suma elegancia. Elliott no permitió que Constantine los acompañara. Por supuesto, ni Stephen ni él podrían habérselo impedido si hubiera querido ir, pero tuvo que admitir a regañadientes que seguramente sería mejor quedarse en casa.

Elliott fue a hablar con él a solas antes de marcharse.

—He estado echando un vistazo por aquí y he hablado con alguna de tu gente. Te va bien. Hace tiempo que te va bien.

Con lo miró con los labios apretados.

—¿Ha sonado condescendiente? —preguntó su primo con un suspiro—. No era mi intención. Estoy asombrado e impresionado. Y arrepentido. Y avergonzado. Tú no tuviste nada que ver con esas mujeres, ¿verdad? ¿Fue... mi tío? ¿Tu padre?

Él no contestó.

—El mío no era mejor —siguió Elliott—. Crecí creyendo que era un dechado de virtudes, que estaba entregado en cuerpo y alma a mi madre, a mis hermanas y a mí. Fue después de su muerte cuando me enteré de la amante que llevaba años manteniendo y de la extensa familia que había tenido con ella. ¿Sabías de su existencia? Parecía que el resto del mundo estaba al tanto, incluida mi madre.

—No —respondió.

—Después de la vida desenfrenada que había llevado durante varios años —continuó Elliott—, me aterraba la idea de convertirme en alguien como él, de convertirme en un calavera, de decepcionar a mi madre y a mis hermanas como él había hecho. De modo que perdí mi sentido del humor y todo sentido de la proporción. Y cuando tú te rebelaste contra mi intromisión, tal como la considerabas, en los asuntos de Jon e hiciste todo lo que estuvo en tu mano para molestarme, lo único que lograste fue irritarme todavía más. Sobre todo cuando me di cuenta de que las cosas no eran como deberían ser en Warren Hall, cuando comprendí que mi padre había descuidado su deber en otra faceta más de su vida.

Con supuso que era una especie de disculpa.

—¿Jonathan descubrió la verdad acerca de vuestro padre? —quiso saber Elliott.

—Sí. Dos mujeres, dos hermanas, fueron a hablar con él un día cuando yo no estaba —respondió—. Nunca lo había visto tan alterado, tan desilusionado. Ni tan emocionado como el día que ideó su gran plan. Dudo mucho que hubiera sido capaz de negarle mi ayuda para llevarlo a cabo aunque no hubiera estado de acuerdo con él. Que no era el caso. Yo lo sabía desde hacía años. Llevaba años asqueado por la situación. Pero lo poco que pude hacer equivalía a poner una minúscula venda sobre un vientre abierto en canal.

—Con —dijo Elliott después de un breve silencio—, no eres inocente en lo que respecta a nuestro distanciamiento. Estoy casi seguro de que te lo pregunté. Pero aunque no lo hubiera hecho, habrías podido negar las acusaciones y obligarme a escuchar la verdad. Te habría creído. ¡Por el amor de Dios, éramos amigos! Éramos casi como hermanos. Pero no querías que lo supiera. No querías que te creyera. Lo admitiste ayer. Porque en calidad de tutor legal de Jonathan no habría permitido que continuara empobreciendo su propiedad en beneficio de lo que en aquel momento parecía una locura. Y habría tenido razón al hacerlo. No se le debía permitir que actuara con esa impulsividad. Pero me habría equivocado al mismo tiempo. Muchísimo. Claro que ninguno de los dos podría haberlo predicho en aquel momento. No habría sido fácil para mí, Con. Al callarte la verdad, posibilitaste que Jonathan y tú hicierais lo correcto. Pero en el proceso aniquilaste nuestra amistad y me convertiste en el villano de la obra. En un imbécil pomposo.

—Te comportaste como tal —señaló Constantine.

—Y tú como un idiota testarudo.

Se miraron en silencio. Una mirada que amenazaba con convertirse en un duelo hasta que Elliott estropeó la pose al permitir que le temblaran los labios.

—Alguien debería retratarnos así —dijo—. Seríamos una caricatura increíble.

—¿Estás haciendo esto solo por Jess? —preguntó.

—Y por la duquesa de Dunbarton —contestó Elliott—. Y por Vanessa. Está deseando perdonar y ser perdonada, Con.

—¿Ser perdonada? —repitió con el ceño fruncido—. Fui yo quien se portó mal con ella. Fatal.

—Pero te disculpaste —precisó Elliott—, y ella se negó a perdonarte. Sé que desde entonces se siente mal por lo sucedido. Cuando la duquesa vino a vernos con Stephen, Vanessa vio una oportunidad para su redención. Tal vez para la de todos. Si he venido por alguien, ha sido por ella. La quiero.

—Lo sé —dijo Constantine.

—Y también he venido por ti —añadió Elliott, que apartó la vista con brusquedad—. Pese a todo, eres alguien a quien una vez quise. Tal vez alguien a quien todavía quiero. ¡Por el amor de Dios, Con, te he echado de menos! ¿Te lo puedes creer? Te creía capaz de todas esas barbaridades, pero seguía echándote de menos.

—Esto empieza a ser vergonzoso —comentó.

—Cierto —convino Elliott—. Y Stephen seguramente me esté esperando. Antes de que me reúna con él, Con, ¿me darás la mano?

—¿Quieres las paces con un beso? —preguntó.

—Si no te importa, prefiero saltarme lo del beso —contestó su primo, tendiéndole la mano derecha.

Con la miró y se la estrechó.

—Tal como yo lo recuerdo —dijo—, no me preguntaste, Elliott. Lo diste por sentado. Pero tal como tú lo recuerdas, me preguntaste y yo te mandé al cuerno. Nunca sabremos quién tiene razón. Quizá sea mejor así. Pero tú acababas de perder la confianza en tu padre y yo estaba desesperado por proteger el sueño de Jon. Nunca se nos dio bien hablar sobre el sufrimiento, ¿no es cierto?

—Un caballero nunca admite sentirlo —respondió Elliott mientras se daban un fuerte apretón de manos—. Y ahora tengo que desplegar toda mi pomposidad. Aunque intentaré no comportarme como un imbécil. Haré todo lo que esté en mi mano para conseguir el indulto de Barnes. Ojalá sea suficiente.

—Yo también lo deseo —dijo su primo fervientemente.

Aún le dolía tener que quedarse en Ainsley Park, de brazos cruzados e impotente. Sin embargo, de momento lo mejor era dejar que sus primos fueran a ver al juez y lograran lo que él no había conseguido. O que al menos lo intentaran.

¿Y si fracasaban?

Ya lo pensaría cuando llegara el momento.

¿Cuando llegara el momento? ¿No en el caso de que llegara?

Se encaminó a la granja que abastecía la propiedad con la esperanza de encontrar alguna tarea pesada con la que poder matar el tiempo.

A lo largo de las siguientes tres horas y media Constantine se percató de que se había convertido en el centro de atención de Ainsley Park. Estaba cortando madera junto a los establos. Se había quitado la camisa y tenía toda su atención, su fuerza y su energía puestas en la tarea. Nada en el mundo importaba más que apilar madera suficiente para pasar el próximo invierno… y tal vez también el siguiente.

Los lacayos y los mozos de cuadra estaban trabajando en el establo. Ninguno se tomó un descanso, ni siquiera al mediodía. Todos y cada uno de ellos encontraron un motivo para pasarse por el patio del establo con sospechosa regularidad. Al menos tres mujeres estaban arrancando las malas hierbas del huerto de la cocina, aunque un par de días antes Con había comprobado que no había ninguna. Tal vez por eso estuvieran tardando tanto, porque les costaba encontrarlas. Dos niños le pasaban los troncos para que los cortara, aunque era evidente que con uno bastaba. Millie les llevó dos veces una bandeja con bebidas y galletas de avena, y también se quedó para ayudar a uno de los niños a apilar la leña junto a la pared del establo durante su segundo viaje. La cocinera salió por la puerta lateral, supuestamente para averiguar por qué se retrasaba tanto Millie. Sin embargo, en vez de llamarla o de regresar a la cocina cuando se dio cuenta de que estaba ocupada, se quedó un rato donde estaba, secándose las manos con el delantal. Seguro que cuando terminó eran las manos más secas de toda Inglaterra. Roseann Thirgood estaba impartiendo una clase de lectura en el exterior, quizá porque hacía un día soleado y corría una suave brisa que los obligaba a sujetar los libros con ambas manos para evitar que las páginas volaran. Otra de las mujeres estimó necesario sacudir el plumero por la ventana de uno de los laterales de la casa cada pocos minutos y asomarse para ver dónde caía el polvo.

Todos sabían, por supuesto, que Elliott y Stephen habían ido a hablar con el juez, si bien no se lo había dicho nadie. Y todos sabían por qué Constantine estaba cortando leña con tanta ferocidad. Nadie le habló. Ni tampoco hablaron entre ellos. Salvo Roseann con sus alumnos, supuso, aunque no escuchó a ninguno.

Y después todos los que habían desaparecido un instante reaparecieron, y todos los que habían estado ocupados (o habían fingido que lo estaban) dejaron lo que estaban haciendo, incluidas las mujeres que quitaban las malas hierbas, que se pusieron de pie. Millie dejó caer los dos leños que llevaba en las manos. La cocinera soltó el delantal. Con se detuvo con el hacha por encima del hombro.

Caballos.

Y ruedas de un carruaje.

Bajó el hacha muy despacio y se volvió.

El mismo carruaje ducal del día anterior. El mismo cochero y el mismo lacayo, con sus relucientes libreas, cepilladas con brío para el nuevo día.

Con incluso se olvidó de respirar por un instante. Si le hubiera dado por reflexionar sobre ese detalle, habría apostado que los demás también se olvidaron de hacerlo.

El carruaje no prosiguió hasta la puerta principal. Se detuvo junto al establo. Quizá sus ocupantes habían visto a todos los concentrados en el patio, en cuyo centro estaba Con.

Stephen fue el primero en salir, sin esperar a que desplegaran los escalones. Miró a su alrededor y después a Con, que estaba clavado en el suelo. No había dado un solo paso hacia el carruaje.

—La cosa pende de un hilo —dijo Stephen, alzando la voz para hacerse oír.

Una desafortunada elección de palabras.

Elliott también se apeó sin la ayuda de los escalones.

—El juez va a considerar el asunto —dijo, también lo bastante fuerte como para que todos se enterasen—. Su veredicto final aún no es firme, pero en el caso de que indulte a Jess Barnes, lo hará dejándolo bajo mi custodia y con la condición de que me lo lleve bien lejos de aquí y de que no regrese jamás a Gloucestershire.

Con estaba casi seguro de haber escuchado un suspiro colectivo. O tal vez solo escuchó el suyo. Soltó el hacha junto a un montón de madera sin cortar y se acercó a sus primos, quienes a su vez se acercaron a él.

—Elliott ha estado increíble, Con —dijo Stephen—. Casi me eché a temblar al escucharlo.

—No, de eso nada —lo contradijo Elliott—. Estabas demasiado ocupado rezumando tu legendario encanto, Stephen. Estuve a un paso de quedarme obnubilado.

—Pero el juez no se ha decidido —puntualizó Con.

—Para ser justos, tiene carácter —dijo Elliott—. Me ha dado la impresión de que se arrepiente cada vez más de la dureza de la sentencia a medida que se acerca el fatídico día, pero que no encuentra una salida digna. Seguro que tu intervención lo ha ablandado. Quería concedernos lo que le pedíamos, pero se niega a dar la impresión de haberse dejado avasallar por dos aristócratas sin autoridad real sobre él.

—¿Crees que soltará a Jess? —preguntó Con.

—Lo creo —contestó—. Pero no puedo asegurarlo. No.

—¿Ha dicho cuándo tomará una decisión? —quiso saber.

—Mañana —respondió Stephen.

—Pero sea como sea, Con —dijo Elliott—, Jess no volverá a Ainsley Park. Lo siento. La mejor solución que se me ocurrió fue prometerle que me lo llevaría conmigo.

Con asintió con la cabeza. Y sus ojos volaron por encima del hombro de Elliott, más allá del carruaje, hasta el camino que discurría por detrás. Un jinete solitario se acercaba al trote.

Los demás también lo habían escuchado. Se volvieron a un tiempo.

¿El juez ya había tomado una decisión?

¿Era una visita al azar?

Sin embargo, conforme se acercaba el jinete, vieron que lucía una brillante librea y que parecía estar un poco cansado. Era evidente que había recorrido un largo trayecto, posiblemente sin hacer paradas salvo para cambiar de montura y tomar algo.

—¡Por Dios! —exclamó Stephen—. Es la librea real.

No cabía la menor duda al respecto. El jinete era un mensajero del rey.

El recién llegado detuvo el caballo detrás del carruaje y miró a su alrededor con expresión altiva antes de reparar en Elliott.

—Tengo órdenes de entregarle un mensaje al señor Constantine Huxtable —dijo.

—Soy yo. —Con alzó un brazo, un brazo desnudo salpicado con virutas de madera, y dio un paso al frente.

La expresión del mensajero se tornó más altiva si cabía.

—Doy fe de su identidad —terció Stephen, con cierta sorna—. Soy Merton.

El mensajero buscó en su alforja y sacó dos pergaminos lacrados con el sello real.

—Señor, primero debo entregarle este por orden expresa de Su Majestad el rey.

Y le ofreció uno de los pergaminos a Con, que lo miró como si así pudiera desentrañar sus secretos. Intercambió una mirada con Elliott y Stephen, rompió el sello y desplegó el pergamino.

La sangre se le fue a los pies. Se humedeció los labios. El pergamino tembló entre sus dedos. Alzó la vista.

—Un perdón —susurró. Y después levantó la cabeza, miró a su alrededor y alzó la voz. Sostuvo el pergamino en alto—. Un perdón. Un perdón real para Jess. El rey ha revocado la sentencia.

—Si me indica cómo llegar hasta el juez en cuestión, señor —dijo el mensajero—, le llevaré un duplicado de ese documento sin más demora.

Nadie le hizo caso. Hubo una oleada de vítores, risas y aplausos. Y todo el mundo se puso a hablar a la vez. El volumen de sus voces aumentó al darse cuenta de que nadie escuchaba a los demás porque todos estaban hablando al mismo tiempo. Casi todos. Dos de las mujeres que quitaban malas hierbas se pusieron a bailar cogidas de las manos, chillando mientras daban vueltas. La cocinera se había cubierto el rostro con el delantal. Millie estaba sollozando sin tapujos mientras las lágrimas resbalaban por sus mejillas.

Con cerró los ojos con fuerza y levantó la cara al cielo.

—La muy bruja —murmuró con cariño.

—En fin —dijo Elliott—, ya veo lo necesaria que era mi presencia, Con.

Sin embargo, estaba sonriendo cuando Con lo miró, se acercó y lo aprisionó con un abrazo de oso.

—Era necesaria —aseguró—. Eres necesario, Elliott. Siempre eres necesario. —Y acto seguido se puso en ridículo al empezar a llorar con la frente apoyada en el hombro de Elliott. Sintió que su primo le colocaba una mano en la nuca—. ¡Maldita sea mi estampa! —exclamó, al tiempo que retrocedía un paso y se limpiaba las lágrimas con el dorso de la mano—. ¡Maldita sea mi estampa!

Elliott le puso un pañuelo de lino blanco en la mano.

—El amor está permitido, Con —dijo.

Stephen se sonó la nariz con su propio pañuelo.

El mensajero real carraspeó.

—A continuación tengo órdenes de darle esto, señor —dijo, ofreciéndole el segundo pergamino.

Con miró al jinete mientras lo aceptaba. Pero solo era un mensajero, no el mensaje en sí.

¿Qué más tenía que decirle el rey?

«¡Ja, ja, no lo he dicho en serio... Jess Barnes va a morir!», pensó.

Rompió el sello, desplegó el pergamino y lo leyó.

Y después lo leyó una segunda vez.

Y después soltó una risilla. Y después se echó a reír mientras se lo pasaba a Elliott, que lo leyó, también dos veces, y se lo pasó a Stephen antes de mirarlo y sumarse a sus carcajadas.

—Caray —dijo Stephen al cabo de un momento—. ¡Caray!

Y los tres se pusieron a reír a mandíbula batiente mientras los demás los miraban y se preguntaban qué les hacía tanta gracia.

—¿Qué pasa con el tiempo, Babs? —preguntó Hannah que estaba sentada en su lugar preferido, el alféizar acolchado de su gabinete privado—. Cuando lo estamos pasando bien, vuela como un pájaro ansioso por llegar a su hogar después de un largo invierno, y al igual que dicho pájaro, es imposible detenerlo. En otras ocasiones se arrastra como una tortuga a la que le hubieran dado láudano.

Barbara estaba bordando.

—No existe lo que llamamos «tiempo» —replicó—. Solo existen nuestras reacciones al inexorable curso de la vida.

Hannah clavó la vista en la coronilla de su amiga.

—Babs, ¿crees que si fingiera estar disfrutando de seguir en la inopia recibiría noticias al instante? ¿Será tan sencillo como eso? Por favor, dime que sí.

Barbara levantó la cabeza y sonrió.

—Me temo que no —respondió—. Porque la ilusión del tiempo hace que el tiempo exista. Nuestras reacciones son demasiado fuertes como para detenerlo del todo. Somos lamentablemente humanos. Y maravillosamente humanos también.

—No habrás aprendido todo esto con tu vicario, ¿verdad? —preguntó con recelo.

—Pues sí, gracias a algunas discusiones —admitió Barbara—. Y a través de mis reflexiones íntimas y de algunas lecturas que Simon me sugirió.

—Si no puedo detener la ilusión del tiempo ni tampoco puedo detener la realidad —dijo—, de nada sirve saber que se trata de una ilusión, ¿no te parece? Ni tampoco es necesario definir esa realidad. Ahora me está dando vueltas la cabeza, ¿o eso también es solo una ilusión?

Barbara se limitó a soltar una carcajada y a retomar la labor.

—El rey prometió ayudar, Hannah —le recordó.

—Pero todo el mundo sabe que la memoria del rey es muy voluble —replicó—. Tiene buenas intenciones, pero se distrae muy fácilmente. No fui la única persona que le pidió algo esa mañana, ni la última. El hecho de que se echara a llorar al oír mi historia no quiere decir nada. Llora por cualquier cosa que sea mínimamente emotiva.

—Debes confiar en él —insistió su amiga—. Y en el duque de Moreland y en el conde de Merton. Y en el propio señor Huxtable.

Hannah suspiró y cogió un cojín que abrazó contra su pecho.

—Es muy difícil confiar en otra persona que no sea una misma —repuso.

—Has hecho todo lo que has podido —dijo Barbara—. Mucho más.

Hannah miró de nuevo la coronilla de su amiga. Consideró la idea de levantarse y empezar a pasear por la estancia… otra vez. Consideró la posibilidad de salir a dar un paseo vigoroso, pero estaba lloviendo y el viento soplaba con fuerza, y Barbara insistiría en acompañarla. Y seguramente pillaría un resfriado y tendrían que cuidarla durante un par de semanas para que no acabara a las puertas de la muerte.

A veces Barbara podía ser una molestia considerable.

—Se suponía que ibas a volver a casa en cuanto regresáramos de Kent —comentó—. Ansiabas volver a casa, aunque eres demasiado educada como para decirlo. Sin embargo, aquí estás, callada y paciente, Babs. Yo me subiría por las paredes de estar en tu lugar.

—No, no lo harías. —Su amiga volvió a levantar la cabeza—. Eres muchísimo mejor persona de lo que aparentas, Hannah. Si estuvieras en mi lugar, te quedarías conmigo todo el tiempo que te necesitara. Somos amigas. Nos queremos.

Hannah escuchó el sollozo que se le atascaba en la garganta y tragó saliva. Abrió los ojos de par en par para que no se le llenaran de lágrimas. De un tiempo a esa parte le costaba muchísimo no echarse a llorar. Se había convertido en una especie de reclusa desde su visita al palacio de Saint James. Aunque sus nuevas amigas habían tenido la amabilidad de ir a verla la tarde anterior. Habían ido todas juntas (las tres hermanas Huxtable y su cuñada), y se habían quedado durante una hora y media, muchísimo más de lo que requería una visita de cortesía. Estaban casi tan ansiosas como ella por recibir noticias.

—Quieres a tu vicario —dijo—. Deberías estar con él, Babs.

—Y lo estaré —repuso Barbara—. Nos casaremos en agosto y viviremos juntos el resto de nuestras vidas. Cuando reciba noticias suyas, estoy segura de que me dirá que he hecho lo correcto al quedarme contigo. Aunque hoy ya no recibiré nada. Seguro que mañana sí.

Barbara siguió bordando y ella soltó un profundo suspiro.

Y al cabo de un momento contuvo el aliento mientras Barbara dejaba la aguja suspendida sobre la tela.

Ambas escucharon el distante sonido del llamador de la puerta principal.

—Visitas —dijo Hannah en un intento por fingir despreocupación—. Les dirán que no estoy en casa.

Sin embargo, aguzó el oído para escuchar pasos al otro lado de la puerta, y cuando los oyó, se tensó y se pegó el cojín al cuerpo como si debiera protegerlo con su propia vida.

—Un caballero pregunta por la señorita Leavensworth, excelencia —dijo su mayordomo cuando abrió la puerta.

—Dile que... ¿Pregunta por Barbara?

—El reverendo Newcombe, excelencia —respondió el mayordomo, mirando a Barbara—. ¿Debo decirle que no se encuentra en casa?

—¿Simon? —preguntó Barbara en voz baja. Tenía la aguja suspendida sobre la tela.

De repente, pensó Hannah, su amiga estaba guapísima.

—Hazlo pasar, por favor —ordenó al mayordomo.

Nunca recibía visitas en su gabinete privado.

Bajó las piernas al suelo y soltó el cojín cuando el mayordomo se retiró. Su primer instinto fue salir de la estancia a toda prisa, dejar el campo libre para el reencuentro de los enamorados. Pero fue incapaz de resistir el impulso de quedarse a presenciarlo y conocer al prometido de Barbara.

Su amiga recogió calmada y metódicamente su labor, tras lo cual comprobó el estado de su pelo y se aseguró de que no quedara sobre su vestido ni rastro de las galletas con las que habían acompañado el té. Miró a Hannah.

—Por eso hoy no he recibido una carta suya —dijo—. Ha venido en persona.

Su belleza era radiante. Tenía los ojos enormes y brillantes.

Era la expresión del amor, pensó Hannah. Lo había visto en su propio espejo de un tiempo a esa parte. Para lo que le había servido…

La puerta se volvió a abrir tras la llamada de rigor.

—El reverendo Newcombe para ver a la señorita Leavensworth —anunció el mayordomo.

Y acto seguido entró el caballero más corriente que Hannah habría podido imaginar. Era justo como Barbara lo había descrito, de hecho. No era alto, ni fuerte ni guapo. Su atuendo era sobrio y decente, sin adornos. Pero en cuanto sus ojos se posaron en Barbara, sonrió… y Hannah supo por qué su amiga, que había rechazado a varios pretendientes más que adecuados a lo largo de su juventud, había acabado entregándole su corazón a ese hombre.

Barbara sonreía de oreja a oreja.

«¡Por Dios!», pensó Hannah; de haber estado en el lugar de

su amiga habría cruzado la estancia a la carrera con un grito ensordecedor para lanzarse sobre él.

—Barb —dijo el reverendo.

—Simon.

Tras ese enorme despliegue de afecto, ambos recuperaron sus buenos modales y se volvieron hacia ella.

—Hannah, tengo el honor de presentarte al reverendo Newcombe —dijo su amiga—. Simon, te presento a la duquesa de Dunbarton.

El vicario le hizo una reverencia. Hannah correspondió con una inclinación de cabeza.

—Ha venido en persona para llevar a Barbara a casa —aventuró—. No le culpo en absoluto, señor Newcombe. He sido muy egoísta.

—Excelencia, he venido porque mi futuro suegro ha tenido la amabilidad de sustituirme en los oficios del domingo para así poder tomarme unas cortas vacaciones en Londres, aunque disfrutaré de otras tras mis nupcias. He venido porque me parecía que habían pasado años, y no semanas, desde la última vez que vi a Barbara. Y he venido porque usted está angustiada y he pensado que tal vez pueda ofrecerle consuelo espiritual.

Hannah se mordió el labio inferior. Echarse a reír no sería apropiado. Si bien era cierto que en parte ansiaba hacerlo, otra parte más noble de su ser se sentía conmovida.

—Se lo agradezco. Es un momento de gran ansiedad. La vida de un hombre pende de un hilo y me preocupa muchísimo, aunque no lo conozco en persona y es probable que nunca llegue a conocerlo. Alguien cercano a mí está muy involucrado emocionalmente en este asunto, y yo estoy muy involucrada emocionalmente con esta persona. —No había sido su intención expresarlo de ese modo. Pero ya había pronunciado las palabras, y eran ciertas. Siempre había que contarle la verdad a un clérigo.

—Lo entiendo, excelencia —replicó el reverendo, y tuvo la impresión de que era cierto.

—Tengo que atender un asunto urgente en otra parte de la casa —comentó—, así que me temo que no podré ejercer de anfitriona perfecta, ya que debo ausentarme ahora mismo. Aunque lo dejaré con Barbara. Estoy segura de que hará todo lo que esté en su mano para entretenerlo en mi ausencia.

—Estoy seguro de que lo hará, excelencia —convino él.

Le sonrió y el reverendo le devolvió la sonrisa con tan buen humor que se podría haber enamorado de él si su corazón fuera libre.

Le sonrió, le guiñó a Barbara un ojo (el que el reverendo Simon Newcombe no podía ver) y salió de la estancia como si en realidad tuviera una infinidad de tareas pendientes.

¿Qué estaría pasando en Gloucestershire? ¿Y por qué a ella no le escribía nadie?

20

Después del largo trayecto hasta Londres, lo más interesante que se le ocurrió hacer al reverendo Newcombe durante su primer día fue ir a una librería situada en Oxford Street que aún recordaba de sus días de estudiante.

Antes se pasó por Dunbarton House a fin de invitar a Barbara y a Hannah para que lo acompañaran. Barbara estaba entusiasmada por la idea.

Hannah observaba a la pareja mientras tomaban café en el salón. Aquello le resultaba extraordinario. Ni siquiera era una librería de libros nuevos. Seguro que estaba llena de polvo. E indudablemente llena de antiguos volúmenes tan deteriorados por el paso del tiempo que sus hojas se estarían desintegrando para crear más polvo.

—Hannah, tienes que venir con nosotros —le suplicó Barbara—. Llevas varios días sin asomarte siquiera a la calle y hoy hace un día soleado. Si crees que vas a estorbar, te aseguro que no es así. —Se ruborizó.

—Ni se me había pasado por la cabeza —aseguró Hannah—. Ambos sois demasiado educados como para admitir en privado que mi presencia sería un estorbo. Esta tarde iré a pasear a Hyde Park, recibiré a mi séquito y me enteraré de todas las nuevas habladurías que circulan para entretenerte durante la cena. Señor Newcombe, ¿cenará con nosotras?

—Gracias, excelencia —respondió el aludido, inclinando la cabeza—. Pero…

Alguien llamó a la puerta del salón y lo interrumpió.

—Excelencia, los condes de Merton desean saber si está usted en casa —dijo el mayordomo nada más abrir la puerta.

Hannah se puso en pie de un brinco. ¿Cassandra? ¿Y el conde también?

—Hazlos pasar —replicó.

Le costó la misma vida no salir corriendo tras él y adelantarlo en la escalera para llegar al vestíbulo en primer lugar y enterarse de lo que había pasado.

—El conde de Merton fue a Ainsley Park con el duque de Moreland para ver si podían interceder por el condenado —le explicó Barbara a su vicario.

—Sí —replicó el reverendo Newcombe—, recuerdo los nombres porque los mencionaste en tu carta, Barb. Y ahora el conde ha vuelto, tal vez con noticias. Esperemos que sean buenas nuevas. Excelencia, la preocupación que demuestra por una pobre alma descarriada es encomiable. Pero no me sorprende. Barbara me ha contado...

Hannah dejó de escucharlo en ese punto. No por un gesto deliberado de mala educación, sin porque sus pensamientos se convirtieron en un torbellino descontrolado. Se acercó a la puerta todo lo que pudo sin arriesgarse a que le dieran con ella en las narices cuando volvieran a abrirla y entrelazó las manos a la altura de la cintura. Intentó recurrir a toda la dignidad que pudo.

¿El duque de Moreland no acompañaba al conde? ¿Ni Constantine?

La puerta volvió a abrirse tras un toquecito.

—Los condes de Merton, excelencia —anunció el mayordomo.

La apariencia del conde delataba que había realizado un largo viaje. Aunque su ropa no estuviera arrugada y se hubiera afeitado, se le notaba el cansancio en los ojos y Hannah tuvo la impresión de que se había detenido en Merton House lo justo para ver a su esposa. Cassandra, por su parte, sonreía de oreja a oreja.

—Todo ha salido bien —dijo al tiempo que se apresuraba a acercarse a ella para abrazarla—. Todo ha salido bien, Hannah.

Hannah se dejó abrazar y se apoyó en la condesa, aliviada.

—Excelencia, supongo que ya lo sabía —dijo el conde—. Debió de ser usted quien convenció al rey para que interviniera. Aunque imagino que estará ansiosa por saber que el perdón real llegó a tiempo. Tres días antes del plazo final, de hecho.

«¿Solo tres días?», se preguntó ella.

—Fue un perdón completo —añadió—. Jess Barnes es un hombre libre. Cuando me marché, le prometí a Con que se lo haría saber nada más llegar a Londres. Además, me tomé la libertad de volver en su carruaje, excelencia. Con volverá con Elliott más tarde.

—¿Con el duque de Moreland? —Hannah enarcó las cejas—. ¿Los dos juntos en el mismo carruaje?

El conde de Merton sonrió.

—Ni siquiera creo que lleguen a los puños —comentó—. Ni que viajen sin dirigirse la palabra.

—¿Han solucionado su absurda rencilla? —quiso saber.

—Pues sí —respondió el conde—. Por primera vez desde que los conozco he podido verlos tal como debieron de ser durante gran parte de sus vidas. No paran de hablar y de bromear. E incluso de discutir. Por si necesita algún argumento para convencerse, le diré que Con eligió el hombro de Elliott para llorar después de leer el perdón real y eso que el mío estaba tan cerca e igual de disponible.

—¡Oh! —Hannah unió las manos y se llevó las puntas de los dedos a los labios.

Después de cerrar los ojos se imaginó a Constantine llorando. ¡Qué avergonzado debió de sentirse! ¡Y qué furioso se pondría si supiera que su primo se lo estaba contando!

Los hombres tenían unas posturas muy ridículas en esas cuestiones.

Qué raro era que alguien pudiera juzgar tan mal a otra persona. En su fuero interno siempre lo había llamado «demonio». Por esa apariencia sombría y peligrosa que justificaba el apelativo. Y en realidad era justo lo contrario. Era todo luz, amor y compasión. Bueno, y tal vez un poco de sombra y de peligro. De hecho, era una confusa mezcla de cualidades humanas. Como la mayoría de la gente.

¡Le quería tanto que casi le dolía! Qué tonta era.

Unos pensamientos muy inadecuados para el momento en cuestión. Levantó la cabeza, sonrió y se volvió para realizar las presentaciones entre el reverendo Newcombe y los condes.

El reverendo y Barbara estaban de pie. Su amiga tenía los ojos brillantes por las lágrimas, aunque no estaba llorando, cuando se acercó para abrazarla.

—Sabía que el rey no lo olvidaría —dijo Barbara.

Hannah se preguntó si ese sería el final. El conde acababa de decir que Constantine volvería a la ciudad con el duque de Moreland. Pero ¿y si cambiaba de opinión y se quedaba en Ainsley Park puesto que la temporada social ya daba sus últimos coletazos? ¿Y si necesitaba quedarse, tal como era su intención en un principio, para consolar a Jess y aplacar los ánimos entre sus vecinos? ¿Y si ya que estaba lejos de ella decidía que era un momento oportuno para poner fin a su relación?

Le había confesado que le quería. Eso debería persuadirlo para mantener las distancias con ella al menos durante un par de años.

¿Volvería? ¿Retomarían su relación como si la interrupción no hubiera tenido lugar?

¿La retomaría ella?

No lo había pensado hasta ese preciso instante. Que no era el más adecuado. Tenía dos parejas de invitados a las que atender, si bien Cassandra estaba diciendo en ese instante que se marchaban a fin de informar a Vanessa de lo que había sucedido y para decirle que el duque regresaría en breve.

¿Seguiría viviendo en su casa durante el día e iría a casa de Constantine por las noches para hacer el amor?

Ansiaba hacer el amor. Que Constantine la amara.

Ella era su amante.

Él era su amante.

¿Sería suficiente?

Era lo que habían acordado. Era lo que ella había deseado para ese primer año de libertad. De hecho, ella lo inició todo.

¿Había cambiado de opinión tan pronto?

A esas alturas no podía soportar la idea de no seguir siendo amantes.

Pero tampoco soportaba la idea de seguir siéndolo.

Porque lo amaba. Le había confesado la verdad, aunque tal vez no hubiera sido lo más acertado.

¿Por qué amarlo y ser su amante le parecían dos situaciones mutuamente excluyentes?

«¡Ay, Dios!», exclamó para sus adentros mientras despedía a los condes de Merton y les agradecía la visita. Al parecer estaba tan nerviosa y tan a la deriva de sus emociones como cuando tenía diecinueve años. Como si los once años que la separaban de aquel momento no hubieran existido.

Salvo que en ese instante era consciente de la disyuntiva que tenía frente a sus ojos y de que solo ella podía elegir. De forma serena y racional. Siempre y cuando Constantine no eligiera por ella, claro, al quedarse en Ainsley Park.

¿Seguirían siendo amantes durante lo que quedaba de temporada social?

¿O no?

La elección no podía ser más simple.

Decidirse era otra cuestión.

—Hannah, ¿vienes con nosotros? —preguntó Barbara una vez que volvieron a quedarse los tres solos en el salón—. Ya no tienes que permanecer en casa para esperar noticias, ¿verdad? Ya han llegado y no podían haber sido mejores.

—¿Por qué no? —replicó mirándolos primero al uno y luego a la otra—. Vamos a celebrarlo hojeando libros viejos.

El reverendo Newcombe esbozó una sonrisa deslumbrante.

Con se quedó cuatro días más en Ainsley Park después de que Jess fuera liberado y de que Stephen se marchara a Londres en el carruaje de la duquesa.

Sentía la necesidad de estar con su gente unos días hasta que todos se recobraran de la terrible ansiedad que habían pasado y retomaran el ritmo cotidiano del día a día. Sentía la necesidad de visitar a sus vecinos y de hablar con ellos en persona sobre la situación de Ainsley Park. No podía prometerles que jamás se repetirían situaciones incómodas como la acontecida, pero les recordó y enfatizó que el incidente protagonizado por Jess había sido el primero de ese tipo en todos los años que el proyecto llevaba funcionando. Además, les explicó que su gente valoraba la segunda oportunidad que les brindaba la vida y que estaban haciendo todo lo posible para convertirse en personas respetables y trabajadoras. Dejó bien claro que él no dirigía un nido de ladrones… ni un burdel. Ni siquiera el pobre Jess era un ladrón por naturaleza, sino un hombre que había intentado enmendar un error sin reflexionar sobre lo que estaba haciendo. Y Jess iba a marcharse. Jamás volvería a pisar Ainsley Park.

La mayor parte de sus vecinos le recibieron con educación. Algunos incluso con simpatía. Otros se reservaron su opinión. Kincaid no ocultó su escepticismo, aunque no se mostró abiertamente hostil. El tiempo lo haría cambiar, al menos eso creía, y esperaba, Constantine.

También quiso quedarse esos días para que Jess se recuperara un poco del calvario y se acostumbrara a la idea de que su aprendizaje en Ainsley Park había acabado y de que había sido ascendido a un puesto con el que siempre había soñado. El de mozo de cuadra. El duque de Moreland se lo había ofrecido, de modo que se marcharía a Rigby Abbey, la casa solariega de Su Excelencia. Con le explicó que sería muy duro para todos que se marchara, pero el duque era su primo y si se veía obligado a dejarlo ir para ascender en su vida laboral, prefería que se marchara con un pariente a que lo hiciera con un desconocido. Además, podría verlo de vez en cuando, siempre que visitara al duque, y así llevarle noticias de todos sus amigos de Ainsley Park.

Con nunca había estado en Rigby Abbey.

Le sorprendió que Elliott decidiera quedarse también en Ainsley Park, aunque saltaba a la vista que aborrecía estar lejos de su mujer y de sus hijos. Se quedó para renovar su amistad. No podía haber más motivos. Y la renovaron, de forma titubeante al principio y con creciente facilidad a medida que iban pasando los días.

Tener a Elliott de vuelta era como un regalo, como un bálsamo para el alma. No se había dado cuenta de lo mucho que lo había echado de menos. La pérdida de su primo y la pérdida de Jon se habían mezclado en su interior hasta conformar un tremendo vacío y una soledad terrible.

Pero había recuperado a Elliott. Y hablaron mucho sobre Jon. Compartieron recuerdos. No los tristes, sino los anteriores, los que abarcaban los primeros quince años de su vida.

Esos cuatro días fueron para él cicatrizantes y relajantes, aunque en parte lo abrumaba la impaciencia por volver a Londres. Sin embargo, intentaba mantener a Hannah lo más lejos posible de su mente. Todavía no estaba preparado para pensar.

Hannah le había confesado que lo amaba.

Cuando por fin volvió a Londres en el lujoso carruaje de Elliott, con Jess sentado en el pescante junto al cochero mientras el lacayo los seguía a caballo, habían transcurrido dos semanas desde que dejó la ciudad.

Debía ir a agradecerle a la duquesa que hubiera intervenido para ayudar a Jess, porque no podía tildarlo de «intromisión», y que le hubiera prestado el carruaje.

Sin embargo, descubrió cierta renuencia a realizar dicha visita. ¿Qué sucedería a partir de ese momento? ¿Volverían a la situación anterior? ¿Volvería ella a ser su amante? ¿Volvería a serlo él?

La deseaba. Habían pasado casi tres semanas desde la última vez que hicieron el amor.

Estaban manteniendo una aventura. Tenían una relación sexual. Pasajera, hasta el final de la temporada social. Gratificante para ambos.

¡Por el amor de Dios! ¿Qué era lo que tenían en realidad?

Porque pensado así parecía demasiado… ¿Qué palabra estaba buscando? ¿Vulgar? ¿Sórdido? ¿Insatisfactorio? La última opción, desde luego. Posiblemente también las dos primeras. Pero eso era raro. Nunca había pensado en sus anteriores aventuras en esos términos. Había disfrutado de ellas por lo que eran, les había puesto fin llegado el momento y las había olvidado.

Una aventura con Hannah, por supuesto, no era suficiente.

La amaba.

Apenas había pensado en ella durante la última semana y media. Al menos no de forma consciente. Sin embargo, había estado presente cada momento de cada día. Formando parte de él.

La puñetera idea era alarmante.

¿O no?

Ella le había dicho que le quería antes de partir de Copeland Manor. ¿Lo habría dicho de verdad? ¿Se había referido a un amor verdadero? ¡Maldita fuera su estampa! Ni siquiera tenía experiencia con el amor. Con ese tipo de amor, concretamente. Aunque tal vez eso le sucediera a todo el mundo, hasta que el amor aparecía de repente y golpeaba justo entre los ojos. ¿Qué traslucían los actos de la duquesa? ¿Demostraban sus palabras?

¿Qué había hecho después de que él se marchara… en su carruaje?

Había vuelto a Londres arrastrando a Stephen consigo, había abordado a Elliott en su casa, los había convencido para que fueran los dos a Gloucestershire y después se había aprestado a movilizar al rey.

Y todo ello… ¿por un retrasado mental a quien no conocía de nada?

Ni hablar, por muy compasiva que fuera, que indudablemente lo era.

Elliott, que estaba sentado en el asiento opuesto al suyo en el carruaje, bostezó.

—Con, cuando me dormí tenías la mirada perdida en el infinito —comentó—, y ahora que me despierto veo que sigues igual. Estás preocupado por Jess, ¿verdad? Fuiste muy convincente cuando le aseguraste que se ha graduado con honores en Ainsley Park y que ha sido ascendido a Rigby Abbey. Por mi parte, cuando me olvido de comportarme como un duque despótico, soy capaz de ser amable con mis empleados.

Con lo miró.

—Estoy en deuda contigo —dijo—. Por todo.

Elliott sonrió.

—¿En algún momento has llegado a pensar que voy a permitir que lo olvides? —replicó su primo.

Rió entre dientes al escucharlo.

—No —respondió—. Ya nos conocemos.

—¿Vas a casarte con ella? —preguntó Elliott.

Ahí estaba. La idea que su mente llevaba eludiendo desde hacía días.

Quería casarse. Quería tener hijos. Quería todas las cosas que había evitado durante años. Quería sentar la cabeza.

Pero… ¿con la duquesa de Dunbarton?

¿Con Hannah?

Era como pensar en dos personas distintas. No obstante, eran la misma. Era tanto la duquesa que siempre había conocido como la Hannah que había descubierto desde que se hicieron amantes. Era imposible describirla con una sola palabra o con una frase. Ni siquiera con un párrafo. Ni con un libro ni con una biblioteca. Era una mujer enérgica, compleja y única, y la quería.

—Ni se me ha pasado por la cabeza —contestó.

—¡Mentiroso! —Elliott seguía sonriendo.

—¿Qué fue lo que te hizo saber sin el menor asomo de duda que querías casarte con Vanessa? —preguntó a su primo.

—Lo mío no fue así —respondió—. Fue ella la que me propuso matrimonio y me dejó tan asombrado que le dije que sí antes de saber lo que estaba haciendo. Así que no me quedó más remedio que mantener mi palabra.

—Si no quieres contármelo —repuso—, podías habérmelo dicho sin más.

Elliott levantó la mano derecha.

—Es la pura verdad —aseguró su primo—. Cuando descubrí que la quería más que a mi vida, ya estaba casado con ella y no sufrí la agonía de decidir cómo, cuándo, dónde y sobre todo «si» me declaraba.

—Podría reírse en mi cara —señaló Constantine.

—Es muy posible —reconoció Elliott después de meditarlo

unos instantes—. Es una mujer formidable, ¿verdad? Por no mencionar su belleza. Seguramente pueda conseguir a cualquier soltero del reino al que le eche el ojo. Podría reírse de tu proposición. O también podría llorar. Ese sería un resultado mucho más prometedor.

—Elliott, es la duquesa de Dunbarton —le recordó—. Debo de haber perdido la cabeza.

—¿Por qué? —replicó su primo—. Con, tienes mucho que ofrecer, y hoy por hoy eres mejor partido que hace una semana. —Volvió a sonreír.

Constantine se encogió de hombros sin decir nada.

—Vanessa jura que debajo de toda esa capa blanca de hielo hay pasión —siguió Elliott—, y que cuando descubra algo en lo que volcarla, será tan constante como la estrella Polar. Y ella sabe mucho de estas cosas. Jamás se me ocurriría llevarle la contraria en algo así. Porque acabaría descubriendo mi error, ella evitaría jactarse en aras de la cortesía y yo me sentiría como un idiota.

—Mmm —murmuró.

—Por si te sirve de esclarecimiento —añadió su primo—, asegura que tú te has convertido en dicho objeto. Por cierto, será mejor que vengas conmigo a Moreland House en cuanto lleguemos a la ciudad y que hagas las paces con Vanessa antes de ir a Dunbarton House.

—De acuerdo —accedió antes de apoyar la cabeza en el respaldo y de fingir que dormía para evitar que la conversación prosiguiera.

Se durmió mientras se preguntaba si Hannah se reiría o lloraría en caso de proponerle matrimonio.

O si él le daría la opción de reaccionar de cualquiera de las dos maneras.

21

$\mathcal{H}$annah creyó ciertos sus temores de que Constantine se quedara en Ainsley Park para evitar enfrentarse al estado de su relación y a las palabras que tan incautamente ella había pronunciado en Copeland Manor. No regresó a Londres el día posterior al regreso del conde de Merton, ni al siguiente.

Sin embargo, según descubrió tres días después, tampoco lo hizo el duque de Moreland. Ambos seguían fuera de la ciudad. Hannah lo supo una tarde durante una visita a Katherine en la que coincidió con la duquesa de Moreland, ya que ambas estaban preocupadas por la posibilidad de que siguiera padeciendo náuseas matutinas.

De modo que cabía la posibilidad de que regresara. El duque desde luego que lo haría.

Mientras tanto, Hannah se enteró casi de inmediato de que se había cansado de su último favorito casi tan rápido como todo el mundo había pronosticado. Según se aseguraba, lo había despachado sin piedad. Tanto era así que él se había marchado al campo para lamerse las heridas. En esos instantes buscaba un nuevo amante, que disfrutaría de su momento de gloria antes de que se deshiciera de él. Todos se preguntaban quién sería. No faltaban los aspirantes ansiosos.

Ese era el rumor que circulaba por los clubes y los salones londinenses. Le habría hecho gracia de no ser por la ansiedad que le provocaba la posibilidad de ser ella la abandonada.

Sin embargo, no podía hacer nada salvo interpretar el papel que se esperaba de ella mientras aguardaba. Porque no pensaba quedarse en casa como una reclusa más tiempo. Una soleada tarde se puso su vestido de muselina blanca más deslumbrante y un bonete a juego, añadió unos enormes diamantes muy ostentosos a sus orejas, a sus dedos enguantados y a una de sus muñecas, se cubrió con la sombrilla de encaje y salió a dar un paseo por Hyde Park a la hora marcada por la alta sociedad.

Barbara y el reverendo Newcombe la acompañaron. Iba a ser su último día en Londres. Al día siguiente regresarían a Markle. Barbara lo haría en carruaje con su doncella, y el reverendo cabalgaría a su lado para guardar las apariencias. Hannah había sugerido que salieran a algún lugar para pasar su última tarde a solas (de hecho, había sugerido Richmond Park), pero habían insistido en acompañarla.

Pronto se vieron rodeados de personas, la mayoría caballeros. Margaret y Katherine paseaban juntas en un cabriolé y se detuvieron para charlar un momento. Katherine, al enterarse de que Barbara se marcharía al día siguiente, insistió en que Hannah fuera a cenar a su casa. Y Margaret la invitó a asistir a la ópera con ellos a la noche siguiente.

—Casi hemos convencido al abuelo de Duncan para que nos acompañe, pero todavía se resiste —dijo—. Hannah, si sabe que formarás parte del grupo, seguro que vendrá.

—Entonces tendrás que decirle que acepto con la condición de que él también vaya —replicó ella—. Dile que si no va, me presentaré en Claverbrook House a la mañana siguiente para exigirle una explicación.

Barbara y el reverendo Newcombe estaban hablando con los Park y con otra pareja.

El cabriolé prosiguió camino y Hannah se vio rodeada por el círculo de sus antiguas amistades, algunas de las cuales también eran posibles pretendientes, y por algún que otro nuevo admirador. Era muy agradable, pensó al cabo de unos minutos, retomar su antigua armadura, interpretar el papel de la duquesa de Dunbarton al tiempo que protegía la frágil persona de

Hannah Reid en su capullo como si de una crisálida se tratara.

Y, sin embargo, era un papel que no podía interpretar indefinidamente. No se había dado cuenta de ese hecho hasta ese instante. Era un hecho que ignoraba al comienzo de la temporada social. Interpretar ese papel había sido fácil e incluso entretenido mientras el duque estaba vivo. Había tenido su compañía, su compañerismo y, sí, su amor para regodearse cuando no estaban en público. Pero ¿en ese momento? Lo único que encontraba al llegar a casa era la soledad. Y Babs se marcharía al día siguiente.

¿Tendría suficiente con sus amistades, nuevas y antiguas, en los días y en los meses venideros… en los años venideros?

«¡Ay, Constantine! ¿Dónde estás? ¿Me evitarás cuando vuelvas, si acaso lo haces?»

Se estaba riendo por algo que había dicho lord Moodie y dándole unos golpecitos en el brazo cuando su séquito se abrió para dejar paso a un caballo. De repente, se hizo un extraño silencio.

Era un caballo negro.

El caballo de Constantine.

Hannah alzó la vista y giró la sombrilla con tanta fuerza que provocó una corriente de aire alrededor de su cabeza.

Constantine. Vestido todo de negro salvo por la camisa. Esa cara alargada. Esos ojos oscuros. Sin sonreír. Con aspecto casi siniestro. Casi demoníaco.

Su amado.

¡Por Dios! ¿De dónde habían salido esas palabras tan románticas? ¿De una boda?

—¿Señor Huxtable? —Enarcó las cejas.

—Duquesa.

Su séquito estaba pendiente de sus palabras como si estuvieran recitando un largo monólogo.

—Veo que por fin se ha dignado a aparecer de nuevo por Londres —repuso ella.

Su séquito soltó un suspiro satisfecho casi palpable por el desdén que acababa de demostrarle al hombre que había regresado después de que ella lo rechazara. Se le había acabado el tiempo, quería decirle ese suspiro casi silencioso. Cuanto antes se alejara, llevándose consigo su corazón roto y cierta dignidad, mejor para todos los involucrados.

Constantine se limitó a extender una mano como respuesta, enfundada en un guante de piel negro. Esos ojos oscuros se clavaron en los suyos con tal intensidad que le fue imposible apartar la mirada.

—Coloca tu pie en mi bota —le dijo.

«¿Cómo?», pensó Hannah.

—¡Caray! —protestó un caballero sin identificar—. Huxtable, ¿no te das cuenta de que Su Excelencia…?

Hannah no le estaba prestando atención. Se encontraba librando una batalla de voluntades con Constantine. Llevaba un atuendo de lo más incómodo para montar a caballo. Si quería hablar con ella, sería más sencillo e infinitamente más galante por su parte desmontar. Pero Constantine quería ver (y quería que la alta sociedad viera) cómo se ponía en ridículo. Quería darle a la alta sociedad un escándalo del que hablar durante un mes. Quería demostrarle al mundo entero que él era el amo y señor, que solo tenía que chasquear los dedos para que ella se acercara a la carrera.

Volvió a girar la sombrilla y lo miró con sorna.

Se produjo otro suspiro apenas audible en señal de aprobación. Si hubiera mirado a su alrededor, se habría dado cuenta de que su séquito había aumentado en número y de que no solo se componía de caballeros. Ya habían suscitado bastante carnaza como para que la conversación en los salones no decayera durante dos semanas.

Muy despacio y con movimientos sumamente precisos cerró la sombrilla antes de dársela sin mediar palabra a lord Hardingraye, que se encontraba a su lado. Dio dos pasos hacia delante, se recogió el bajo del vestido con una mano, colocó su delicado escarpín blanco en la reluciente bota de montar negra de Constantine y extendió el brazo libre para aferrarse a su mano. Seda blanca contra cuero negro.

En un abrir y cerrar de ojos, sin que tuviera que hacer nada más, se vio sentada de lado delante de Constantine, rodeada por sus fuertes brazos y bien sujeta por delante y por detrás, de modo que aunque fuera de natural temeroso, se habría sentido protegida.

Y ella no era de natural temeroso.

Volvió la cabeza y miró esos ojos tan oscuros, que casi quedaban a la misma altura que los suyos.

Constantine estaba indicando al caballo que se volviera y la multitud se apartó para dejarlo pasar. La multitud también tenía mucho que decir y lo estaba haciendo. Se lo decía a ella o a él, o lo hablaba entre sí. Hannah ni siquiera intentó prestar atención a lo que se decía. No le importaba en absoluto.

Constantine estaba en Londres.

Y había ido para reclamarla.

¿O no?

—Ha sido muy melodramático —dijo.

—Sí, ¿verdad? —replicó él—. Al regresar a la ciudad, cosa que sucedió hace un par de horas, por cierto, me enteré de que era tu pretendiente rechazado y despreciado. Para salvaguardar mi orgullo, tenía que hacer un gesto extravagante.

—Desde luego que ha sido extravagante —convino mientras él dejaba atrás caballos y carruajes en un camino medio atascado.

—¿Es cierto? —preguntó.

—¿Que has sido despreciado? —preguntó Hannah a su vez.

—Rechazado.

—Y mi pretendiente —puntualizó—. Me gusta considerarte como mi pretendiente. Acabaré con el vestido destrozado, Constantine. Olerá a caballo lo que le quede de existencia.

Aún no habían dejado atrás la multitud. Seguían estando muy a la vista. Y seguramente serían muy pocos los que estaban pasando por alto la oportunidad de observarlos a placer.

De todas maneras, la besó... en los labios y con la boca abierta. Y no fue un beso breve, casi simbólico. Duró un buen rato, y en las circunstancias en las que se encontraban fue casi una eternidad.

Y dado que de todas formas debía soportarlo, ya que no se encontraba en condiciones físicas de rechazarlo, le devolvió el beso, prolongando el momento un poco más.

—Ya está —dijo él cuando alzó la cabeza, mirándola fijamente a los ojos.

Le fue imposible escapar de esa mirada, que le llegó al alma y la conquistó. Ella lo miró a su vez con la misma expresión.

—Ahora estás totalmente comprometida, duquesa.

—Cierto —admitió con un suspiro—. ¿Y qué piensas hacer al respecto? —Se arrepintió de haberlo preguntado en cuanto las palabras salieron de su boca. Se parecían demasiado a un ultimátum.

—Soy un caballero, duquesa —respondió Constantine—. Voy a casarme contigo.

Su respuesta fue tragar saliva con enorme dificultad, tanto que casi se atragantó. Apartó la mirada y se percató de que habían dejado atrás la multitud y de que en ese momento estaban prácticamente solos en el camino, rodeados de árboles. Intentó colocarse de nuevo la armadura que le había resultado tan cómoda hacía apenas unos minutos.

—¿En serio? —preguntó con frialdad—. ¿Y vas a preguntarme mi opinión al respecto o, dado que se puede decir que me has llevado en volandas durante el proceso, has pensado que no hace falta consultármelo?

—Eso esperaba —contestó él—. Supongo que todos los hombres temen el momento de hacer la pregunta en cuestión cuando están inmersos en su propia historia de amor. Pero ya veo que no vas a ponerme las cosas fáciles ni quieres que prescindamos del momento, duquesa. Supongo que tendré que hincar una rodilla en el suelo, cosa que no puedo hacer en este preciso instante. Aunque hemos dejado la multitud atrás, no me cabe la menor duda de que acudirían corriendo desde todos los rincones del parque si desmonto, te ayudo a bajar y luego procedo a hincarme de rodillas aquí mismo. Así que vamos a tener que dejarlo para otra ocasión.

Muy a su pesar, Hannah se echó a reír.

—Pareces muy seguro de tu éxito —replicó.

—No me conoces muy bien —comentó Constantine—. Duquesa, si me conocieras mejor, te darías cuenta de que estoy parloteando sin ton ni son y de que el corazón me late a un ritmo errático. Vamos a cambiar de tema. Jess está libre y se encuentra muy feliz y muy orgulloso, y todo gracias a ti, creo. En circunstancias normales el rey no se habría enterado del apuro en el que estaba.

¿Estaba cambiando de tema? Después de decirle que iba a casarse con ella, ¿se ponía a hablar de Jess Barnes y del rey?

En fin…

Echó un vistazo a su alrededor con expresión distante.

—Lo vi por casualidad —aseguró—, y surgió la posibilidad de hablarle del tema. Se echó a llorar. Claro que se habría echado a llorar si le hubiera dicho que se me había roto mi pañuelo de encaje preferido.

Constantine soltó una carcajada.

—Lo viste por casualidad —repitió—. Supongo que mientras paseabas por Bond Street.

—Constantine —dijo al tiempo que cerraba un instante los ojos—, ¿de verdad está a salvo Jess Barnes? ¿Tus vecinos no querrán tomarse la justicia por su mano?

—Va de camino a Rigby Abbey —respondió—. La casa solariega de Elliott. Ha sido ascendido de jornalero a mozo de cuadra. Y es el hombre más feliz y más orgulloso de toda Inglaterra.

—Elliott —susurró—. El duque. ¿Eso quiere decir que te has reconciliado con él?

—Creo que hemos llegado a la mutua conclusión de que los dos nos comportamos como un par de imbéciles de tomo y lomo —contestó—. Y los dos hemos admitido que tal vez debiera suceder así para que el sueño de Jon se cumpliera. Tuvimos que sacrificar nuestra amistad para conseguir tal fin… y volvería a hacerlo de nuevo si fuera necesario. Al igual que Elliott, que intentaría proteger a Jon de sí mismo, y también intentaría proteger la herencia de Stephen de su impulsividad. Pero volvemos a ser amigos. Volvemos a ser primos.

—¿Y casi hermanos? —quiso saber Hannah.

—Y casi hermanos —respondió—. Sí. Eso también.

Le sonrió y él le devolvió la sonrisa.

Se le derritió el corazón.

Constantine abrió la boca para hablar.

Y un trío de jóvenes jinetes que se acercaba a ellos silbó al pasar a su lado y les lanzó comentarios jocosos. Hannah levantó la barbilla y deseó tener su sombrilla con ella para hacerla girar.

Constantine miró con una sonrisa a los caballeros, todos conocidos.

—Será mejor que te lleve a casa, duquesa —dijo—. Tengo que ir a ver a Vanessa y averiguar si está dispuesta a hacer las paces. Elliott quería que me pasara primero por allí, pero dio la casualidad de que escuché los rumores que estaban corriendo y que explicaban mi repentina marcha de Londres en mitad de la temporada social, y me sentí obligado a corregir esa mala impresión, sobre todo después de que tu mayordomo me informara de que estabas dando un paseo por el parque.

—No la hagas esperar más tiempo —dijo Hannah—. En estas dos semanas nos hemos hecho amigas.

Y regresaron a Dunbarton House para el asombro y la delicia de todas las personas con quienes se cruzaron por la calle, de las que recibieron algún que otro comentario. Constantine la dejó delante de la puerta, esperó a que subiera los escalones de entrada, la vio entrar en la casa y se marchó.

¡Sin mediar palabra!

Si hubiera tenido consigo su sombrilla, pensó Hannah mientras subía las escaleras en dirección a su dormitorio, se la habría estampado en la cabeza antes de alejarse de él.

Un hombre no le decía a una mujer que se iba a casar con ella y después no se lo proponía.

No a menos que dicho hombre fuera Constantine Huxtable.

«Supongo que todos los hombres temen el momento de hacer la pregunta en cuestión cuando están inmersos en su propia historia de amor.»

Rememoró las palabras de Constantine y subió corriendo los últimos escalones.

«Su propia historia de amor.»

Y se detuvo de repente. La escena que Constantine había interpretado en el parque debía de ser lo más extravagante y romántico que le había sucedido en la vida. Era imposible que lo hubiera hecho solo para demostrar que la tenía dominada.

La amaba.

Se echó a reír.

Los gestos románticos no habían terminado. A la mañana siguiente, alrededor de una hora después de que Barbara se marchara y cuando Hannah se sentía un poco alicaída, entregaron una solitaria rosa blanca en Dunbarton House. Iba sin tarjeta. Al mismo tiempo llegó un enorme ramo de flores de diversos colores, adornado con lazos amarillos y acompañado por su sombrilla y una florida nota de lord Hardingraye, que podía flirtear desvergonzadamente y sin temor a que lo tomasen en serio, ya que Hannah sabía (detalle del que el caballero estaba al tanto) que en un aspecto esencial compartía los mismos gustos que su duque.

El ramo lo dejó en un florero situado en el centro del salón, para que todas las visitas que recibiera en los días venideros pudieran disfrutarlo. La rosa acabó en su dormitorio, donde solo ella podría disfrutarla.

Una hora más tarde el mayordomo le entregó una nota en su bandeja de plata. Tenía un mensaje muy breve y no iba firmada.

«Te deseo», rezaba.

Tal vez no fuera muy romántica, pero Hannah sonrió cuando la releyó por enésima vez… después de asegurarse de que su autor no la había entregado en persona y estaba esperándola en el vestíbulo.

Reconoció lo que era el comienzo de un juego.

Esa noche cenó con los Montford y disfrutó de su compañía y de su conversación, así como de la del señor y la señora Gooding y la de los condes de Lanting, ya que las damas eran las hermanas de lord Montford.

A la mañana siguiente llegó una docena de rosas blancas a Dunbarton House, una vez más sin tarjeta. Acabaron en su gabinete privado.

Una hora más tarde el mayordomo le llevó una nota en su bandeja.

De nuevo iba sin firmar.

«Estoy enamorado de ti», rezaba en esa ocasión.

Hannah se la llevó a los labios, cerró los ojos y sonrió.

Granuja… menudo granuja estaba hecho. ¿Acaso no pensaba en sus nervios? ¿Por qué no aparecía sin más?

Aunque ya conocía la respuesta. Constantine le había dicho la verdad en Hyde Park: «Duquesa, si me conocieras mejor, te darías cuenta de que estoy parloteando sin ton ni son y de que el corazón me late a un ritmo errático».

El muy tonto estaba nervioso.

Que lo prolongara lo que quisiera, aunque la espera se le estaba haciendo eterna. El nerviosismo le daba un toque muy romántico.

Esa noche asistió a la ópera con los Sheringford y con el marqués de Claverbrook, y se pasó gran parte de la noche con la mano apoyada en el brazo del marqués mientras charlaban. La belleza de la voz de la soprano hizo que se le llenaran los ojos de lágrimas. Al marqués, en cambio, se le llenaron los ojos de lágrimas por su belleza, a secas. Su Señoría rió por lo bajo cuando ella soltó una carcajada.

—Pero ¿no por su voz? —preguntó.

—Su voz solo me da dolor de cabeza, Hannah.

Gran parte de los espectadores estaba pendiente de su palco, y Hannah se preguntó de pasada si al día siguiente circularían rumores de que ya le había echado el ojo a otro aristócrata rico y viejo. La idea le hizo gracia.

A la mañana siguiente recibió dos docenas de rosas… rojas. Por supuesto, no había nota. Llegó una hora después.

«TE QUIERO, mi rosa de múltiples pétalos», rezaba.

Sin firma.

Hannah lloró y disfrutó de cada lágrima.

Ese mediodía supuestamente debía asistir al desayuno veneciano que celebraban los Carpenter. En contra de lo que sugería su nombre, ese tipo de acontecimientos no se celebraba por las mañanas. Aunque daba igual. No asistió.

Se puso un vestido que solo había usado en una ocasión hacía tres años. No se lo había vuelto a poner porque hacía que se sintiera como una mujer tan escandalosa como el rojo de la tela con la que estaba confeccionado, y porque era un disfraz demasiado evidente incluso para ella. De todas maneras, le encantaba. Y en esa ocasión el tono iba de perlas con el ramo de rosas. Solo se colocó un diamante que llevaba colgado al cuello, una lágrima que ni se secaría ni perdería su lustre. No llevaba más joyas.

Esperó.

Era imposible mejorar dos docenas de rosas rojas.

No podía decirse nada más en papel. Incluso había escrito las dos primeras palabras de su última nota en mayúsculas. El resto debía decirlo en voz alta, cara a cara.

Si conseguía reunir el valor necesario.

¡Ay, su pobre y amado demonio! Domesticado por el amor.

Por supuesto que reuniría el valor. Y sería espléndido… cuando fuera a verla.

De modo que esperó.

22

Con había descubierto a lo largo de los últimos días que todo ese asunto del amor podía acobardar al más pintado. Desde entonces miraba a los hombres casados con renovado respeto, ya que debían de haber sufrido, presumiblemente, el calvario que él estaba sufriendo en esos momentos. Menos Elliott, por supuesto, a quien le habían propuesto matrimonio, afortunado él.

Reconciliarse con Vanessa había sido fácil.

—No digas ni una palabra —soltó su prima mientras atravesaba el salón de Moreland House hacia él en cuanto cruzó la puerta. Elliott siguió junto a la chimenea, con un codo apoyado en la repisa y una ceja enarcada con gesto guasón—. Ni una sola. Vamos a perdonarnos, a olvidarlo y a recuperar el tiempo perdido. Háblame de tus prostitutas.

Elliott rió entre dientes.

—Antiguas prostitutas —matizó ella—. No te atrevas a reírte de mí, Constantine, mucho menos ahora que acabamos de reconciliarnos. Háblame de ellas y de los ladrones y de los vagabundos y de las madres solteras. —Lo tomó del brazo y lo instó a sentarse junto a ella en un sofá mientras Elliott los observaba con una expresión risueña en los ojos y una sonrisa en los labios.

—Si dispones de tiempo… de cinco o seis horas… —replicó.

—Siete si es necesario. Te quedarás a cenar —ordenó Vanessa—. Y no hay más que hablar. A menos que tengas una cita con Hannah.

Una elección de palabras algo desafortunada.

«Con que Hannah, ¿no?», pensó.

—No —aseguró—. Tengo que asimilar la idea de que voy a hincar una rodilla en el suelo y a soltar un apasionado discurso, así que necesitaré algo más de tiempo. Y de coraje, por supuesto.

Elliott volvió a reír por lo bajo.

—¡Pero todo eso merecerá la pena, ya lo verás! —exclamó Vanessa con los ojos brillantes y las mejillas sonrosadas—. Elliott estaba espléndido cuando lo hizo. Y la hierba estaba húmeda, por cierto.

Con le lanzó una mirada de reproche a su sonriente primo.

—Fue después de que me propusiera matrimonio —aclaró el aludido al tiempo que levantaba la mano derecha—. No podía permitir que dijera la última palabra, ¿no? Tardó menos que yo en darme el sí.

La suya debía de ser una historia digna de conocer, pensó Con.

La impulsiva visita a Dunbarton House que hizo a las dos horas de su llegada a Londres habría solucionado todo el asunto con Hannah. Sin embargo, al enterarse de que había salido y de que estaba en Hyde Park, decidió ir en su busca y descubrió (sin necesidad de pensarlo siquiera) la forma perfecta de declararse.

Claro que no se le había ocurrido siquiera que ella se negara a subirse a su caballo. De hecho, no lo hizo.

Una vez que la tuvo delante, ni siquiera se le ocurrió que podía rechazar su proposición matrimonial mientras la estaba besando ni mientras ella le devolvía el escandaloso beso en público.

Pero tampoco lo había rechazado.

El problema era que no se lo había preguntado.

Y no se había percatado de ese detalle hasta que ella se lo señaló. ¡Maldita fuera su estampa! Era muy distinto preguntar que afirmar y él se había limitado a afirmarlo.

Con la torpeza de un adolescente.

¿Por qué no enseñaban en la universidad la mejor forma de pedir matrimonio a la mujer elegida? ¿Acaso todos los hombres acababan embrollando tanto el asunto como él?

De modo que llevaba tres días intentando enmendar el error.

O más bien retrasando el asunto. Según quisiera ser sincero consigo mismo o no.

No obstante, en cuanto empezó con el plan de tres días se vio obligado a continuar. No podía lanzarse a proponerle matrimonio después de mandarle la solitaria rosa y la nota donde confesaba que la deseaba, ¿verdad?

En caso de que Hannah tuviera la intención de rechazarlo, llevaba tres días haciendo el ridículo más espantoso.

Sin embargo, comprendió que era absurdo pensar en eso mientras se arreglaba para ir a Dunbarton House la tarde del tercer día. A esas alturas ya era imposible no poner fin al calvario, con independencia del resultado.

¿Y si Hannah no se encontraba en casa? Podía haber mil y una razones para que hubiera salido. Meriendas campestres, fiestas al aire libre, excursiones a los jardines de Kew o a Richmond Park, compras, paseos por el parque… por citar algunas posibilidades. De hecho, pensó mientras llamaba a la puerta, lo raro sería que estuviese en casa.

Una parte de su cabeza, la más cobarde, le hizo desear que no estuviera.

Eso sí, jamás podría volver a pasar por lo mismo.

El mayordomo, como era habitual, desconocía quién se encontraba en sus dominios. Tuvo que ir a la planta alta con toda la tranquilidad del mundo, para ver si la duquesa de Dunbarton estaba o no estaba en casa.

Estaba en casa. Y al parecer iba a recibirlo. El mayordomo lo invitó a seguirlo escaleras arriba.

¿Estaría con la señorita Leavensworth?

Dejaron atrás la puerta del salón y subieron otro tramo de escaleras. Se detuvieron delante de una puerta de una sola hoja y el mayordomo llamó muy discretamente antes de abrirla para anunciarlo.

Era un gabinete o una salita, no un dormitorio. Hannah estaba sola.

En la mesa situada junto a la puerta descansaba un jarrón de cristal con una docena de rosas blancas. En la que ocupaba el centro de la estancia había un florero de plata con dos docenas de rosas rojas. El perfume dulzón de ambos ramos flotaba en el aire.

La duquesa estaba sentada de lado en el alféizar acolchado de una ventana, con las piernas dobladas y abrazándose la cintura. Estaba preciosa y resplandeciente con un vestido rojo, cuyo tono era casi el mismo que el de las rosas. Su pelo, liso y lustroso en la parte superior de la cabeza, estaba recogido en la nuca con unos delicados rizos. Algunos mechones le caían por las sienes y por las orejas. Estaba mirando hacia el interior de la estancia. Sus ojos azules se clavaron en él con expresión soñadora.

La imagen le recordó a la de su propio dormitorio la noche que se convirtieron en amantes. Salvo que en aquel entonces Hannah llevaba su camisa y tenía el pelo suelto.

El mayordomo cerró la puerta y se marchó.

—Duquesa —dijo Con.

—Constantine...

Hannah sonrió, un gesto también soñador, al ver que él no hablaba.

—Necesito que me protejas —la oyó decir—. He estado recibiendo anónimos.

—¿Ah, sí? —replicó.

—Alguien dice que me desea.

—Lo retaré a un duelo con pistolas al amanecer —se ofreció.

—También afirma que está enamorado de mí —añadió ella.

—Eso es fácil decirlo —repuso—. Es un sentimiento poco profundo, ¿verdad? Todo euforia y romanticismo.

—Pero es uno de los sentimientos más bonitos del mundo —aseguró ella—. Quizá el más bonito. Por mi parte, yo también estoy locamente enamorada de él.

—Qué tipo más afortunado —replicó—. Definitivamente pienso retarlo a duelo.

—Dice que me quiere —siguió Hannah y su expresión sufrió un cambio, casi imperceptible pero asombroso, y pasó de soñadora a radiante.

—¿Qué se supone que significa eso? —preguntó él.

—Pues que me quiere en cuerpo y, sobre todo, en alma —respondió ella.

—La parte del cuerpo también es importante.

—Pues sí —convino ella con un hilo de voz—. Lo es.

—Sin defensas —precisó—. Sin máscaras ni disfraces. Sin miedos.

—Sin nada —repuso ella, meneando la cabeza—. Sin secretos. Dos individuos unidos en un solo ser indivisible.

—¿Eso es lo que te dicen las cartas anónimas?

—Con letras mayúsculas.

—Un tipo ostentoso.

—Desde luego. Solo hay que fijarse en la cantidad de rosas que me ha enviado.

—Hannah… —dijo.

—Sí.

Aún seguía parado junto a la puerta. Atravesó la estancia y Hannah le tendió la mano derecha. La tomó entre las suyas y se la llevó a los labios.

—Te quiero —confesó—. Con letras mayúsculas, con minúsculas y de todas las formas posibles. O imposibles, ya puestos.

La oyó tomar aire despacio.

Había llegado el momento. Y ya no estaba nervioso. Hincó una rodilla en el suelo sin soltarla de la mano. Sus rostros quedaron a la misma altura. Vio que tenía las mejillas sonrojadas. Los labios, entreabiertos. Los ojos, brillantes y muy azules. Como el trozo de cielo al otro lado de la ventana.

—Hannah —repitió—, ¿quieres casarte conmigo?

Llevaba tres largos días ensayando una declaración. No recordaba ni una sola palabra.

—Sí —respondió ella.

Hasta ese momento estaba convencido de que iba a torturarlo, de que representaría el papel de duquesa de Dunbarton al menos durante un rato antes de capitular. Si acaso capitulaba, claro. De hecho, estaba tan convencido que apenas reparó en su respuesta.

Al menos con los oídos.

Porque con el corazón era otra historia.

«Sí», había dicho, y no había nada más que añadir.

Se miraron a los ojos y volvió a llevarse su mano a los labios.

—Solía hablarme mucho de esto —dijo Hannah—. Me refiero al duque. Me hablaba del amor. Me prometía que algún día yo también sabría lo que era. Confié y creí en sus palabras cada minuto de cada día de mi vida desde que nos conocimos hasta que exhaló su último aliento, Constantine, pero en ese sentido jamás le hice mucho caso. Sí creía que él había conocido un amor extraordinario durante más de cincuenta años, pero me daba miedo creer que eso mismo me sucedería llegado el momento. Mis miedos eran infundados y sus afirmaciones, ciertas. Te quiero.

—¿Y lo harás durante más de cincuenta años? —preguntó.

—Mi duque solía decir que el amor era para toda la eternidad —respondió—. Y creo que tenía razón.

Le sonrió y Hannah le devolvió la sonrisa hasta que inclinó la cabeza para besarla en los labios.

Habían pasado casi tres semanas desde la última vez que hicieron el amor y tuvo la impresión de que la había deseado de forma constante durante cada minuto de ese tiempo. De todas formas, no se besaron con deseo sexual. Sino con...

Bueno, hasta ese momento siempre había besado con apetito sexual, de forma que no tenía palabras para describir lo que estaba sucediendo.

¿Afecto?

Demasiado insulso.

¿Amor?

Un término demasiado manido.

Fuera lo que fuese, se besaron con ese algo.

Y en ese momento se abrazaron y la cogió para levantarla del alféizar a fin de sentarse con ella en el regazo. Y fue cuando descubrió la palabra. O al menos la que más se aproximaba.

Se besaron con alegría.

Y cuando se separaron y se miraron a los ojos, se sonrieron como si fueran los primeros en besarse de ese modo. Con alegría. Con un amor eterno.

—¿Seguro que estás dispuesta a sacrificar tu título solo por el placer de casarte conmigo, duquesa?

—¿Y a ser simplemente la señora Huxtable? —añadió ella—. De esa forma tendrás que llamarme siempre Hannah y eso me gusta.

—O condesa… —sugirió.

Hannah lo miró sin comprender.

—Eso sería un poco tonto, la verdad —replicó.

—No tanto —aseguró Constantine—. El rey mandó redactar dos decretos reales después de tu visita, ¿sabes? Bueno, es posible que no lo sepas. El primero era el perdón de Jess.

Hannah se enderezó en su regazo al ver que guardaba silencio y lo miró con el ceño fruncido.

—¿Y el otro? —preguntó.

—Acabas de aceptar la proposición matrimonial de Constantine Huxtable, primer conde de Ainsley —respondió—. Se me ha concedido el título por el extraordinario servicio que les he prestado a los más pobres y queridos súbditos de Su Majestad. Creo que lo he citado casi al pie de la letra.

Hannah lo miró boquiabierta.

Y después echó la cabeza hacia atrás y soltó una carcajada.

El flamante conde de Ainsley se echó a reír con ella.

La noche siguiente se celebraba un baile organizado por los condes de Merton en su residencia londinense para conmemorar el aniversario de su baile de compromiso.

Habían invitado a cenar a la familia antes de que el baile diera comienzo; las tres hermanas de Stephen con sus respectivos esposos; el hermano de Cassandra, sir Wesley Young, con su prometida, la señorita Julia Winsmore; Constantine, dado que era primo de Stephen. Y también estaba invitada la duquesa de Dunbarton a pesar de que no era de la familia.

—Stephen —le decía Cassandra a su marido mientras esperaban en el salón a que llegaran sus invitados—, espero que a estas alturas no resulte violento que la hayamos invitado. Con lleva casi una semana en Londres y Hannah está aquí desde que la trajimos de Copeland Manor. Ella fue quien persuadió a Elliott para que fuera a Ainsley Park y después habló incluso con el mismísimo rey. Prácticamente fue ella quien solucionó el asunto sin ayuda de nadie. Pero todavía no ha pasado nada. ¿Crees que se sentirán incómodos esta noche?

—¿Por qué iban a sentirse incómodos? —preguntó Stephen a su vez—. La duquesa es tu amiga y es perfectamente admisible que se invite a cenar a los amigos. Piensa que nuestra intención es la de anunciar esta noche el nuevo título de Con, y Hannah desempeñó un papel esencial en ese asunto. Estoy seguro de que sabe que Con está invitado, así que supongo que si le incomoda su presencia, se limitará a enviar sus disculpas y no vendrá. Sin embargo, creo que la duquesa no se incomoda así como así.

—La escena del parque —le recordó Cassandra—. Para Meg fue graciosísima y para Kate, increíblemente romántica. Y desde entonces la gente ha hablado ad náuseam del episodio. Sin embargo… ¡todavía no ha pasado nada!

—Que nosotros sepamos —señaló él—. Todavía no se ha anunciado nada. Pero no sabemos si ha pasado algo. Cass, ambos tienen derecho a disfrutar de un poco de intimidad.

Cassandra suspiró.

—Todas nos horrorizamos cuando descubrimos que tenía una aventura con ella —recordó—. Claro que supuestamente no deberíamos enterarnos de esas cosas. Ese tipo de relaciones deben mantenerse en secreto. Nos parecía tan poco adecuada para él, tan…

—¿Arrogante? —suplió Stephen.

Cassandra frunció el ceño.

—Pues sí, la verdad —reconoció—. Pero las apariencias engañan en muchas ocasiones, ¿no es así? Yo debería saberlo mejor que nadie. Quizá siempre ha sido una persona… bueno, una persona cariñosa y alegre, una persona a la que me encanta tener como amiga. Una buena persona. ¿Por qué no están comprometidos?

Stephen se acercó a ella y le dio un beso en los labios.

—Podrías preguntárselo a ellos mismos en cuanto lleguen

—sugirió—. Podrías sacar el tema durante la cena. Estoy seguro de que mis hermanas tendrán algo que decir al respecto. Parecen haber tomado a la duquesa bajo sus alas, al igual que tú. Incluso Nessie.

Cassandra se echó a reír mientras lo golpeaba de forma juguetona en el brazo.

—Sería una bienvenida maravillosa —dijo—. En cuanto entren por la puerta, podría preguntarles: «¿Por qué no estáis comprometidos?». Stephen, no es que quiera hacer de casamentera, pero Con está muy solo y Hannah está muy sola.

—Por tanto, están hechos el uno para el otro —añadió él.

—¡Qué por tanto ni qué ocho cuartos! —replicó ella con aspereza—. Es que están hechos el uno para el otro. Hay que ser ciego y tonto para no darse cuenta después de haber estado con ellos en Copeland Manor.

La llegada de Vanessa y Elliott, seguida por la de Wesley y Julia, evitó que la conversación se prolongara. Poco después llegaron Katherine y Jasper, y Margaret y Duncan.

—¿Vendrá Con? —preguntó Elliott mientras degustaban sus bebidas.

—Ha dicho que sí —contestó Stephen.

—¿Y Hannah? —preguntó Margaret.

Y retomaron el tema.

—Mi madre dice que no tienen más remedio que casarse después de cómo la besó en el parque —comentó Julia Winsmore—. Yo lo vi con mis propios ojos. La verdad es que fue muy escandaloso. —Se sonrojó.

—Y también muy romántico —añadió sir Wesley—. O eso fue lo que me dijiste en aquel momento, por supuesto.

—No creo que la duquesa se deje llevar por el argumento de que no le queda más remedio que hacer algo, sea lo que sea —replicó Elliott.

—Está claro que quiere a Constantine —apostilló Katherine—. Lo torturará antes de darle el sí.

Su marido intercambió una mirada apesadumbrada con Duncan después de escuchar semejante muestra de lógica femenina.

—O no —la contradijo Margaret.

—Con no es tonto —les recordó Stephen—. No baila al son que le tocan.

—Pero está enamorado —repuso Cassandra.

Y eso puso punto y final a la conversación. El silencio se prolongó unos instantes.

El mayordomo apareció entonces y le susurró a Cassandra que la cena estaba lista. Sin embargo, ella le replicó también con un susurro que había que esperar un poco. Supuso que sus palabras provocarían un gran desconcierto en la cocina.

Y al cabo de un rato llegaron los dos últimos invitados. Juntos y con algo más de cinco minutos de retraso.

Parecían tan radiantes de felicidad que los demás casi echaron las campanas al vuelo. Al menos las damas que los habían estado esperando en el salón. Y Cassandra los perdonó de inmediato por haberla puesto en una situación tensa con la cocinera.

La duquesa de Dunbarton estaba deslumbrante con un vestido de suave color turquesa y con muy pocas joyas. No necesitaba de ninguna para brillar. De todas formas lograría atraer las miradas durante toda la noche. El brillo y el resplandor que solían acompañarla por fuera los irradiaba esa noche desde el interior de su persona.

—Si llegamos tarde es por mi culpa —informó Hannah antes de que pudieran saludarlos—. Ya estaba lista muchísimo antes de que Constantine llegara, pero justo cuando lo oí llamar a la puerta decidí que no quería ponerme mi vestido de fiesta blanco preferido. Ni tampoco los diamantes que hacen juego con él. Así que me cambié mientras él se mordía las uñas y rechinaba los dientes en el vestíbulo. —Miró a su alrededor con una sonrisa deslumbrante.

—Jamás rechino los dientes —protestó Constantine con serenidad—. Si lo hiciera cada vez que tengo que esperarte, a estas alturas no quedaría ni rastro de ellos. Tendré que cultivar esa gran virtud que es la paciencia. Tendré que aprender a encontrarle el chiste a la espera. Sin embargo, te desaconsejo que llegues tarde el día de la boda. Te recuerdo que trae mala suerte.

Y de ese modo se respondieron todas las preguntas sin necesidad de formular ninguna.

Y la cena se demoró otro cuarto de hora mientras recibían abrazos, besos, palmadas en la espalda y apretones de manos, y mientras Hannah declaraba que la situación era denigrante, pero que de todas formas había accedido a que la degradaran de duquesa a condesa.

—Aunque también me habría sentado de maravilla ser solo la señora Huxtable —añadió con otra de sus deslumbrantes sonrisas.

Le brillaban los ojos por las lágrimas y acababa de morderse el labio inferior. Constantine le pasó un brazo por los hombros y Cassandra sugirió que todos se trasladaran al comedor antes de que la cocinera le presentara su renuncia inmediata.

23

*L*levaban discutiendo desde el día anterior sobre el lugar donde se celebraría la boda. Aunque tal vez «discutir» no fuera el término correcto, ya que ambos estaban decididos a ceder a los deseos del otro.

Constantine opinaba que deberían casarse en Copeland Manor, ya que se trataba del hogar de Hannah y era evidente que lo adoraba. Las novias debían salir de su casa el día de la boda.

Tuvo el buen tino de no mencionar Markle en ningún momento.

Hannah opinaba que deberían casarse en Ainsley Park, ya que se trataba del hogar de Constantine y era evidente que lo adoraba. Además, lo más adecuado era que el nuevo conde de Ainsley se casara en su casa solariega.

Al final acordaron que la iglesia de Saint George sería el lugar más conveniente. Estaba situada en Hanover Square, a un tiro de piedra de Dunbarton House. La novia podría llegar andando. La alta sociedad asistiría en pleno. Tal vez incluso lo hiciera el rey. Y era el lugar de moda para contraer matrimonio.

Sin embargo, aunque ninguno de los dos estaba dispuesto a admitirlo, no querían casarse en Saint George.

Tendría que ser en Copeland Manor.

O en Ainsley Park.

O tal vez en la iglesia de Saint George.

—Excelencia, háblenos de la boda —dijo la señorita Winsmo-

re en cuanto estuvieron sentados a la mesa en Merton House—.
¿Cuándo y dónde se celebrará?

—Lo antes posible, para contestar la primera pregunta —respondió Hannah—. Y todavía no hemos decidido el lugar, y eso responde la segunda. —Acababa de tomar aire para añadir que prefería que se celebraba en Ainsley Park, a sabiendas de que la familia de Constantine la respaldaría, pero el conde de Merton se le adelantó.

—Con, debes casarte en Warren Hall —dijo—. Es tu hogar y siempre lo será. Allí es donde naciste y donde creciste. La capilla privada siempre se ha usado para las bodas, los bautizos y los... funerales —añadió en voz más baja.

—¡Oh, sería precioso! —exclamó Cassandra mientras les servían el primer plato—. Pero, Stephen, quizá Hannah tenga otras ideas. Al fin y al cabo también es su boda, no solo la de Con. —No obstante, miró a la aludida con expresión suplicante.

—Elliott y yo nos casamos allí —señaló Vanessa—, al igual que Cassandra y Stephen, que lo hicieron el año pasado. Es un sitio precioso para una boda. La capilla está situada en un lugar muy tranquilo de la propiedad, en medio de una arboleda, y es pequeñita, así que con unos cuantos invitados ya parece estar a rebosar. Además, tiene un aura de intimidad familiar única porque está rodeada por el cementerio. Allí está la historia de la familia.

Hannah llegó a la conclusión de que allí estaría enterrado Jon. Y de repente supo que tenían que casarse en Warren Hall. Sintió que era el lugar correcto antes siquiera de mirar al otro lado de la mesa hacia Constantine y ver la expresión tensa y seria de su cara.

—Stephen, te agradezco que estés dispuesto a prestarnos la capilla —lo oyó decir—, pero creo que deberíamos permitirle a Hannah...

—¿Que elija por sí misma? —suplió ella, interrumpiéndolo—. En ese caso, elijo yo. Gracias. Voy a elegir. —Sabía que la sonrisa de Constantine era forzada y que le estaba costando muchísimo mantenerla—. Elijo Warren Hall —añadió, mirándolo a los ojos, y tuvo la impresión de que se ahogaba en ellos al ver que la sonrisa desaparecía.

—¿Estás segura? —preguntó él.

—Segurísima —respondió, y era cierto—. Será en Warren Hall. Gracias, lord Merton. Es usted muy amable.

—Creo que de ahora en adelante, será mejor que me llames Stephen y que me tutees —replicó el conde—. Creo que todos deberíamos tutearnos.

Y de repente todos comenzaron a hablar a la vez mientras daban buena cuenta de la cena. Margaret, Vanessa y Katherine habían decorado el enorme salón de baile de Warren Hall, así como la capilla, antes incluso de que retiraran el plato principal. Cassandra había organizado el menú para el banquete de boda antes de que llegara el postre.

—Con, será mejor que te relajes y las dejes decidir —le advirtió Elliott—. Ya has hecho tu trabajo. Le has pedido matrimonio a Hannah y ella ha aceptado. El resto queda en manos de las damas.

Hannah fue informada de que los días previos a la boda se alojaría en Finchley Park, una de las propiedades del duque de Moreland, precisamente en la que creció, que lindaba con Warren Hall. También se alojarían en ella otras personas, incluyendo a Vanessa y a Elliott, a sus hijos, a la madre y a las hermanas de Elliott y a cualquier persona que Hannah quisiera invitar. Vanessa le aseguró que no tenía que preocuparse por la presencia de tanta gente. Le dijo que también estaba la residencia de la viuda, una casa preciosa situada en un lugar aislado a orillas del lago, que fue el sitio donde Elliott y ella pasaron la luna de miel. Y que sería el lugar donde la pasarían ellos. Añadió que no conocía ningún otro sitio más romántico para comenzar la vida matrimonial.

—¿Te acuerdas de los narcisos? —le preguntó a Elliott.

Y la pregunta hizo que el adusto duque de Moreland le guiñara un ojo delante de todos.

La mirada de Hannah se cruzó con la de Constantine, sentado al otro lado de la mesa, e intercambiaron una sonrisa que tal vez pasara inadvertida para los demás. De camino a la cena, Constantine la había advertido de que sus primas conformaban un trío de armas tomar y de que Cassandra estaba demostrando ser una valiosa adición a sus filas. Según él, si no se andaba con cuidado, le quitarían la boda de las manos y ellas se ocuparían de todo.

Y eso antes de saber que la boda se celebraría en sus dominios, en Warren Hall.

—¡Ay, por Dios! —exclamó de repente Katherine, y su tono de voz silenció a todos los comensales—. Ya estamos otra vez. Hannah, crecimos en un pueblecito pequeño, éramos las hijas del vicario. Siempre había cosas que hacer y que organizar. Y siempre éramos nosotras las que nos ofrecíamos a hacerlo. La vida rural puede convertirse en un aburrimiento sin fin a menos que alguien se ocupe de ese tipo de cosas. Sin embargo, aunque hace mucho que dejamos esa vida atrás, no hemos perdido la costumbre de «organizar».

—Es cierto —admitió Margaret con un suspiro—. Hannah, nadie te tiene por una mujer indecisa y desvalida. Supongo que llevas todo este rato riéndote de nosotras en silencio. Posiblemente tengas la boda preparada y no necesites de nuestra ayuda.

Hannah era consciente de que todos los ojos estaban clavados en ella. Los de las damas con tristeza; los de los caballeros con sorna.

—No me estoy riendo —aseguró—. Todo lo contrario más bien. —Y la verdad era que tuvo que parpadear varias veces para no acabar llorando—. Nunca he planeado una boda, tuve una que planearon por mí. Ayer accedí a casarme con Constantine, pero ya veo que también voy a casarme con su familia, y eso me hace tan feliz que no puedo expresarlo con palabras.

El duque le había asegurado que cuando encontrara el amor, encontraría también la sensación de pertenencia que siempre lo acompañaba.

Faltaba poco para que diera comienzo el baile. Los caballeros no siguieron en el comedor cuando las damas lo abandonaron, sino que las acompañaron al salón de baile para esperar la llegada de los primeros invitados.

Hannah sabía que el nuevo título de Constantine se anunciaría en el transcurso del baile. Y también se anunciaría su compromiso. El comienzo de una nueva era. Miró el precioso vestido turquesa que llevaba y se alegró de haberse quitado el blanco, aunque eso la hubiera hecho llegar tarde. Ya no tenía que seguir escondiéndose. No tenía que parapetarse tras una armadura de hielo y diamantes.

Era la duquesa de Dunbarton y pronto se convertiría en la condesa de Ainsley. Pero por encima de todo, era Hannah. Era ella misma tal como la habían moldeado la vida, su personalidad y sus vivencias. Se gustaba. Y estaba enamorada.

Era feliz.

Cuando los invitados comenzaron a llegar, Constantine le cogió la mano y se la colocó en su brazo. Pasearon juntos por el salón de baile, deteniéndose brevemente con algunas amistades. Ambos estaban muy sonrientes.

—¿Has notado que todo el que entra en el salón te mira dos veces, la primera con franca admiración por tu belleza y la segunda, con asombro cuando te reconocen? —preguntó Constantine.

—Creo que es a ti a quien miran —lo contradijo—. Estás guapísimo cuando sonríes.

—¿Te alegra celebrar la boda en Warren Hall? —quiso saber Constantine.

—Sí —respondió—. Estarás rodeado por toda tu familia. Jonathan incluido.

—Sí, pero ¿y la tuya?

Lo miró mientras la sonrisa desaparecía de sus labios.

—¿Estarás rodeada por tu familia? —insistió él.

—Invitaré a Barbara y al señor Newcombe —contestó—. Tal vez les apetezca ponerse otra vez en camino para asistir a mi boda.

—¿Cuando tú no vas a asistir a la suya? —señaló Constantine—. ¿Eso es una verdadera amistad?

¿Por qué había sacado el tema a colación en ese momento? El salón de baile comenzaba a llenarse de gente. El ambiente estaba un poco caldeado. Los miembros de la orquesta estaban afinando sus instrumentos.

—Muy bien —claudicó, levantando la barbilla y el abanico, un gesto que la convirtió en la duquesa de Dunbarton—. Invitaré a mi padre, a mi hermana, a mi cuñado y a mis sobrinos. Incluso invitaré a los Leavensworth. E iré a la boda de Barbara. Los dos iremos. ¿Estás satisfecho?

—Lo estoy —respondió él y añadió—: Amor mío. —Y le dio un beso fugaz y discreto, aunque fue todo un escándalo más que nada porque todavía no se había hecho ningún anuncio.

—Tendrá que casarse conmigo después de esto, señor —lo amenazó.

—¡Maldita sea mi estampa! —exclamó Constantine con una sonrisa—. No me va a quedar más remedio que hacerlo.

—No vendrá ninguno —le advirtió—. Salvo Barbara, quizá. E incluso ni siquiera ella.

—Amor mío, lo que cuenta es que vas a tenderles la mano —replicó él—. No puedes hacer otra cosa. Es lo máximo que podemos hacer. Vamos a bailar. Y después acataré con gran renuencia todas las reglas y bailaré solo una pieza más contigo. La posterior a la pausa y al anuncio. Será un vals. Tuve que luchar con Stephen e inmovilizarlo contra el suelo hasta que accedió a que fuera un vals.

Se echó a reír al escucharlo.

—¿Y si ya he prometido esa pieza en concreto? —preguntó.

—Lucharé con tu pareja y lo inmovilizaré contra el suelo hasta que recuerde que lleva zapatos nuevos que le han provocado unas terribles ampollas en los dedos —contestó.

—Qué tontería —replicó Hannah entre carcajadas.

Otro asunto que también llevaban discutiendo desde el día anterior era el lugar donde establecerían su residencia una vez que se casaran. Ese tema había sido mucho más fácil de zanjar.

Con había abandonado Ainsley Park para instalarse en la residencia de la viuda a fin de dejar espacio para nuevos residentes. La residencia de la viuda satisfacía perfectamente sus necesidades de soltero; pero, sin embargo, resultaría pequeña para añadir una esposa y, ojalá sucediera, una familia. Además, si desalojaba sus aposentos, le explicó a Hannah, también podrían utilizarse todas las estancias de la casa. Tal vez como alojamiento para el administrador o para los instructores. Ellos solo necesitarían una suite en la que instalarse durante sus visitas.

Porque pensaba ir a Ainsley Park un par de veces al año, claro. Esas personas eran muy importantes para él, y creía que sus sentimientos eran correspondidos.

Si establecían Copeland Manor como su lugar de residencia, Hannah estaría cerca de El Fin del Mundo y de los ancianos a los que tanto cariño les tenía. Y la propiedad en sí sería su refugio particular. Un lugar precioso, con sus terrenos agrestes y la mansión emplazada en una suave loma desde la que se disfrutaba de unas maravillosas vistas en cualquier dirección. En los años venideros sería el paraíso para cualquier niño. Y estaba cerca de Londres.

Que sería, por supuesto, el lugar donde pasarían la primavera todos los años. Porque al año siguiente Constantine tendría que ocupar su escaño en la Cámara de los Lores. Y se alojarían en la casa que tenía alquilada, aunque no estuviera en la parte más elegante de la capital. Podían prescindir de la ostentación.

De modo que Copeland Manor sería su hogar.

Y se alegraba por ello, pensó Con mientras bailaba y observaba bailar a Hannah. De hecho, se alegraría de vivir incluso en un cuchitril con ella. Aunque tal vez fuera mejor no comprobarlo.

La hora de la pausa llegó en un abrir y cerrar de ojos, y Stephen anunció a la alta sociedad que su primo, Constantine Huxtable, sería honrado por Su Majestad el rey con el título de conde de Ainsley antes de que la temporada social llegara a su fin. Y que el nuevo conde de Ainsley convertiría en su condesa a la duquesa de Dunbarton poco después de que eso sucediera, en una ceremonia privada que se celebraría en Warren Hall.

Con intentó contar las semanas que habían pasado desde el día que vio a Hannah en Hyde Park después de dos años, mientras cabalgaba con Monty y con Stephen, y sufrió su rechazo. No eran muchas, pero le costaba recordar la imagen que tenía de ella en aquel entonces. Era sorprendente lo mucho que cambiaban las personas cuando se conocía el interior además del exterior.

Ya en aquel momento estaba planteándose el tema del matrimonio. ¿Quién le iba a decir mientras la observaba aquel día en el parque que acabaría casándose con ella?

Que sería ella.

Su amor verdadero.

El baile tardó en reanudarse. Todos querían felicitarlos y expresarles sus buenos deseos. Muchos hombres juraron que llevarían brazaletes negros en señal de duelo desde el día siguiente. Hannah los golpeó con fuerza con el abanico en el brazo.

Y llegó el momento del vals.

Un baile que a Con le gustaba mucho, siempre y cuando pudiera elegir con quién lo bailaba, por supuesto. Por suerte, los hombres disfrutaban de un mayor control del asunto. Sin embargo, Hannah no parecía contrariada al tener que bailar con él cuando la sacó a la pista de baile.

—¿Estás contenta? —preguntó mientras le rodeaba la cintura con el brazo derecho y le cogía la mano con la izquierda.

—¡Sí, lo estoy! —respondió Hannah con un suspiro—. Aunque no sé si voy a disfrutar mucho con todos los preparativos para la boda. Quizá deberíamos habernos fugado.

—Mis primas jamás nos lo perdonarían —replicó él con una sonrisa.

—Lo sé. Pero lo único que quiero es estar contigo.

Por su parte, llevaba todo el tiempo tratando de obviar ese tipo de anhelo.

—¿Quieres venir a mi casa esta noche, después del baile? —preguntó.

Hannah lo miró a los ojos unos instantes antes de suspirar otra vez.

—No —contestó—. Ya no soy tu amante, Constantine. Soy tu prometida. Hay una gran diferencia.

Su respuesta lo decepcionó… y lo alivió. Porque había una gran diferencia.

—Seremos buenos, pues —repuso—. Y nos consolaremos con la idea de la noche de bodas.

—Sí —convino ella—. Pero no es solo eso. Es que estoy deseando… ¡Ay, no sé cómo decirlo! Estoy deseando ser tu esposa.

La miró con una sonrisa.

—Y acabo de recordar una cosa —añadió Hannah, cuya expresión recobró la alegría—. El duque me enseñó que jamás usara el verbo «desear», porque implica una falta de seguridad en mí misma y es la puerta a la decepción. No deseo ser tu esposa. Lo voy a ser, así que me lanzaré de lleno a ayudar a Margaret y a las demás con los preparativos de la boda para que el tiempo pase más deprisa. ¡Ay, Constantine! Es maravilloso tener una familia que se preocupe por mi boda, aunque en parte preferiría fugarme.

En ese instante comenzó la música.

Y sin dejar de mirarse a los ojos bailaron bajo la luz de las velas de las arañas, entre los arreglos florales y los frondosos helechos, entre el resto de las parejas que conformaban un reluciente remolino de satenes, sedas y joyas de variados colores.

Con comprendió que siempre había vivido en los márgenes de la vida, observando las vidas de los demás, ayudándolos incluso a caminar por ella. La muerte de Jon había supuesto un golpe tan fuerte porque había intentado vivir la vida de su hermano y había acabado descubriendo que era imposible. Jon tenía que morir solo. Y a esas alturas era un hecho que asumía como natural y justo. Jon había vivido su vida, la vivió con intensidad, y murió cuando le llegó la hora.

Y por fin había llegado su turno, reconoció. De repente y por primera vez, se encontraba en el centro de su vida, viviéndola y disfrutándola.

Amando a la mujer que ocupaba dicho centro a su lado.

Amando a Hannah.

Que lo miraba con una sonrisa.

La hizo girar al llegar a uno de los rincones del salón de baile y se la devolvió.

24

La boda de Hannah Reid, duquesa de Dunbarton, con Constantine Huxtable, conde de Ainsley, era un acontecimiento íntimo a ojos de la alta sociedad. Y lo más sorprendente, al menos para Hannah, era que se trataba de un acontecimiento familiar, con niños correteando por todas partes que asistirían tanto a la ceremonia que se celebraría en la capilla de Warren Hall como al banquete de bodas que tendría lugar después en la mansión.

Sin embargo, era más sorprendente si cabía que no solo iba a asistir la familia de Constantine. Su padre también había ido. Al igual que Dawn y Colin, su hermana y su cuñado, con sus cinco hijos: Louisa, de diez años; Mary, de ocho; Andrew, de siete; Frederick, de cinco; y Thomas, de tres. Y Barbara se presentó con sus padres, ya que el reverendo Newcombe no podía abandonar sus responsabilidades después de su reciente escapada y antes de su propia boda y su luna de miel.

Su padre apenas había cambiado, descubrió Hannah cuando llegó a Finchley Park el día antes de la boda. No podía decir lo mismo de Colin ni de Dawn. Los dos habían ganado volumen y parecían bastante mayores. Colin había perdido mucho pelo y su aspecto lozano. Dawn, en cambio, tenía las mejillas sonrojadas y parecía contenta… aunque no en el momento de su llegada.

Debía de haberles costado mucho tomar la decisión de ir, supuso Hannah.

Había decidido de antemano comportarse como si no hubiera habido distanciamiento alguno, y al parecer ellos habían tomado la misma decisión. Se abrazaron, se saludaron y sonrieron. Y ocultaron la vergüenza que debían de estar sintiendo todos concentrándose en los niños, que en ese momento salían de otro carruaje.

Tenía dos sobrinas y tres sobrinos de los que no sabía prácticamente nada, pensó Hannah mientras veía cómo iban saludándola con las reverencias de rigor. Nunca había permitido que Barbara le hablara de su familia.

En otras circunstancias bastante distintas, llevaría casada unos diez años con Colin. En ese momento se le antojaba como un extraño al que había conocido de pasada hacía muchísimo tiempo.

—Entrad, por favor —dijo—. Hay té y galletas para todos.

—Tía Hannah —dijo Frederick, que la cogió de la mano cuando se volvió hacia la casa—, tengo zapatos nuevos para la boda. Son de una talla más grande que los viejos.

—Y los míos —añadió Thomas, que se puso a su altura cuando entraron en la casa.

—En ese caso me alegro mucho de celebrar una boda —replicó—. Todos necesitamos un buen motivo para estrenar zapatos nuevos de vez en cuando. —Se le encogió el corazón.

Mucho más tarde tuvo por fin una oportunidad para hablar con su padre en privado. Lo vio paseando por el prado junto a la casa, después de tomar el té, aunque lo imaginaba descansando en su habitación, como hacían casi todos los demás.

Titubeó un momento antes de reunirse con él. Había llegado hasta ese punto en la reconciliación, pensó. ¿Por qué detenerse a esas alturas?

Su padre levantó la vista cuando la vio acercarse y se detuvo. Tenía las manos entrelazadas a la espalda.

—Te veo bien, Hannah —dijo.

—Me siento de maravilla —aseguró.

—Y vas a casarte con otro aristócrata —continuó su padre—. Pero con un hombre más joven en esta ocasión. ¿Este caballero te proporcionará un poco de felicidad al menos?

¿Acaso su padre había malinterpretado la situación todos esos años?

—Le quiero —afirmó— y él me quiere a mí. Espero encontrar muchísima felicidad en mi matrimonio con Constantine. Lo conocerás más tarde. Va a venir a cenar. Pero, papá, también encontré muchísima felicidad en mi primer matrimonio. El duque fue amable conmigo... mucho más que amable. Y yo lo adoraba.

—Era viejo —insistió su padre—. Podría haber sido mi propio padre. Nunca me he perdonado mi parte de culpa en los acontecimientos que te llevaron a actuar de una forma tan impulsiva como para casarte con él, Hannah. No hice nada para impedírtelo. Supongo que en su momento me pareció una solución fácil a un problema desagradable. Mis dos hijas querían al mismo hombre, y yo quería que las dos fueran felices. Pensaba que tú te recuperarías antes y que encontrarías la felicidad con otra persona porque todos los jóvenes te preferían a ti, de modo que me puse de parte de Dawn. Fui muy corto de miras, ¿verdad? Te casaste con un anciano a quien no conocías de nada, te marchaste de casa y nunca volviste ni escribiste ni... En fin, yo tampoco tuve el valor de escribirte, ¿verdad?

—Casarme con el duque fue lo mejor que he hecho en la vida —replicó Hannah—. Y a juzgar por lo que he visto durante el té, casarse con Colin fue lo mejor que ha hecho Dawn en su vida.

—Parecen bastante felices —reconoció su padre—. Y mis nietos son mi vida. Tal vez... —Se interrumpió.

—Sí, tal vez —convino—. Solo tengo treinta años, papá. Y lo único que necesito es un hijo para que mi felicidad sea completa.

—Gracias —dijo su padre con cierta incomodidad—, por invitarnos a tu boda, Hannah.

—Constantine no tiene hermanos, pero tiene primos de ambas ramas familiares —explicó—. Y todos mantienen una relación muy estrecha. Diría que todos son cariñosos y muy agradables. Han abierto sus vidas y sus corazones para incluirme. Seguro que has podido comprobarlo durante el té, con Elliott y Vanessa, los duques de Moreland, y con su madre y sus hermanas. Ellos me han hecho ver la importancia de la familia. Y Constantine me convenció para que me pusiera en contacto con vosotros de nuevo. No estaba segura de que vinieseis. Creo que esperaba que no lo hicierais.

Su padre soltó un suspiro sentido.

—Lloré al recibir tu carta —confesó—. Vaya, no me creía capaz de admitirlo delante de nadie. Me siento... perdonado.

Hannah dio un paso al frente y apoyó la cabeza en el hombro de su padre. Sintió que él le rodeaba la cintura con las manos y la abrazaba.

No tuvo oportunidad de hablar con Dawn hasta la mañana siguiente... el mismo día de su boda. Estaba en su vestidor, con la cabeza muy quieta para que Adèle domara un rizo rebelde sobre su sien hasta dejarlo como ella quería.

Llevaba un vestido de color rosa claro, un tono que no se había imaginado escoger para su boda. Pero cuando fue de compras en busca de la tela, se enamoró de esa tonalidad en concreto. Se pondría un bonete de paja a juego, adornado con capullos de rosa, ramitas verdes y cintas rosas un poco más oscuras que el vestido.

El cielo, según veía por la ventana, estaba despejado. No había ni una sola nube en el horizonte.

Y en ese momento los invitados fueron a verla antes de marcharse a la iglesia. Vanessa, junto con Averil y Jessica, las hermanas de Elliott, exclamaron encantadas al verla, le sonrieron y afirmaron que no la abrazaban para no arrugarle el vestido ni estropearle el peinado. Todas coincidieron en que Cecily, la hermana pequeña de Elliott que estaba a punto de dar a luz, se iba a tirar de los pelos por perderse la ceremonia. La señora Leavensworth se llevó las manos al pecho y declaró que no había sido más feliz en toda su vida, aunque seguramente lo sería todavía más en cuestión de tres semanas, cuando Barbara se casase.

A Barbara le importó muy poco arrugarle el vestido o despeinarla. La abrazó con fuerza y sin decir nada durante un minuto entero. Después se apartó y la miró con detenimiento.

—Llevaba mucho tiempo esperando esto, Hannah —dijo—.

Incluso he rezado para que sucediera. Ríete si quieres. Hay demasiado amor en tu interior como para que lo malgastes con un simple coqueteo. Y el señor Huxtable… bueno, el conde de Ainsley es el hombre adecuado. Lo pensé cuando estábamos en Copeland Manor. Estaba casi segura cuando te subió a lomos de su caballo en el parque. Y cuando os vi anoche en la cena… en fin, no me quedó la menor duda. Y ahora que te he soltado este sermón, será mejor que me vaya a la iglesia con mis padres, no vaya a ser que la novia llegue antes. —Se echó a reír.

—Babs —dijo y la abrazó de nuevo—, ¿qué habría sido de mí si no te hubiera tenido todos estos años?

—Lo mismo que habría sido de mí de no haberte tenido a ti, supongo —contestó su amiga—. Ah, Dawn, aquí estás. Mi madre y yo ya nos vamos, así que tendrás más espacio.

Y todos se fueron a excepción de Dawn, que permanecía de pie con expresión incómoda junto a la puerta.

—Ya estoy lista, Adèle —dijo Hannah—. Me pondré el bonete yo misma antes de irme.

Su doncella se marchó de la estancia.

—No sé cómo lo haces, Hannah —le soltó Dawn casi enfadada—, pero estás más guapa ahora de lo que lo estabas hace once años.

—Estoy enamorada —replicó con una sonrisa— y es el día de mi boda. Es fácil estar guapa en estas circunstancias.

—No es solo eso —repuso Dawn—. Antes pensaba que solo era tu aspecto. Pero siempre ha sido lo que tenías dentro. Y ahora hay todavía más. El conde de Ainsley es guapísimo, ¿verdad? Aunque es una pena lo de la nariz. Supongo que debería llamarlo Constantine, como anoche me pidió que hiciera, pero me resulta presuntuoso hacerlo. Te ha ido muy bien, aunque seguro que te pareció que el viejo duque iba a vivir eternamente. Debió de ser una tortura para ti.

—Supongo que eso es lo que cree la gente —dijo Hannah—. No es verdad, pero me da igual que no lo sepa nadie, salvo yo… y Constantine. Y ahora voy a casarme con un hombre a quien quiero con toda el alma. Si alguna vez echas la vista atrás y sientes una punzada de culpabilidad, Dawn, no lo hagas. Todas las cosas suceden por un motivo… en ocasiones por un motivo más importante de lo que creemos en su momento. Lo que sucedió me llevó hasta el duque y disfruté de diez años de sorprendente felicidad. Y casarme con el duque me ha traído poco a poco hasta este día.

—No me siento culpable —aseguró Dawn—. Podrías haber tenido a cualquiera que se te antojara. Elegiste a Colin y él estuvo embelesado por tu belleza durante un tiempo, como les pasa a todos los hombres cuando te ven. Pero me quería a mí, y yo le quería a él. Tenemos un buen matrimonio y también unos hijos sanos y estupendos… que es más de lo que tú tienes. No me siento culpable.

Sonrió al escuchar a su hermana.

—Me alegro de que seas feliz —replicó al tiempo que daba un paso hacia ella—. Y tus hijos son maravillosos. Espero poder conocerlos mejor con el tiempo. Iré a Markle para asistir a la boda de Barbara. Vamos a quedarnos en casa de papá.

—Barbara causará sensación —dijo Dawn— al tener a unos condes por invitados. No se hablará de otra cosa en un mes.

Hannah dio otro paso al frente y abrazó a su hermana. Era una especie de reconciliación, pensó cuando Dawn le devolvió el abrazo. Seguramente su relación fraternal nunca sería muy estrecha. Tal vez Dawn le guardara un poco de rencor aunque al final se quedara con Colin, a quien parecía querer de verdad. Y tenía cinco hijos, que eran muy dulces y estaban bien educados.

Pero al menos habían hecho las paces. Al menos podían empezar a construir una nueva relación a partir de ese momento. Tenían todo el futuro por delante. Siempre había lugar para la esperanza.

—Será mejor que me vaya —dijo Dawn—. Colin y los niños me estarán esperando.

Hannah la vio alejarse antes de cerrar la puerta del vestidor. Todavía le quedaba una cosa por hacer antes de colocarse el bonete y bajar las escaleras para reunirse con su padre.

Buscó en el lateral de su bolsa de viaje y sacó un pequeño estuche cuadrado. Lo abrió y lo dejó en el tocador mientras contemplaba la alianza que tenía en el dedo y se la quitaba. La sostuvo un momento y se la llevó a los labios.

—Adiós, mi querido duque —susurró—. Hoy te alegrarías muchísimo por mí, te sentirías muy feliz, ¿verdad? Predijiste que llegaría. Y tal vez también te sentirías un poco triste. Yo soy feliz. Y me siento un poco triste. Pero ahora estás con tu amor y yo estaré con el mío. Y una parte de cada uno siempre le pertenecerá al otro.

Dejó el anillo en el estuche, titubeó un instante y cerró la tapa con gesto firme antes de devolverlo al baúl.

Cogió su bonete.

Y de repente la asaltó tal nerviosismo que le temblaron los dedos mientras se ataba las cintas bajo la oreja derecha.

La capilla estaba a rebosar de invitados, como Constantine sabía que estaría aunque casi todos ellos formaban parte de sus respectivas familias. A su espalda escuchaba el murmullo de las conversaciones, así como las carreras y las voces agudas de los niños.

Había muchísimos. La familia estaba creciendo. Y aún seguía haciéndolo. Katherine y Monty estaban a punto de aumentar su familia. Cecily daría a luz en cualquier momento.

Y no solo aumentaba la familia. La esposa de Phillip Grainger estaba embarazadísima y tenía a otros dos niños sentados a su lado. Phillip, uno de sus amigos más antiguos, era su padrino.

En cierta forma, era una situación muy cómoda. Familia. Y ese día él mismo se convertiría en un hombre casado. En un hombre de familia. ¡Ojalá se convirtiera en un hombre de familia!

Pero todavía no estaba casado siquiera.

¿Hannah se retrasaría? Sería raro que no lo hiciera.

De todas formas, aún quedaban cinco minutos antes de que pudiera decir que se estaba retrasando. ¿Qué fue lo que comentó acerca de cultivar la paciencia?

Ojalá hubiera desayunado algo.

Aunque agradecía no haberlo hecho.

Y maldita fuera su estampa, pero empezaba a ponerse nervioso.

¿Y si le habían entrado dudas?

¿Y si había aparecido un viejo duque en algún rincón de Finchley Park y se había fugado con él?

Pero en ese momento escuchó las ruedas de un carruaje... después de que todos los invitados hubieran llegado. Solo faltaban tres minutos para las once.

El carruaje se detuvo. ¡Lo normal, porque el camino solo conducía a la capilla!

Se hizo el silencio en la iglesia. Todo el mundo había escuchado lo mismo que él.

Y en ese instante el vicario apareció en la puerta y ordenó a los presentes que se pusieran en pie. Y después echó a andar hacia el altar por el pasillo, dejando libre la puerta para Delmont, el padre de la novia, y para Hannah.

La belleza personificada vestida de rosa claro.

Su novia.

¡Por Dios! Su novia.

Estuvo a punto de dar un paso hacia ella pero se detuvo. Se suponía que debía esperarla donde se encontraba. Que ella debía acercarse a él.

De modo que se quedó quieto hasta que llegó a su altura, caminando del brazo de su padre y mirándolo con una sonrisa a través del velo rosa que caía del ala de su bonete de paja.

Le devolvió la sonrisa.

¿Por qué habían pasado tanto tiempo discutiendo dónde se casarían y cuántos invitados asistirían? No lo entendía. El lugar donde se encontraban no importaba. Y en ese momento no importaba en absoluto quién fuera testigo del intercambio de votos que los unirían durante el resto de sus vidas a ojos de la ley y gracias al amor.

Daba igual.

—Sí, quiero —contestó cuando el vicario le preguntó si quería aceptar a Hannah por esposa.

—Sí, quiero —dijo ella a su vez.

Y poco después estaba recitando sus votos, a instancias del vicario, y después le llegó el turno a Hannah. Y Phillip le dio la alianza de oro y él se la colocó a Hannah en el dedo. Y de repente...

¡Caray! Y de repente todo acabó, la emoción y los nervios, los miedos infundados.

Eran marido y mujer.

Y lo que Dios había unido, ningún hombre podría separarlo jamás.

—Hannah. —Le apartó el velo de la cara y la miró a los ojos.

Ella le devolvió la mirada con expresión abierta y sincera.

Su esposa.

De repente fue consciente de los murmullos y los movimientos, de la voz cantarina de un niño, de una tos discreta. Y volvió a ser consciente de dónde se encontraban y con quién. Se alegró de que la familia y los amigos estuvieran presentes para celebrar el momento con ellos.

Sintió un ramalazo de pura felicidad.

Hannah, su esposa, lo miró con una sonrisa, y cuando quiso devolverle el gesto, se dio cuenta de que ya lo hacía.

No había ningún carruaje esperándolos a las puertas de la capilla. Regresarían todos caminando a Warren Hall, con los novios abriendo la marcha.

Pero no de inmediato.

Cuando salieron de la iglesia, Hannah miró a su flamante esposo y se soltó de su brazo para cogerle la mano.

—Sí —murmuró como si él hubiera dicho algo.

Su esposo. ¡Era su esposo!

Y juntos, como si lo hubieran hablado de antemano, se encaminaron al cementerio adyacente a la iglesia. Se detuvieron al pie de un montoncito de hierba. Estaba marcado por una lápida en la que rezaban cinco líneas: «Jonathan Huxtable, conde de Merton, muerto el 8 de noviembre de 1812, a la edad de 16 años, RIP».

Contemplaron la tumba con las manos entrelazadas, el uno junto al otro.

—Jonathan, gracias por llevar una vida colmada de amor —dijo ella en voz baja—. Gracias por seguir viviendo en el corazón de Constantine y en tu sueño de Ainsley Park.

Con le apretó la mano con tanta fuerza que casi le hacía daño.

—Jon —dijo, con un hilo de voz—, habrías sido muy feliz hoy. Pero tú siempre eras feliz. Ve en paz, hermano. Te he retenido demasiado tiempo. Siempre he sido muy egoísta. Ve en paz.

Una lágrima resbaló por la mejilla de Hannah y cayó sobre el escote de su vestido. Se enjugó los ojos con los dedos enguantados de la mano libre.

—Te quiero, Hannah —dijo Con sin alzar apenas la voz.

—Yo también te quiero —replicó ella.

Y juntos regresaron con sus invitados, que los aguardaban en el camino de entrada a la capilla, charlando y riéndose. Los niños correteaban de un lado para otro y sus voces agudas se alzaban sobre las demás.

Con entrelazó los dedos con los de Hannah mientras regresaban junto a su familia y sus amigos, sonrientes y rebosantes de alegría.

Y del cielo empezaron a llover pétalos de rosa.

Epílogo

*H*acía un día otoñal perfecto. Aunque tal vez no fuera perfecto para la niñera. Claro que si la dejaran salirse con la suya, sus temores le impedirían sacar al bebé de casa hasta que cumpliera al menos un año. Si la dejaran salirse con la suya, lo convertiría en una planta de invernadero. Y en muchos otros aspectos se salía con la suya, puesto que contaba con una enorme experiencia como niñera y era evidente que quería al niño como si fuera su abuela.

Hannah la había encontrado cuando su anterior «familia» prescindió de sus servicios porque ya no eran necesarios y ella solicitó un empleo en El Fin del Mundo, aunque durante la entrevista admitió llevarse mejor con los niños que con los ancianos. No obstante, añadió, a falta de pan, buenas eran las tortas.

El día era perfecto. El calor del verano había desaparecido, pero el viento todavía no era frío. No había ni una sola nube que presagiara lluvia en el cielo; de hecho, no había nube alguna a la vista. Y el viento estaba de vacaciones. Incluso la ligera brisa que soplaba el día anterior. El cielo era un caleidoscopio de color. No en sí mismo, por supuesto, ya que era de un azul uniforme, sino las ramas de los árboles que se alzaban hacia él. Los tonos rojos se mezclaban con los amarillos, con los anaranjados, con un sinfín de marrones y con algunos tonos de verde. Sin embargo, muy pocas hojas habían caído al suelo.

Habría sido un día precioso para cabalgar. Para galopar por el campo y para echar una carrera. Hannah conservaba la esperanza de ganarle a Constantine algún día. Aunque llevaba varios meses sin subirse a una montura, claro. Ni siquiera para dar un tranquilo paseo. Constantine no se lo habría permitido aun cuando ella se hubiera sentido inclinada a correr el riesgo. Que no había sido el caso.

Viajaban tranquilamente en el carruaje. En el carruaje cerrado. Los deseos de la niñera habían sido desoídos, aunque no todos. La mujer tenía experiencia, ellos no.

Era un trayecto que solían hacer con los perros. Poco después de la boda, habían decidido que un acogedor rinconcito del establo se dedicara a los perros. Constantine pensaba que los ancianos que residían en El Fin del Mundo necesitaban más estímulos aparte de su compañía y de la de otras personas. Y ciertamente la visita de los perros era el punto álgido de sus días. Hannah y Constantine los llevaban a veces. Pero lo normal era que lo hiciese Cyril Williams. Era un niño de diez años que le había robado la cartera a Constantine en Londres, poco después de que regresaran de la boda de Barbara con el reverendo Newcombe. Un niño sucio y harapiento que no paraba de temblar, que había perdido unos meses antes a su madre, la única familia que le quedaba con vida, y que desde entonces había pasado de la mera desesperación a la supervivencia animal.

Cyril y los perros se llevaban de maravilla. Los alimentaba y los cuidaba, los sacaba para que hicieran ejercicio, los adiestraba y los quería. Y a veces los metía a hurtadillas en su dormitorio, ocasiones en las que la servidumbre y los señores sufrían extraños episodios de ceguera y sordera. Los perros lo adoraban y lo seguían como si fueran su sombra. Se portaban muy bien con él y se pasaban el día alicaídos en el establo cuando el niño estaba fuera, no por gusto, sino en la escuela del pueblo.

Ese día en concreto no llevaban a los perros para que alegraran a los ancianos.

Ese día llevaban a Matthew Huxtable con sus cuatro meses de vida, un bebé que en opinión de sus padres era el más bonito del mundo, si bien admitían no ser objetivos. Había heredado el tono oscuro de pelo y de piel de su padre, y los ojos azules y la alegre sonrisa de su madre.

Ese día los ancianos disfrutaron de lo lindo cuando Constantine les dejó a Matthew en brazos para que lo acunaran y, sobre todo, cuando les dedicaba una desdentada sonrisa, en ocasiones con ayuda de su padre, que le hacía cosquillas en la barriguita.

Entretanto, Hannah charló con aquellos que no podían coger al bebé, que no hablaban o que ni siquiera respondían a los estímulos que los rodeaban. De todas formas habló con ellos y les contó cosas sobre las tres semanas que sus dos sobrinas y uno de sus sobrinos habían pasado en Copeland Manor durante el verano, después de que su madre regresara a Lincolnshire con los dos más pequeños tras haber pasado una temporada con Hannah para ayudarla durante la última etapa de su embarazo y durante el parto. También les habló de la hija de los barones Montford, a la que esperaban conocer antes de Navidad, antes de que cumpliera un año. Y sobre la nueva camada de perritos, a los que Cyril les estaba buscando un hogar.

Cuando la visita acabó, Hannah se sentó al lado de Constantine en el carruaje y lo observó mientras se colocaba a Matthew en el regazo, sosteniéndole la cabeza con las manos, tras lo cual comenzó a hacerle carantoñas y a decirle tonterías.

El bebé cerró los ojos. No estaba de humor para reírse.

¿Quién iba a pensar que un hombre como Constantine Huxtable iba a convertirse en un padre tan cariñoso y devoto?, se preguntó Hannah.

El demonio, domesticado.

Salvo que nunca había sido un demonio. Nada más lejos de la realidad.

Había sido un hombre lleno de secretos. Un hombre lleno de amor.

Colocó la mejilla en su hombro y él volvió la cabeza para mirarla.

—Estaba intentando recordar la cara de la duquesa de Dunbarton —comentó él—, pero la de Hannah no para de interponerse.

—La duquesa me fue de gran ayuda —confesó.

—Me alegro de que ya no la necesites.

Hannah exhaló un suspiro de contento.

—Yo también me alegro —reconoció—. Matthew está dormido. Déjame cogerlo.

Constantine se volvió y lo dejó en sus brazos sin despertarlo. Después siguió mirándolos, primero al niño y después a la madre.

—¿Te he dicho que te quiero? —preguntó.

—Sí —contestó ella.

Constantine acarició la cabeza de su hijo con cuidado y se acomodó en el asiento.

—Pero puedes repetírmelo —añadió Hannah—. De hecho, insisto en que lo hagas ahora mismo.

Constantine soltó una queda carcajada.

El papel utilizado para la impresión de este libro
ha sido fabricado a partir de madera
procedente de bosques y plantaciones
gestionados con los más altos estándares ambientales,
lo que garantiza una explotación de los recursos
sostenible con el medio ambiente
y beneficiosa para las personas.
Por este motivo, Greenpeace acredita que
este libro cumple los requisitos ambientales y sociales
necesarios para ser considerado
un libro «amigo de los bosques».
El proyecto Libros Amigos de los Bosques promueve
la conservación y el uso sostenible de los bosques,
en especial de los bosques primarios,
los últimos bosques vírgenes del planeta.

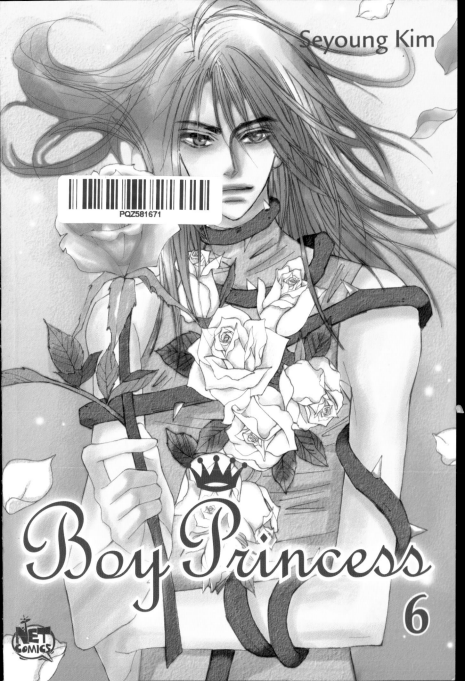

NETCOMICS.com